U0326246

高等学校教学用书

计算机控制系统

张国范　顾树生　王明顺 等编著

北　京

冶金工业出版社

2004

内 容 提 要

本书对计算机控制系统做了全面系统、由浅入深的阐述,主要内容包括:计算机控制系统的基本概念、组成与分类;过程通道,以 PC 机为例,介绍了 ISA、PCI 总线及其开关量模拟量通道,并配有 C、C++、汇编语言接口程序;计算机控制系统的理论基础;控制方法及有数字控制系统的模拟设计方法与直接设计方法,基于状态空间的极点配置方法;分布式控制系统,重点介绍了工业总线、现场总线控制系统;计算机控制系统可靠性技术与系统设计,典型的分级控制系统硬件、软件的设计以及常用工控组态软件应用。本书所列举工程实例的硬件、软件都具有通用性与实用价值。章后附有习题和部分习题的参考答案。

本书可作为高等院校自动控制、自动化、计算机应用等专业高年级本科生或研究生的教材。由于本书采用由浅入深、循序渐进的写法,而且每章都有一定的独立性,因此也适用于多层次教学,还可供从事计算机应用与自动化工作的工程技术人员参考。

图书在版编目(CIP)数据

计算机控制系统/张国范等编著.—北京:冶金工业
出版社,2004.5
高等学校教学用书
ISBN 7-5024-3472-0

Ⅰ.计… Ⅱ.张… Ⅲ.计算机控制系统—高等
学校—教学参考资料 Ⅳ.TP273

中国版本图书馆 CIP 数据核字(2004)第 008830 号

出版人 曹胜利(北京沙滩嵩祝院北巷 39 号,邮编 100009)
责任编辑 宋 良 美术编辑 王耀忠
责任校对 侯 瑂 李文彦 责任印制 李玉山
北京铁成印刷厂印刷;冶金工业出版社发行;各地新华书店经销
2004 年 5 月第 1 版,2004 年 5 月第 1 次印刷
787mm×1092mm 1/16;17.75 印张;426 千字;274 页;1—5000 册
29.00 元

冶金工业出版社发行部 电话:(010)64044283 传真:(010)64027893
冶金书店 地址:北京东四西大街 46 号(100711) 电话:(010)65289081
(本社图书如有印装质量问题,本社发行部负责退换)

前　言

随着教育改革与电子工业的飞速发展，特别是计算机迅速的更新换代，对控制领域的自动化程度要求越来越高。因此，我们在 1997 年 6 月出版的教材《微型计算机控制技术》的基础上，修改了部分内容并适当增加了新的内容，使之与时俱进，适应科学技术与国际接轨的要求，满足自动化技术飞速发展的需要。

全书共分 9 章，系统地涵盖了计算机控制系统的典型内容。第 1 章介绍计算机控制系统的基本概念、组成与类型。第 2 章过程通道，结合通用 PC 机的 ISA 插槽与新增加的 PCI 插槽，详细介绍了设计开关量输入、输出与模拟量输入输出通道的方法，电路图中给出了真实的元器件型号、管脚号、数值等，并给控制软件配以汇编语言、C 语言与 C++ 语言的编写，工程上实用可行，可以起到举一反三的作用。第 3 章介绍了离散控制系统的理论基础，包括 Z 变换、采样定理、脉冲传递函数、极点位置与暂态响应的关系。第 4 章介绍了模拟装置的离散化的双线性变换法、零极点匹配法、直接微分差分法、PID 控制算法、PID 各项系数对系统过渡过程的影响与整定、Smith 预估控制方法以及串级、前馈。第 5 章介绍了最少拍无纹波系统的控制器设计、大林算法等。第 6 章介绍了状态变量反馈和极点配置的基本概念、离散状态方程的建立、全部状态可观测时按极点配置设计控制器与观测器。第 7 章介绍了分布式控制系统的结构及应用特点、常用的工业现场总线技术、CAN 总线设计、应用工程实例。第 8 章论述了与计算机控制系统的可靠性相关的问题。第 9 章介绍计算机控制系统设计的要求与特点、设计的一般步骤，并通过实例展示了包括控制系统硬件、人机界面、控制软件方面的设计方法。本教材力争给读者一个完成计算机控制系统设计的综合与全面的知识，希望使读者能够在本教材的理论与应用密切结合、实用而新颖的知识讲解中得以启迪和提高。

为了便于教学与自学，本书配有适量的例题，并且附有习题与思考题及部分习题答案。本教材参考学时为 80 学时，包括 16 学时的实践环节（8 学时实验、8 学时课程设计或 16 学时的实验）。使用时也可根据教学计划与专业的不同要求进行安排，部分内容可自学。

本书中,东北大学张国范教授与沈阳理工大学董砚秋副教授编写第 1、3、4 章;东北大学顾树生教授编写第 6 章;东北大学王明顺副教授编写第 2、7、8、9 章;沈阳大学范立南教授编写第 5 章。在编写过程中邀请了清华大学袁增任教授、哈尔滨工业大学强文义教授对本书进行了详细的审阅,提出了很多好的意见与建议,其他兄弟院校及东北大学信息科学与工程学院许多教师提出过很多宝贵意见,在此一并表示衷心的感谢。

由于水平有限,书中难免存在错误与缺点,欢迎读者批评指正。

作 者

2004 年 1 月于沈阳

目　　录

1 计算机控制系统概述

计算机控制系统的发展与计算机技术的发展紧密相连。在计算机发展初期,其可靠性较差、体积庞大、价格昂贵,仅能用于科学计算与数据处理。后来由于大规模集成电路的突破,计算机发展迅速,大致每十年更新换代一次。因此,计算机应用于生产过程的实时控制与分布控制成为可能。

计算机的发展与控制理论相结合,使控制水平越来越高,一些新型的设备和生产方式,像工业机器人、柔性生产系统等正在推广应用。可以肯定,计算机控制技术将成为改造与优化生产过程的主要手段。

计算机控制系统的发展大体上经历20世纪50年代的试验阶段;70年代以后的推广阶段;随着大规模集成电路的发展,计算机具有可靠性强、体积小、价格便宜、使用灵活方便的特点,近年来分级控制正在发展与壮大;在大量应用集散型控制系统的基础上,现场总线控制系统正在成为自动化领域的一个新的热点。

1.1 计算机控制系统基本概念

利用计算机参与生产过程控制的系统,可称之为计算机控制系统。在计算机参与控制以前,人们所利用的常规的模拟控制系统越来越表现出它的局限性,例如图 1.1 所示电阻炉炉温控制系统。

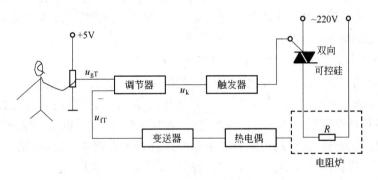

图 1.1　炉温模拟控制系统

模拟量控制过程是根据生产工艺要求的炉温 T 给出一个炉温设定值 u_{gT},控制系统自动投入调节过程,即热电偶检测电阻炉温度,检测的毫伏信号通过变送器变成 $0\sim5V$ 的反馈信号 u_{fT},将 u_{gT} 与 u_{fT} 相比较得到偏差信号,此信号通过调节器进行调节,调节器输出的信号 u_k 与电阻炉上的电压成正比,而电阻炉上的电压与炉温成正比,最后达到调节炉温为设定值的目的。但是当生产工艺要求的炉温不为一恒定值,而是如图 1.2 所示的曲

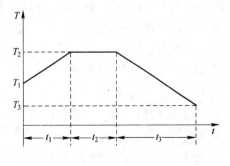

图 1.2　炉温设定曲线

线时,要求在第一段时间 t_1 里均匀地将温度 T_1 调到 T_2,并且斜度不变,为此,必须不时地调整设定值 u_{gT},如果控制精度很高,则将大大地增加了人的劳动强度和控制难度。这种控制是不容易实现的。

由此看出模拟量控制系统有其缺点,首先是难以实现复杂规律的调节和控制;其次是模拟量仪表盘的数目越来越多,不易实现集中监视和集中操作;第三是各分系统之间不便于实现通讯联系,因而不易实现分级控制和综合自动化;第四是控制方案的更改比较困难。

采用计算机控制系统可以克服上述缺点,得到优良的性能指标。如图 1.3 所示。

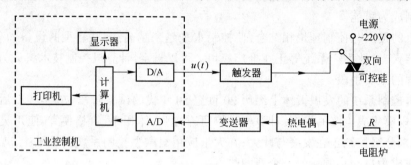

图 1.3 炉温计算机控制系统

炉温计算机控制系统,将已知的温度设定值存入计算机的某些存储单元,反馈量经A/D转换器采样后与某些存储单元中的设定值相比较,得到偏差信号,此信号通过数字 PID 计算或最优控制算法运算,运算结果由 D/A 转换器将数字量转换成模拟量 $u(t)$,调节炉温保持在某设定值上,如果系统采用定时,在各个不同采样时刻,设定值变化,即设定值按要求的炉温曲线变化,可以通过计算机软件实现。那么,系统就能满足要求。由于电阻炉一类的温度系统热容量大、惯性大,因此属于惯性调节系统。

计算机控制系统较之模拟量控制系统具有下列优点:

(1)实现最优控制。计算机控制系统的灵魂是控制算法,它可方便地通过编制相应的程序来实现,计算机控制不仅能实现模拟调节系统中经常采用的 PID 控制算法,而且还可方便地通过程序在线调整其中的系数。除此之外,在复杂的环境下,被控对象的数学模型不清或参数变化时,可在各种先进的控制算法中选择最合适的方案进行控制,诸如自适应控制、神经网络控制和模糊控制等等。这些都是模拟量调节器无法胜任的。

(2)实现集中监视和操作。一个模拟量调节器只能控制一个被控量,采用计算机控制时,由于它具有分时控制功能,可以控制几个或成十上百个控制量,把生产过程的各个被控制对象都管理起来,组成一个统一的控制系统,便于集中操作管理。

(3)控制灵活。它还可通过人机对话方式,方便地修改控制参数。由于计算机具备记忆功能、逻辑功能和判断功能,如欲实现图 1.2 设定值的功能,通过编程很容易实现。这也是模拟系统很难实现的。

(4)控制精度高。计算机控制属于数字控制,不受温度和电源电压波动的影响,增加位数便能提高相应的精度。

对于有些生产过程,例如具有大滞后的对象、各参数相互关联的对象等,采用模拟量控制系统往往达不到满意的效果,这时用计算机便能发挥它的独特优点。

1.2 计算机控制系统的组成

计算机控制系统由两部分组成,即控制计算机和被控对象,如图1.4所示。控制计算机又由硬件和软件两部分组成。

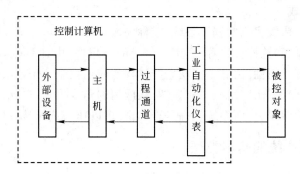

图1.4 计算机控制系统组成框图

1.2.1 硬件组成

硬件由过程通道、主机、外部设备和工业自动化仪表等组成。如图1.5所示。过程通道是计算机控制过程的输入输出通道,输入通道具有模拟量输入通道和数字量输入通道。通过它把生产过程的各种参数和执行机构的运行状态,转换成计算机能够识别的二进制数码,并输入给计算机,以便计算机进行运算和处理;输出通道有模拟量输出通道和数字量输出通道,通过它,计算机把运算的结果及发出的各种控制命令转换成操作执行机构的控制信号,以便通过执行机构去控制生产过程。

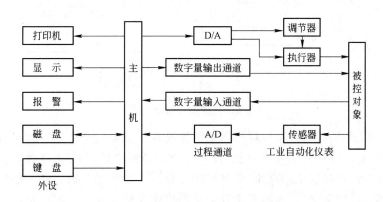

图1.5 计算机控制系统组成细框图

"外部"设备是人机联系设备,通常由视频显示器、打印机、磁盘和键盘等组成。通过它可把操作人员的指令送给计算机执行,例如启动或停止操作、查询结果、修改程序等;并且把生产过程的运行状态和计算机的运行状态报告给操作人员。

工业自动化仪表包括检测仪表、显示仪表和执行器等。过程输入输出设备必须通过这些仪表才能与被控对象联系。

"主机"是计算机控制系统的核心,其主要任务是:根据过程通道检测出来的生产过程工况参数和操作人员通过外部设备送来的控制信息,按照预先确定好的控制算法,通过运算和处理,然后将结果向"外围"发出控制命令,向"外部"发出系统信息,以便完成对生产过程的控制和与操作人员的联系。

控制算法形式很多,例如 PID 算法、大林算法、自适应、最优控制算法等等。自动控制工作者必须根据被控生产过程和所要求的控制指标合理地选用某种控制算法。

1.2.2 软件组成

计算机必须具备比较完善的程序系统(或称为软件),软件可分为系统软件和应用软件。系统软件包括操作系统、监控程序等,它带有一定的通用性,由计算机制造厂或专业供应商提供。应用软件具有专用性,由它来实现生产过程的应用控制。用户根据需要,按着一定的控制算法和数学模型来编制应用程序。显然,从应用的角度出发,自动控制工作者应把主要精力放在应用软件的编程上,而系统软件是否丰富,可以作为选择计算机的依据之一。

1.3 计算机控制系统的基本类型

计算机参与生产过程控制有各种不同的控制方案,分类的方法有很多种,例如按控制方式、控制规律和控制关系进行分类,通常是按计算机参与控制的方式分类,这里分述如下。

1.3.1 计算机数据采集系统

数据采集是计算机应用于生产过程中最早的一种类型。其构成如图 1.6 所示。

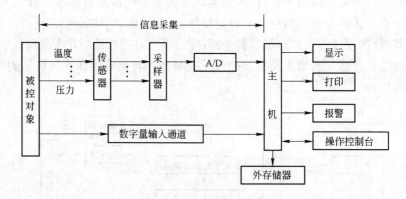

图 1.6 数据采集系统框图

这种系统的工作情况大致是计算机周期性地通过传感器检测生产过程某些参量,经过采样器,再经过 A/D 转换后送入计算机,计算机进行必要的数据处理,比如数据滤波、量纲变换和超限比较等,定时显示和打印,也可以按操作人员的要求随时打印、选点显示等。当发生事故或超限时,则发出声、光报警讯号。帮助操作人员了解生产现场情况,也可以将过程参数输出给外存储器,系统地积累资料,以备今后进一步分析、计算使用。

1.3.2 操作指导控制系统

该系统是在"数据采集"基础上发展起来的,其构成如图 1.7 所示。操作指导系统不仅提供现场情况和进行异常报警,而且还按照预先建立的数学模型和控制算法进行运算和处理,将得出的最优设定值打印和显示出来,操作人员根据计算机给出的操作指导,并且根据实际经验,经过分析判断,由人直接改变调节器的给定值或操作执行机构。当对生产过程的数学模型了解不够彻底时,采用这种控制能够得到满意结果。所以,操作指导系统具有灵活、安全和可靠等优点,但仍具有人工操作、控制速度受到限制、不能同时控制多个回路的缺点。

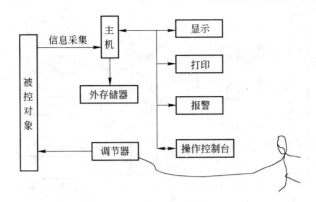

图 1.7 操作指导系统框图

1.3.3 直接数字控制系统(DDC)

直接数字控制系统(DDC, Direct Digital Control)是在操作指导系统的基础上发展起来的。其构成如图 1.8 所示。这类控制是计算机把运算结果直接输出去控制生产过程,简称DDC 系统。

这类系统属于闭环系统,计算机系统对生产过程各参量进行检测,根据规定的数学模型,如 PID 算法进行运算,然后发出控制信号,直接控制生产过程。它的主要功能不仅能完全取代模拟控制规律,如前馈控制、非线性控制等,也

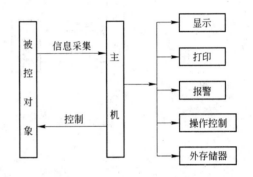

图 1.8 直接数字控制系统

把显示、打印、报警和设定值的设定等功能都集中到操作控制台上,实现集中监督和控制给操作人员带来了极大的方便。但 DDC 对计算机可靠性要求很高,否则会影响生产。

1.3.4 计算机监督控制系统 (SCC)

监督控制系统(SCC, Supervisory Computer Control)也称为计算机设定值控制系统。在这类系统中,计算机的输出用来直接改变模拟调节器或 DDC 的设定值。因此,它有两种形式。

1.3.4.1 SCC 加模拟调节器的系统

加模拟调节器的系统其构成如图 1.9 所示。在这种系统中计算机对生产过程中各参量进行检测,按工艺要求或数学模型算出各控制回路的设定值,然后直接送给各调节器以进行生产过程调节。

这类控制的特点是能始终使生产过程处于最优运行状态,与操作指导控制系统比较,它不会因手调设定值的方式不同而引起控制质量的差异;其次是这种系统比较灵活与安全,一旦 SCC 计算机发生故障,仍可由模拟调节器单独完成操作。它的缺点是仍然需采用模拟调节器。

1.3.4.2 SCC 加 DDC 的系统

SCC 加 DDC 的系统构成如图 1.10 所示。在这种系统中,SCC 计算机的输出可直接改变 DDC 的设定值,两台计算机之间的信息联系可通过数据传输直接实现。

在这种系统中,通常一台SCC计算机可以控制数台DDC计算机,一旦DDC计算机发

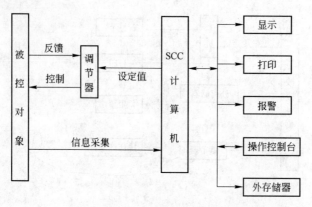

图 1.9   SCC 加调节器的系统框图

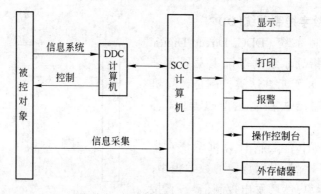

图 1.10   SCC 加 DCC 的系统框图

生故障,可用 SCC 计算机代替 DDC 的功能,以确保生产的正常进行。

1.3.5   分级控制系统

由于生产过程既存在控制问题,也存在大量的管理问题,因此可以采取各类功能计算机组成分级控制系统。分级控制是大系统中的一种结构,控制与管理相结合使自动化的程度进一步提高,分级控制系统构成如图 1.11 所示。

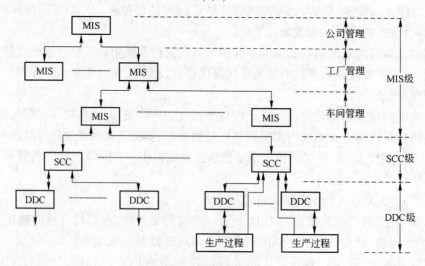

图 1.11   分级控制系统

分级控制系统通常由管理级(MIS)、监控级(SCC)和直接数字控制级(DDC)三级控制组成。

MIS (Management Information Control System)级为管理级,分车间级、厂级、公司级,它们的任务是相应级的生产计划、生产调度和指挥 SCC 级计算机工作。此外,还包括人事、工资管理等等。MIS 计算机要求计算量大,数据处理、制造表格、汉字处理等能力强,存储容量大,终端多等,因此应选用大、中型计算机。

SCC 级为分级控制的中间级,它的功能是集中生产过程信息,对生产过程进行优化、实现自适应或最优控制等,它指挥 DDC,接受 MIS 级命令并向 MIS 级汇报。SCC 计算机的选择取决于计算机工作量的大小,一般由中、小型计算机或性能好的微型计算机担任。

DDC 级处于下级,用于直接控制生产过程,多采用微型计算机。

1.3.6 集散控制系统(DCS)

由于生产过程的大型、复杂与分散化,若采用一台计算机控制和管理,一旦计算机出了故障,整个系统将要停顿,影响面大,即所谓"危险集中"。集散控制的设计思想是"危险分散",将控制功能分散,将监控和操作功能高度集中。

集散型控制系统(DCS, Distributed Control System)是由以微型机为核心的过程控制单元(PCU)、高速数据通道(DHW)、操作人员接口单元(OIU)和上位监控机等几个主要部分组成,实际上也是一种分布式控制系统,如图 1.12 所示。各部分功能如下:

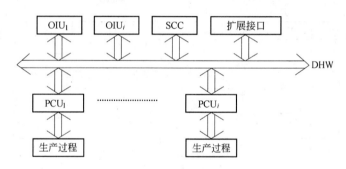

图 1.12 集散控制系统

(1)过程控制单元(PCU)由许多模件(板)组成,每个控制模件是以微处理机为核心组成的功能板,可以对几个回路进行 PID 或前馈等多种控制,一旦一个控制模件出故障,只影响与之相连的几个回路,影响面少,达到了"危险分散"的目的。此外,PCU 可以安装在离变压器及执行机构就近的地方,缩短了控制回路的长度,减少了噪声,提高了可靠性,达到了"地理上"的分散。

(2)高速数据通道(DHW)是本系统综合展开的支柱,它将各个 PCU, OIU、监控计算机等有机地连接起来实现高级控制和集中控制。挂在高速数据通道上的任何一个单元发生故障,都不会影响其他单元之间的通讯联系和正常工作。

(3)操作人员接口(OIU)单元实现了集中监视和集中操作,每一个操作人员接口单元上都配有一台多功能 CRT 屏幕显示。生产过程的全部信息都集中到本接口单元,可以在 CRT 上实现多种生产状态的画面显示,它可以取消全部仪表显示盘,大大地缩小了操作台的尺寸。对生产过程进行有效的集中监视,此外利用键盘操作可以修改过程单元的控制参数,实现集中操作。

(4)监控计算机实现最优控制和管理。监控机通常由小型机或功能较强的微型机承担,配备多种高级语言和外部设备,它的功能是存取工厂所有的信息和控制参数,能打印综合报告,能进行长期的趋势分析以及进行最优化的计算机控制,控制各个现场过程控制单元(PCU)工作。

集散控制系统目前处于被大量使用与升级换代阶段,随着时间的进展,更为完善的系统还将不断地涌现出来。

下面以 DCS 在某大型冷烧厂的应用为例加以说明。

某大型冷烧厂由 3 个车间组成,即原料车间、配料车间与烧结车间,而且相距较远。先将原料送到配料车间,配料车间再将热返矿、灰尘、冷返矿、白云石、石灰石、铁精矿、生石灰等进行配比,然后冷烧。冷烧厂采用了 TDC-3000。TDC-3000 是美国 Honywell 公司的 DCS 产品。该产品广泛应用于工业控制领域,其市场销售额占世界 DCS 市场 16%,居世界 DCS 制造厂首位。

系统硬件配置:采用了 TDC-3000 集散控制系统中的 LCN 和 UCN 的网络通讯结构,只采用了 DCS 分级结构过程控制级、控制管理级、生产经营管理级三级中的前两级。系统构成如图 1.13 所示。

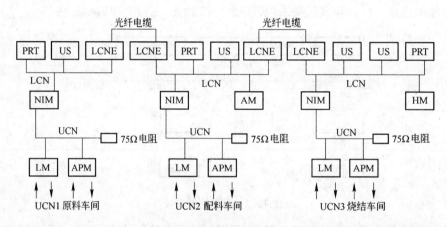

图 1.13 某大型冷烧厂 DCS 硬件配置图

PRT—打印机;US—万能操纵台;LCNE—网间连接器扩展口;LCN—局域网;UCN—万能控制网;NIM—
网络接口模件;LM—逻辑管理站;APM—高级过程管理站;AM—应用模件;HM—历史模件

局部控制网络 LCN 是符合 IEE802.2 协议的网络,LCN 网站上可挂接 64 个模件,每条 LCN 最多可挂接总数为 20 条的 UCN,通讯速率是 5MBps,网络距离为 300m,最远距离可达 4.9km。该网络是开放的。

万能控制网 UCN 是开放式网络,采用 IEEE802.4 标准通信协议,即令牌总线存取方式。传输速度高达 5MBps。UCN 网络上可挂接 63 个模件(32 个冗余设备)。网络通常距离为 300m。

网络接口模件 NIM,将 LCN 与 UCN 相连,进行数据通信。

网间连接器扩展口 LCNE,将相距较远的两地车间的局域网连接起来,进行数据通信。

(1)过程控制级

1)高级过程管理站 APM 是 LCN 网络的核心设备,它提供一系列灵活、强有力的全范围过程检测和控制要求能力。高级过程管理站 APM 由过程管理器模件(PMM)和 I/O 子系统两大部分组成。PMM 是通讯处理器和调制解调器、I/O 链路接口处理器和控制处理器3 部分组成。I/O 子系统由双重冗余的 I/O 链路、最多 40 个 I/O 处理器组成。所有数据采集和处理由 I/O 子系统完成,而控制功能在 PMM 内完成。

2)逻辑管理站 LM。LM 主要用于逻辑控制。它具有可编程逻辑控制器的优点,同时,由于 LM 是挂接在 UCN 网络上,因此,它可以方便地与网络上挂接的其他模件进行数据通信,使 PLC 和 DCS 有利地结合并使过程数据能集中显示、操作和管理。所以,它比独立的 PLC 具有更多的优越性。

(2)控制管理级

1)万能操作台 US,配有彩色显示器,多采用触摸式屏幕,为防止操作员、DCS 工程师和维修人员的误操作,对不同的应用人员有不同的专用机械钥匙进行切换,提高安全性。US 具有如下功能:

① 对连续和非连续生产过程进行监视和控制;

② 信号报警和报警打印;

③ 趋势显示和打印;

④ 日志和报表打印;

⑤ 流程图画面显示;

⑥ 系统状态显示。

工程师通过 US 完成如下功能:

① 网络组态;

② 建立过程数据库;

③ 建立流程图画面;

④ 编制控制算法及程序;

⑤ 编制自由报表。

US 为维护人员提供如下功能:

① 系统硬件状态显示;

② 进行系统故障诊断;

③ 故障显示和打印需要的信息。

2)打印机 PRT,用于打印报表与报警事件。

3)历史模件(HM)。HM 是 TDC-3000 系统的存储单元,它可存储过程报警、操作员状态改变、操作员信息、系统状态改变、系统维护提示信息和连续过程历史数据等。此外,还存储系统文件,确认该文件及在线维护信息等。

4)应用模件 AM 是用来完成 UCN 上所连接的模件,能完成的高级扩展功能,复杂多变量运算功能,提高过程控制及管理水平。

该系统配置了 TDC-3000 集散控制系统的 DCS 组态软件,完成了现场的信号采集、控制输出、自动控制、网络通信与管理功能。

组态是用 DCS 所提供的功能模块、算法,或用很少的组态语言编写有关程序,构成所需要的系统结构,完成所需功能。DCS 组态包括系统组态、画面组态和过程控制组态。系统组态组成系统内各设备之间的连接;画面组态完成操作站各种画面之间的连接;过程控制组态完成各控制器、过程控制装置的控制结构连接。

1.3.7 现场总线控制系统 (FCS)

现场总线控制系统(FCS, Fieldbus Control System)是真正的分散控制、集中管理系统,它是 DCS 的更新换代产品,是 21 世纪控制系统的主流与今后的发展方向,是一种开放的、彻底分散的、具有可互操作性的分布式控制系统。它与传统的分布式控制系统、DCS 相比具有如下优点:

1.3.7.1　开放的互联网络

FCS 打破了 DCS 产品互不兼容的缺点,从总线的标准、产品检验到信息发布都是公开的,用户间通过通讯网络与其他系统网络相连,共享网络资源,大大方便了用户。有关现场总线的详细内容将在第 7 章中讲述。

1.3.7.2　数字信息的传输

FSC 底层产品的信号传输也是信息化,它突破了传统的 DCS 底层产品 4～20mA 模拟信号的传输。底层产品都是带有 CPU 的智能控制单元,而且符合现场总线标准,信息传输布线通常只需两条线,为现场布线节约了大量经费和工作量,并且数字信号传输大大提高了信号传输的可靠性。

1.3.7.3　彻底的分散控制结构

FCS 的每个智能单元都带有 CPU,靠近现场设备,它们可以分别独立地完成测量、校正、调整、诊断、控制的功能,由现场总线协议将它们连接在一起,任何一个单元出现故障都不会影响到其他单元,更不会影响全局,因此实现了彻底的分散控制,使系统更安全,更可靠。现场总线控制系统结构如图 1.14 所示。

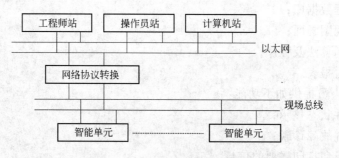

图 1.14　现场总线控制系统图例

2 过程通道

2.1 概　述

在计算机控制系统中,为了实现计算机对生产过程的控制,必须在计算机与生产过程之间设置信息传递和变换的连接通道。这个通道称之为过程通道,如图 2.1 所示。过程通道包括:

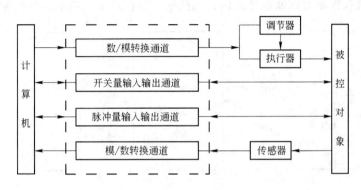

图 2.1　过程通道图解

● 开关量输出通道　开关量输出通道是数字量输出,输出的每一个数字只有 0 与 1 两种状态,被看成是开与关,可用于继电器的通与断、阀门的打开与闭合、电源的启动与停止,以及量值超限声光报警状态的表达等。

● 开关量输入通道　来自键盘、开关、接点、拨码盘等的输入信息一般是二进制或 ASCII 码表示的数或字符,将这些开关量所对应的输入值通过适当的变换,经数字接口读入微机。

● 数/模转换通道　当微机控制被控对象时,必须将微机计算的控制量(数字量)转换成模拟量。这是通过数/模转换通道来完成的。

● 模/数转换通道　微机用于生产过程时,首先,必须把现场的模拟信号转换成数字量输入微机。现场的模拟信号是大量的,比如电机转速、温度、湿度、压力、流量信号等,通过传感器将其变成电信号,然后再经过放大,经模/数转换通道转换成数字量送入微机。

● 脉冲量输入通道　利用微机的硬件与软件将数字传感器的脉冲信号转换成被测量的数字量。例如测量水流量的涡流传感器,其输出就是脉冲量。

● 脉冲量输出通道　微机将欲输出的数字量转换为脉冲宽度信号输出,例如脉宽调制输出(PWM)。

2.2　PC 机总线简介

2.2.1　I/O 通道数据传送控制方式

如何控制微机与 I/O 接口电路之间的数据传递,对系统中 I/O 处理的速度影响是很大的。微机与 I/O 接口电路之间传送数据的控制方法通常有以下 4 种:

- 程序直接控制方式；
- 程序查询方式；
- 中断控制方式；
- DMA 传送方式。

数字量输出及 D/A 集成电路等器件多具有数据锁存功能,这是为了保证微机随时出现的数据输出都可以被外设所接收,这样微机就可用程序直接控制的方式来输出数据。一般 A/D 接口电路多采用程序查询方式或中断控制方式来控制 A/D 结果的读取,具有较好的灵活性或较高的效率。对于高速 A/D 等输入设备,易采用 DMA 传送方式,以期得到高的工作效率。

采用程序直接控制方式或程序查询方式控制 I/O 接口工作的工作框图如图 2.2 所示。

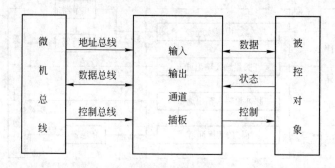

图 2.2　I/O 接口工作的原理框图

微机总线由物理线路和传输规则(协议)共同构成。如果某种总线的协议被大家所公认并由权威机构公布,则这种总线协议就成为一种总线标准。总线的标准化使微机系统成为一个开放的体系结构。本章以 PC 机为例,分析与设计输入输出过程通道插板。在 PC 系列微机的主板上,提供有多个总线扩展槽,如 ISA 与 PCI 总线的扩展插槽,其中 ISA 总线包括 PC/XT、PC/AT 总线。在要扩展系统功能时,只需将接口板的接口按标准总线设计,就可方便地插入扩展槽,实现与微机之间的连接和数据交换。

2.2.2　ISA 总线

ISA(Industry Standard Architecture)总线是 8 位/16 位数据传输总线的工业标准。最早是 IBM PC 机为方便系统扩充而提供的开放式的系统总线插槽(I/O 通道)。I/O 通道即系统总线的延伸,是将系统总线进行重新驱动后连接到扩展槽上的。I/O 通道上各个信号的电气性能以及信号引脚在插板上的位置都经过了规范化,具有统一的定义,用户可方便地将 I/O 接口卡插入扩展槽完成与系统的连接。随着 PC 机在各个领域的发展,ISA 已成为工业总线标准。数据宽度为 8 位的 ISA 总线由 62 根信号线组成,俗称 PC/XT 总线,扩展槽使用 62 芯双面插槽,引脚分别排列为 $A_1 \sim A_{31}$ 和 $B_1 \sim B_{31}$,插件板 A 面是元件面,B 面是焊接面,各信号引脚定义见表 2.1。16 位 ISA 总线是在 PC/AT 机(CPU 为 80286)上推出的,在 PC/XT 总线的基础上增加了 36 根信号线,俗称 PC/AT 总线,它增加了 36 芯的双面插槽,其中 C 面为元件面,排列为 $C_1 \sim C_{18}$,D 面为焊接面,排列 $D_1 \sim D_{18}$。

2.2.2.1　ISA 总线功能特性

ISA 总线(以 PC/XT 总线为例)共分 3 类子总线,即数据总线、地址总线和控制总线,分别定义如下。

表 2.1　PC/XT 总线信号引脚(8 位数据总线宽度)

引脚	A 侧		B 侧	
1	地	(Ground)	I/O 通道校验	(I/OCHCK)
2	复位	(RESET DEV)	数据信号	(D_7)
3	电源	(+5V)	数据信号	(D_6)
4	中断请求	(IRQ_2)	数据信号	(D_5)
5	电源	(-5V)	数据信号	(D_4)
6	DMA 请求	(DRQ_2)	数据信号	(D_3)
7	电源	(-12V)	数据信号	(D_2)
8	插件板选中	(CARDSLCTD)	数据信号	(D_1)
9	电源	(+12V)	数据信号	(D_0)
10	地	(Ground)	I/O 通道准备好	(I/O CH RDY)
11	存储器读	(MEMR)	地址允许	(AEN)
12	存储器写	(MEMW)	地址信号	(A_{19})
13	I/O 读	(IOR)	地址信号	(A_{18})
14	I/O 写	(IOW)	地址信号	(A_{17})
15	DMA 允许	($DACK_3$)	地址信号	(A_{16})
16	DMA 请求	(DRQ_3)	地址信号	(A_{15})
17	DMA 允许	($DACK_1$)	地址信号	(A_{14})
18	DMA 请求	(DRQ_1)	地址信号	(A_{13})
19	DMA 允许	($DACK_0$)	地址信号	(A_{12})
20	时钟	(CLOCK)	地址信号	(A_{11})
21	中断请求	(IRQ_7)	地址信号	(A_{10})
22	中断请求	(IRQ_6)	地址信号	(A_9)
23	中断请求	(IRQ_5)	地址信号	(A_8)
24	中断请求	(IRQ_4)	地址信号	(A_7)
25	中断请求	(IRQ_3)	地址信号	(A_6)
26	DMA 允许	($DACK_2$)	地址信号	(A_5)
27	计数结束	(T/C)	地址信号	(A_4)
28	地址锁存允许	(ALE)	地址信号	(A_3)
29	电源	(+5V)	地址信号	(A_2)
30	晶振	(OSC)	地址信号	(A_1)
31	地	(Ground)	地址信号	(A_0)

A　地址和数据信号

(1)A[0～19]。地址总线 A_0～A_{19}(输出信号)用来寻址与系统总线相连接的存储器和 I/O 端口。在存储器和 I/O 端口读、写等总线周期中,该地址总线由 CPU 驱动。在 DMA 周期中,则由 DMA 控制器来驱动。其中 A_0 为最低有效位,A_{19}为最高有效位,最大可直接寻址范围为 1M 字节的存储器空间。如果在地址总线上传输的是 I/O 端口地址,则高位地址 A_{16}～A_{19}无效,访问端口数仅限制在 64K 以内,这是 8088CPU 设计时限定的。而 IBM PC/XT 设计时仅使用了 A_0～A_9 十条地址线来寻址 I/O 端口,因此,实际上 PC/XT 微机总共可以访问的端口地址仅为 000H～3FFH,总共 1K 个,其中 000H～0FFH 号端口地址为主机系统板上的 I/O 芯片所用,用户自行设计的 I/O 接口电路地址仅可为 100H～3FFH,也就是说通过扩展槽使用的端口地址仅为 100H～3FFH。

(2)D[0～7]。8 位双向数据线,为微处理器、存储器和 I/O 端口提供了数据信息传输的通道。其中 D_0 为最低有效位,D_7 为最高有效位,每次只能传输一个字节。在 CPU 启动的写总线周期中,数据出现在该总线上,然后在写控制信号$\overline{\text{IOW}}$或$\overline{\text{MEMW}}$的控制下写至 I/O 端口或存储器,在 CPU 启动的读总线周期中,被寻址的存储单元或 I/O 端口寄存器必须将其数据在$\overline{\text{MEMR}}$或$\overline{\text{IOR}}$控制信号上升沿之前送上数据总线。在 DMA 总线周期中,微处理器释放总线,由 DMA 控制器控制总线的数据传输,该数据总线用来在 I/O 端口和存储器之间进行直接传送,而不需处理器的介入。

B　控制信号

(1)ALE。地址锁存允许(输出信号)。它是由总线控制器 8288 提供的。用来指明总线有效,表示一个总线周期的开始。该信号的下降沿可将来自 CPU 的地址信号进行锁存,ALE 信号对于微处理器启动的总线周期来说,是一个很好的同步点,因为它恰好开始于一个总线周期的始端。ALE 在 DMA 周期中无效。

(2)$\overline{\text{MEMR}}$。存储器读命令(输出信号)。此信号由 8288 总线控制器或 DMA 控制器产生。信号有效时(低电平)将所选中存储单元的数据读到数据总线上。要求存储器必须在$\overline{\text{MEMR}}$信号上升沿之前至少 30ns 将有效的数据送上数据总线,以保证微处理器可靠读入。在 DMA 周期中,由 DMA 控制器来驱动,通知被寻址的存储器单元将其内容送上数据总线,使数据写入$\overline{\text{DACK}_i}$指定的 I/O 端口。

(3)$\overline{\text{MEMW}}$。存储器写命令(输出信号)。此信号由 8288 总线控制器或 DMA 控制产生。信号有效时,将数据总线上的数据写到所选中的存储单元。在 DMA 周期中该信号由 DMA 控制器驱动,用来将数据总线上来自 I/O 端口的数据写至存储器。

(4)$\overline{\text{IOW}}$。I/O 写命令(输出信号)。此信号由 8288 总线控制器或 DMA 控制器产生。信号有效时,把数据总线上的数据写到所选中的 I/O 设备端口中。在这一信号变成有效低电平时,数据总线上的数据可能尚未有效。因此,端口中的数据只能利用这一信号的上升沿来锁存。在 DMA 周期时,这一信号由 DMA 控制器来驱动,利用该信号将数据总线上来自存储器的数据,写入$\overline{\text{DACK}_i}$指定的 I/O 端口。同前述情况相似,在这一信号变成有效低电平时,数据可能尚未有效,因此仍须利用这一信号的上升沿将数据锁入端口。

(5)$\overline{\text{IOR}}$。I/O 读命令(输出信号)。该信号由 8288 总线控制器或 DMA 控制器产生。信号有效时(低电平)将选中的 I/O 设备端口中的数据读到数据总线上。并要求 I/O 端口最迟要在$\overline{\text{IOR}}$信号上升沿之前至少 30ns 将其数据送上数据总线,以保证微处理器可靠读入。在 DMA 周期时,$\overline{\text{IOR}}$信号由 DMA 控制器来驱动。此时,地址总线上含有要写入的存储器地址,I/O 端口则由 DMA 控制器送出的一个有效的$\overline{\text{DACK}_i}$信号来选取。

(6)I/O CH RDY。通道准备好信号(输入信号)。该信号通常为高电平(就绪状态),如果存储器或 I/O 设备将它拉成低电平(未就绪),即可延长 I/O 读写总线周期或存储器读写总线周期,以使微处理器适应慢速设备,由此可将较低速的设备方便地连到 I/O 通道上。任何需要使用这个信号的低速设备,均应在检测到一个有效地址信号和读写命令时,立即将它拉低,以此来向 CPU 或 DMA 控制器申请插入等待周期,从而延长 I/O 读写总线周期或存储器读写总线周期。但此信号维持在低电平的状态不能超过 10 个时钟周期,机器周期是以时钟周期的整数倍延长的。

C　DMA 控制信号

(1)DRQ[1~3]。DMA 通道 1~DMA 通道 3 请求信号(输入信号)。它们是由外设接口发来的信号,用来申请 DMA 周期。如果有 I/O 端口想要和存储器进行高速数据传送,则可以通过升高该信号电平来申请 DMA 周期。这几条信号线直接连到系统板上的 8237DMA 控制器,由 DMA 控制器进行优先级判断,然后产生一个 DMA 周期。

(2)$\overline{DACK}[0\sim3]$。DMA 通道 0~DMA 通道 3 的响应信号(输出信号)。这是由 8237 DMA 控制器发出的信号。表示 DMA 控制器将要占用总线并开始处理所请求的 DMA 周期。系统总线上并没有 DRQ_0 信号,因此 $\overline{DACK_0}$ 的出现仅仅是一个通知信号,表明当前 DMA 周期是一个用来刷新系统动态存储器的虚拟读周期。

(3)AEN。地址允许信号(输出信号)。这是由 8237DMA 控制器发出的信号。指示此时正处于 DMA 总线周期,由 DMA 控制器来控制地址总线、数据总线和对存储器及 I/O 设备的读写命令线。该信号用于对端口译码器的控制,即只有在该信号为低电平时(表示非 DMA 周期)才可对 I/O 端口地址进行译码,并由 $\overline{IOR}$ 和 $\overline{IOW}$ 信号控制对 I/O 端口的读写。如果译码时不加入该信号,则可能会造成与 DMA 操作的冲突,由于此时 $\overline{IOR}$ 和 $\overline{IOW}$ 信号亦有效,使端口地址和存储器地址混淆而产生对 I/O 端口的误操作。

D 中断控制信号

(1)IRQ[2~7]。中断请求信号(输入信号)。用来产生对微处理器的中断请求,这些信号直接送到系统板上的 8259A 中断控制器中。由于 8259A 的 IR_0 和 IR_1 已被系统板占用,所以将 $IR_2\sim IR_7$ 引到 62 芯 ISA 总线,可供 I/O 端口申请中断用。总线信号 $IRQ_2\sim IRQ_7$ 即对应于 8259A 的 $IR_2\sim IR_7$,ROM 中的 BIOS 程序将 8259A 初始化为 IRQ_2 优先级最高,IRQ_7 优先级最低。如果 $IRQ_2\sim IRQ_7$ 未被屏蔽,则该信号的上升沿就产生对微处理器的中断请求,请求信号应一直保持有效电平,直到微处理器发出一个中断响应 $\overline{INTA}$ 信号为止。由于 ISA 总线不含有 $\overline{INTA}$ 信号,因此中断服务程序中应加一条 OUT 指令,以一个 I/O 寄存器端口位来复位这一请求信号。倘若这一请求信号不能在 $\overline{INTA}$ 信号发出之前始终保持有效,就会产生第七级中断(这时完全忽略了现时中断的优先级)。

2.2.2.2 I/O 端口读/写总线周期

CPU 在执行 IN 或 OUT 指令时就进入 I/O 端口读或写总线周期。端口读、写方式是外部设备与 CPU 交换数据最常用也是最基本的方式,接口电路均设有 I/O 端口逻辑部件,控制 I/O 端口的译码和读写。

8088 微处理器执行 IN 或 OUT 指令使用 4 个微处理器时钟周期,但 IBM PC/XT 在设计时,自动插入一个 T_w 周期,因此,IBM PC/XT 的 I/O 端口读、写总线周期至少是 5 个时钟周期。若拉低 I/O CH RDY 信号,还可延长 I/O 端口的读写时间,从而可方便地与慢速设备匹配。具体说明见本书 2.3.1 所述。

2.2.3 PCI 总线

由于 ISA 总线标准制订的时间较早,不可避免地带有一些局限性,例如数据宽度仅为 16 位,总线同步时钟也只有 8MHz 等。而目前 CPU 的数据宽度和工作频率都有了很大的提高,同时面向图形的操作系统如 Windows 等的引入,使标准的 PC I/O 结构中的处理器和它的外设之间产生了数据瓶颈,ISA 总线已经不能满足系统的要求。如果外设在与微处理器具有同样数据总线宽度的高带宽总线上实现高速数据交换,这个瓶颈就可以消除。因此,PC 机引入了高带宽总线(通常称为"局部总线")。在多种局部总线中,PCI 总线是比较具有代表性的总线,以 PCI 总线为接口形式的控制板卡的种类也越来越多。

PCI 总线(Peripheral Component Interconnect,PCI,即外设部件互连)是一种新型的、同步的、

高带宽的、独立于处理器的总线。其所以能在各类总线中脱颖而出，是因为其具有以下特点：

(1)传输速度快。最高工作频率 66MHz，32 位时的峰值吞吐率为 132MB/s，64 位时为 528MB/s。

(2)支持无限猝发读写方式。读写时后面可跟任意数据周期，具有强大的数据猝发传输能力。

(3)支持并行工作方式。PCI 控制器具有多级缓冲，利用它可使 PCI 总线上的外设与 CPU 并行工作。例如 CPU 输出数据时，先将数据快速送到缓冲器中，当这些数据不断送往设备时，CPU 就可转而执行其他工作了。

(4)独立于处理器。PCI 在 CPU 和外设间插入了一个复杂的管理层，用以协调数据传输，通常称之为桥。桥的主要功能是在两种不同的信号环境间进行转换，并向系统中所有的主控制器提供一致的总线接口。因此 PCI 总线可支持多种系列的处理器，并为处理器升级创造了条件。

(5)提供 4 种规格，可定义 32 位/64 位以及 5V/3.3V 电压信号。3.3V 电压信号环境的定义为 PCI 总线进入便携机领域提供了便利。

(6)数据线和地址采用了多路复用结构，减少了针脚数。一般而言，32 位字长、仅作目标设备的接口只需 47 条引脚，作为总线控制者的设备接口再加 2 条引脚，并可有选择地增加信号线以扩展功能，如 64 位字长的接口卡需加 39 条引脚，资源锁定加 1 条引脚等。

(7)支持即插即用功能，能实现自动配置。在 PCI 器件上包含有寄存器，上面带有配置所需的器件信息，使外设适配器在和系统连接时能自动进行配置，无须人工干预。

2.2.3.1 PCI 总线的功能特性

连接到 PCI 总线上的设备分为两类：

(1)主控设备(master)。PCI 支持多主控设备，主控设备可以控制总线、驱动地址、数据及控制信号；

(2)目标设备(target)。不能启动总线操作，只能依赖于主控设备向它进行传递或从中读取数据。

PCI 引脚信号如表 2.2 所示。

表 2.2 PCI 总线信号引脚(32 位数据总线宽度)

引脚	A 侧		B 侧	
1	电源	(－12V)	JTAG 信号	(TRST)
2	JTAG 信号	(TCK)	电源	(＋12V)
3	地	(Ground)	JTAG 信号	(TMS)
4	JTAG 信号	(TDO)	JTAG 信号	(TDI)
5	电源	(＋5V)	电源	(＋5V)
6	电源	(＋5V)	中断信号	(INTA)
7	中断信号	(INTB)	中断信号	(INTC)
8	中断信号	(INTD)	电源	(＋5V)
9	电源管理	(PRSNT$_1$)	保留	
10	保留		电源	(＋3.3V)
11	电源管理	(PRSNT$_2$)	保留	
12	接口识别	(CONNECTOR KEY)	接口识别	(CONNECTOR KEY)
13	接口识别	(CONNECTOR KEY)	接口识别	(CONNECTOR KEY)

引脚	A 侧		B 侧	
14	保留		保留	
15	地	(Ground)	复位	($\overline{RST}$)
16	时钟	(CLK)	电源	(+3.3V)
17	地	(Ground)	总线允许	($\overline{GNT}$)
18	总线请求	($\overline{REQ}$)	地	(Ground)
19	电源	(+3.3V)	保留	
20	数据/地址信号	(AD_{31})	数据/地址信号	(AD_{30})
21	数据/地址信号	(AD_{29})	电源	(+3.3V)
22	地	(Ground)	数据/地址信号	(AD_{28})
23	数据/地址信号	(AD_{27})	数据/地址信号	(AD_{26})
24	数据/地址信号	(AD_{25})	地	(Ground)
25	电源	(+3.3V)	数据/地址信号	(AD_{24})
26	总线指令和字节允许	(C/BE_3)	初始化时设备选择	(IDSEL)
27	数据/地址信号	(AD_{23})	电源	(+3.3V)
28	地	(Ground)	数据/地址信号	(AD_{22})
29	数据/地址信号	(AD_{21})	数据/地址信号	(AD_{20})
30	数据/地址信号	(AD_{19})	地	(Ground)
31	电源	(+3.3V)	数据/地址信号	(AD_{18})
32	数据/地址信号	(AD_{17})	数据/地址信号	(AD_{16})
33	总线指令和字节允许	(C/BE_2)	电源	(+3.3V)
34	地	(Ground)	总线"帧"信号	($\overline{FRAME}$)
35	主设备就绪	($\overline{IRDY}$)	地	(Ground)
36	电源	(+3.3V)	目标设备就绪	($\overline{TRDY}$)
37	设备选择	($\overline{DEVSEL}$)	地	(Ground)
38	地	(Ground)	停止操作	($\overline{STOP}$)
39	总线锁	($\overline{LOCK}$)	电源	(+3.3V)
40	奇偶校验错误	($\overline{PERR}$)	监视完成	($\overline{SDONE}$)
41	电源	(+3.3V)	监视补偿	($\overline{SBO}$)
42	系统错误	($\overline{SERR}$)	地	(Ground)
43	电源	(+3.3V)	数据校验位	(PAR)
44	总线指令和字节允许	(C/BE_1)	数据/地址信号	(AD_{15})
45	数据/地址信号	(AD_{14})	电源	(+3.3V)
46	地	(Ground)	数据/地址信号	(AD_{13})
47	数据/地址信号	(AD_{12})	数据/地址信号	(AD_{11})
48	数据/地址信号	(AD_{10})	地	(Ground)
49	总线宽度识别	(M66EN)	数据/地址信号	(AD_9)
50	地	(Ground)	地	(Ground)
51	地	(Ground)	地	(Ground)
52	数据/地址信号	(AD_8)	总线指令和字节允许	(C/BE_0)
53	数据/地址信号	(AD_7)	电源	(+3.3V)
54	电源	(+3.3V)	数据/地址信号	(AD_6)
55	数据/地址信号	(AD_5)	数据/地址信号	(AD_4)
56	数据/地址信号	(AD_3)	地	(Ground)
57	地	(Ground)	数据/地址信号	(AD_2)
58	数据/地址信号	(AD_1)	数据/地址信号	(AD_0)
59	电源	(+3.3V)	电源	(+3.3V)
60	64位总线扩展	($\overline{ACK64}$)	64位总线扩展	($\overline{REQ64}$)
61	电源	(+5V)	电源	(+5V)
62	电源	(+5V)	电源	(+5V)

A 系统信号

CLK。系统时钟信号线,该信号的频率为 PCI 总线的工作频率;

$\overline{RST}$。复位信号线。

B 地址和数据信号

(1)AD[31~0]。地址、数据信号复用线。PCI 总线支持写猝发和读猝发。一个总线传输分为一个地址传送阶段和一个或多个数据传送阶段。$\overline{FRAME}$ 有效,表示地址传送阶段开始,此时 AD[31~0]包含一个 32 位的物理地址,选中 I/O 的一个字节单元或主存的一个双字单元。接下来为数据传送阶段($\overline{IRDY}$ 和 $\overline{TRDY}$ 同时有效),此时 AD[7~0]包含最低字节数据,AD[31~24]包含最高字节数据。

(2)C/BE[3~0]。总线指令和字节允许信号的复用线。在地址传送阶段,$\overline{C/BE[3~0]}$上传送的是 4 位编码的总线指令。在数据传送阶段,$\overline{C/BE[3~0]}$用作字节允许标志,以决定数据线上的哪些字节数据为有效数据,$\overline{C/BE[3~0]}$依次对应于字节 3、2、1、0。

(3)PAR。为 AD[31~0]和 C/BE[3~0]所指示的有效数据的校验位。PCI 校验采用偶校验,其校验位的产生和校验都由 PCI 芯片完成。PCI 主设备在发送地址和写数据时产生 PAR 位,目标设备接收并校验 PAR;PCI 目标设备在主设备读数据时产生 PAR 位,主设备校验 PAR 位。

C 接口控制信号

(1)$\overline{FRAME}$。周期帧信号。由当前总线控制者产生,表示一个总线传输的开始和延续。$\overline{FRAME}$ 从无效变为有效,表示总线传输开始;$\overline{FRAME}$ 保持有效,表示总线传输继续进行(1 个或 n 个数据节拍正在继续);$\overline{FRAME}$ 从有效变为无效,表示进入数据传输的最后一个数据传送阶段。

(2)$\overline{IRDY}$。主设备就绪(initiator ready)。表明数据传输的启动者(主控者)已经准备好,等待完成当前的数据节拍。在写操作时,$\overline{IRDY}$ 说明 AD[31~0]上已有有效的数据;在读操作时,$\overline{IRDY}$ 说明总线控制者已准备好接收数据。

(3)$\overline{TRDY}$。目标设备就绪(target ready)。说明数据传输的目标设备已经准备好,等待完成当前的数据节拍。在读操作时,$\overline{TRDY}$ 说明 AD[31~0]上已有有效的数据;在写操作时,$\overline{TRDY}$ 说明目标设备已准备好接收数据。

(4)$\overline{IRDY}$ 和 $\overline{TRDY}$。一起使用,在 $\overline{IRDY}$ 和 $\overline{TRDY}$ 均采样为有效的任何一个时钟周期,完成数据阶段的传送,否则需插入等待周期。

(5)$\overline{STOP}$。停止信号。信号有效,表明当前的目标设备要求总线控制者停止当前的数据传输。

(6)IDSEL。初始化时的设备选择信号。由当前的总线控制者驱动,用于在配置空间内选择总线上的某个设备。

(7)$\overline{DEVSEL}$。设备选择信号。每个目标设备在地址传送阶段进行地址译码,若被选中,则使该信号有效,用以向总线控制者报告已有目标设备被选中。

(8)$\overline{LOCK}$。总线锁定信号。以实现多处理器、多 PCI 总线主设备系统中存储数据的保护。

D 伸裁信号

PCI 总线裁决采用集中式独立请求方式,每个主控设备都必须有自己的一组请求、响应线。仲裁信号只对总线控制者有用。

(1)$\overline{REQ}$。总线请求信号。用来向总线仲裁申请总线的控制权。

(2)$\overline{GNT}$。总线响应信号。由总线仲裁器发出,通知申请总线控制权的设备已获得总线的控制权。

E　错误反馈信号

所有设备都应有错误反馈引脚。

(1)$\overline{PERR}$。奇偶校验错误。该引脚用于反馈除特殊周期以外的其他传输过程中的数据奇偶校验错误。

(2)$\overline{SERR}$。系统错误。用于反馈地址奇偶校验错误、特殊周期指令中的数据奇偶校验错误和将引起重大故障的其他系统错误。

F　中断请求信号

$\overline{INTA}$, $\overline{INTB}$, $\overline{INTC}$, $\overline{INTD}$。中断请求信号。一个 PCI 设备接口卡可有多个功能,可使用多个中断请求信号,最多为 4 个。单一功能的 PCI 设备接口卡只能使用一根中断请求线 $\overline{INTA}$。

G　高速缓存支持

为了支持对高速缓存(Cache)的贯穿写(write－through)和回写(write－back)操作,PCI总线提供了$\overline{SBO}$及$\overline{SDONE}$引脚信号。当有高速缓冲存储器挂在 PCI 总线上时,则可连接这两根信号线。

(1)$\overline{SBO}$。侦听回写信号(snoop backoff)。为了保证 Cache 和主存的内容一致,需采用 Cache 侦听技术。当侦听命中 Cache 的一行被修改过的数据时,该信号有效,直到此行数据被写回到主存中。

(2)$\overline{SDONE}$。侦听结束信号(snoop done)。

H　64 位扩展的信号线

(1)AD[63~32]。高 32 位的地址、数据复用线。

(2)$\overline{C/BE}$[7~4]。总线指令和高 32 位字节允许信号的复用线。

(3)PAR64。高 32 位奇偶校验位。

(4)$\overline{REQ64}$。64 位数据传输申请信号。PCI 主设备在发送$\overline{FRAME}$信号的同时置位该信号,表明本次申请的数据传输使用 64 位字长。

(5)$\overline{ACK64}$。64 位数据传输许可信号。PCI 目标设备在发送$\overline{DEVSEL}$信号的同时发送该信号,表明它许可 64 位数据传输,否则仍为 32 位。

2.2.3.2　PCI 总线的基本传输

A　基本传输方式

PCI 总线的数据传输采用猝发(burst)方式,支持对存储器和 I/O 地址空间的猝发传输,以保证总线始终满载的数据传输。这是因为外设与内存的数据传输往往是成块进行的,这意味着可从某一个地址起连续读写大量的数据。猝发方式能减少无谓的地址作业,提高传输效率。PCI 猝发长度可选,如读数据总线传输可以是内存读 32 位(1 个双字)、存储器高速缓存行读(2~4 个双字)、存储器连续读(4 个以上双字)等。猝发传输的长度越大,总线数据传输率越高。

数据猝发传输时,在地址传送周期,总线信号C/BE[3~0]为总线指令,指示当前总线操作的类型;在数据传送周期,$\overline{\text{C/BE}}[3\sim0]$代表字节允许标志,指示当前传输的 32 位数据中有哪几个字节有效。例如当处理器顺序写双字 0、双字 2、双字 3 时,桥路可以产生一次猝发传输。这个 PCI 猝发的顺序可以是双字 0(有字节允许信号)、双字 1(无字节允许信号)、双字 2(有字节允许信号)、双字 3(有字节允许信号)。

B　基本传输规则

PCI 总线的数据传输操作主要由 3 个信号控制:

(1)$\overline{\text{FRAME}}$。由总线控制者驱动。信号有效表示一次传输的开始。

(2)$\overline{\text{IRDY}}$。由总线控制者驱动。信号有效表示总线控制者准备好,可以在总线上继续操作。当读操作时,说明总线控制已准备好接收数据;当写操作时,说明数据总线上的数据有效。

(3)$\overline{\text{TRDY}}$。由目标设备驱动。信号有效表示目标设备准备好,可以在总线上继续操作。当读操作时,说明数据总线上的数据有效;当写操作时,说明目标设备已准备好接收数据。

当$\overline{\text{FRAME}}$和$\overline{\text{IRDY}}$均无效时,表示要发起传输的设备其总线接口处于"空闲"状态,$\overline{\text{FRAME}}$有效后的第一个时钟沿总线进入地址传送阶段,用第一个时钟传送地址和总线指令编码。下一个时钟开始,总线进入一个或多个数据传送阶段。此时,只要$\overline{\text{IRDY}}$和$\overline{\text{TRDY}}$都有效,总线控制者和目标设备之间就可由时钟沿同步连续传送数据。传输过程中,$\overline{\text{IRDY}}$和$\overline{\text{TRDY}}$两者中任何一个无效都将使总线自动插入 1 个等待周期,以匹配数据的传送。

由$\overline{\text{FRAME}}$无效和$\overline{\text{IRDY}}$有效指示最后 1 个数据传输开始,当$\overline{\text{TRDY}}$有效时,最后 1 个数据传输完成。总线接口恢复到 IDLE 状态,此时$\overline{\text{FRAME}}$和$\overline{\text{IRDY}}$均无效。

2.2.3.3　PCI 总线寻址空间

A　地址空间定义

PCI 总线采用独立寻址方式,定义了 3 个相互独立的物理寻址空间:存储器空间、I/O 空间和配置地址空间。配置地址空间是为支持 PCI 硬件设备配置而定义的。

PCI 总线上的每一个目标设备都有一个基地址寄存器,用来存取该设备的其他内部寄存器和功能部件信息。这样,操作系统的配置软件利用基地址寄存器,就可知道设备所需的地址空间了。

B　地址译码

PCI 总线上的地址译码是在每一个设备上分别进行的。PCI 支持两种类型的设备地址译码:正向译码和反向译码。正向译码速度较快,因为每个设备只在分配给它的地址范围内进行译码操作。反向译码速度则较慢,它要接收所有不被其他单元译码的操作,然后作出反应。反向译码只能被总线上的一个设备使用。

C　设备选择信号在地址译码过程中的作用

$\overline{\text{DEVSEL}}$信号由当前传的目标设备驱动,报告该设备已被选中。允许$\overline{\text{DEVSEL}}$信号可在地址段后的 1、2、3 个时钟内被驱动,但必须在开放其他信号之前有效,且始终保持有效直到$\overline{\text{FRAME}}$无效并完成最后一个数据段后,与$\overline{\text{TRDY}}$同时无效,终止总线操作。

如果在$\overline{\text{FRAME}}$有效的 3 个时钟周期内没有任何设备使$\overline{\text{DEVSEL}}$有效,此时作反向地址译码的设备就应使$\overline{\text{DEVSEL}}$有效。如果该系统没有反向地址译码单元,总线控制者就不能获知有效的$\overline{\text{DEVSEL}}$,也就无法利用总线控制者的容错措施来终止这次传输。

2.3 通道地址译码技术

微机对生产过程的控制是通过接口操作来完成的。如本章 2.2 节所述,微机接口通过板级接口总线(如 ISA、PCI 总线等)来完成。而板级接口总线作为一种标准,始终独立于各种 CPU 而存在。因此,我们对通道接口的研究就可仅以总线技术为基础,无须顾及微机 CPU 的不断升级改变,来保证设计技术的稳定与可靠。ISA 总线是工业控制计算机中配置插槽最多的一种总线,因此,本章的后续内容是以 ISA 总线为主加以展开。

2.3.1 ISA 总线接口控制时序

微机总线工作是按一定的时序开始特定工作的。对于一个接口的写数据操作,其程序仅为一条指令:

               Out DX, AL; 汇编语言编写的 I/O 端口字节的写指令

或   outportb (port_add, data_val); /＊C 语言编写的 I/O 端口字节的写操作指令 ＊/

上述指令的执行将提请并完成如下操作:

● 系统处于非 DMA 状态;

● 地址总线 $A_0 \sim A_{15}$(或 $A_0 \sim A_9$)按给定的地址输出相应的地址数据电平;

● 欲输出到接口的数据送到数据总线 $D_0 \sim D_7$(或 $D_0 \sim D_{15}$),依写指令不同而不同;

● 使控制端口写操作的控制线 $\overline{IOW}$ 有效;

● 在完成上述操作的一个确定时间后,取消 $\overline{IOW}$ 有效;取消数据总线的数据输出;释放地址总线的控制权。

上述操作以图形的方式加以描述,PC/AT 总线 I/O 端口 8 位写总线周期时序如图 2.3 所示。

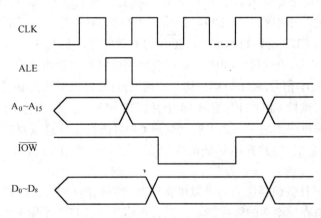

图 2.3　PC/XT 总线 I/O 端口 8 位写总线周期时序图

CPU 在执行 OUT 指令时,就进入 I/O 端口写总线周期,每个 I/O 端口写总线周期由 4 个时钟周期构成。在 T_1 周期,地址总线 $A_0 \sim A_{15}$ 有效,由 ALE 下降沿锁定地址信号。T_2 周期时 $\overline{IOW}$ 有效,该信号控制将数据总线上的数据写入选中的端口,CPU 将数据送上数据总线。由于数据有效要比 $\overline{IOW}$ 信号稍晚,因此写入数据的器件应采用后沿控制写入的器件或电平控制写入的器件(低电平有效)。CPU 在 T_3 时测试 READY 信号,当外设没有准备好(READY = 0)时,则在 T_3 与 T_4 之间再插入等待周期 T_W,直到 READY 有效后,CPU 结

束等待周期 T_W 进入 T_4 周期, 在 T_4 周期的下降沿完成 I/O 端口写总线周期。IOW 有效的时间大约为 3 个时钟周期, 即 630ns, 如果该端口连接的是慢速外部设备, 在这段时间内不能有效完成写入操作, 则应拉低总线的 I/O CH RDY(READY)信号, 将 I/O 端口写总线周期延长。

I/O 接口的数据读入操作与上述过程相类似, 只是在微机启动读取接口数据之前, 该接口数据应事先准备好, 才能被微机正确读取。有关 I/O 端口数据读入控制的时序图形描述, 如图 2.4 所示。

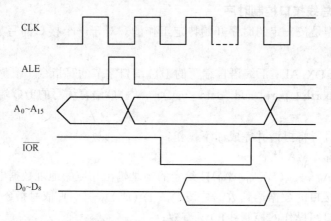

图 2.4　PC/XT 总线 I/O 端口 8 位读总线周期时序图

CPU 在执行 IN 指令时就进入 I/O 端口的读总线周期。ISA 总线的 I/O 端口读总线周期由 4 个时钟周期构成, 在 T_1 周期, 地址总线 $A_0 \sim A_{15}$ 地址信号有效, 这表明此时地址总线含有有效的 I/O 端口地址信号, 由 ALE 下降沿锁定此地址信号 $A_0 \sim A_{15}$。在 T_2 周期时 $\overline{IOR}$ 有效, 控制被地址选中的 I/O 端口将数据送上数据总线, 最迟在 $\overline{IOR}$ 无效前 30ns 使数据信号有效, 然后由 CPU 将该数据读入。$\overline{IOR}$ 的有效时间大约为 3 个时钟周期, 即 630ns, 如果该端口是慢速设备, 在这段时间内不能有效地完成将数据读出并送上数据总线的任务, 则应拉低 I/O CH RDY 信号, 将 I/O 端口读总线周期延长, 但至多延长 10 个周期。

依据莫尔定律, 微机 CPU 的性能每 18 个月将翻一番。因此, 高速 CPU 层出不穷, 而与之相比, 外设工作速度慢如蜗牛。为了实现高速 CPU(微机接口总线)与慢速的外设接口之间的相互良好地配合工作, 并且不降低微机的高速工作性能, I/O 接口一般要满足如下条件:

●I/O 写接口应具备锁存能力。当微机将所输出的数据写入具有锁存控制功能的输出接口(一般为具有锁存控制端的寄存器芯片)后, 慢速外设接口就不用考虑总线的速度, 避免两者速度的不匹配而造成的错误操作;

● I/O 读接口应具备三态功能的接口能力。因为数据总线为分时复用总线, 如果任一外部接口始终连入数据总线将会在总线上产生"线与"操作, 其输出的"0"电平会使数据总线的相应位始终被钳位到"0"电平, 将使总线无法正常工作;

● I/O 的读、写操作应在非 DMA 工作周期内。这点在 ISA 总线上很容易判断, 当 AEN 为低电平时就表明 DMA 没有工作。

综上所述, 对 I/O 接口写允许控制端(寄存器锁存允许端)或读允许控制端(寄存器三态输出允许控制端)的控制是在程序的主导下,通过地址总线和控制总线的协同操作来完成的。完成地址总线和控制总线的协同操作这一过程,我们通常称为 I/O 通道地址码。因此,学习并掌握 I/O 通道地址译码的原理,才可更好地实现对 I/O 通道接口的操作控制与设计。

实现 I/O 通道地址译码的方法有多种,可以依据选择的器件不同而构造功能相同、电路相异的译码接口电路。

2.3.2 I/O 端口寻址和使用图像

2.3.2.1 端口寻址范围

PC 机中大多数外部设备及 I/O 适配器是使用数字输入和输出端口来加以控制和检测的。这些端口要使用 ISA 总线的 I/O 端口地址空间来寻址。使用 80××系列 MPU 的 OUT 指令可将数据送到这些端口上,使用 80××系列 MPU 的 IN 指令则可以从这些端口上检测到并读入数据。80××系列处理机的系统结构支持 65536 个单值的端口地址组成的 I/O 端口地址空间。但 PC 机中并不使用全部地址空间,如在 PC/XT 总线中仅使用地址字段中的低 10 位,即地址总线的位 0 到位 9 被用来对设备或端口地址进行译码。

应当注意的是,80××系列 MPU 的 OUT 和 IN 指令仍然可以用于按有效高阶位($A_{10}\sim A_{15}$)指定端口地址,但是目前所设计的设备将只关注译码和响应位 A_0 到 A_9。

在 PC/XT 总线的设计中,I/O 端口地址字段的位 10(A_9)具有特殊的意义。当该位未设置时($A_9 = 0$, I/O 端口寻址范围为:00H—1FFH),微机不能在系统总线上从系统板上的 ISA 插卡中接收数据。此时微机只能接收来自 00H—1FFH 地址范围内的系统板上的设备和 I/O 端口地址设备的数据信号。当设置了该位时($A_9 = 1$, I/O 端口寻址范围为:200H—3FFH),就使得微机能够从 ISA 插件板卡中接收来自 200H—3FFH 地址范围内的数据。对于输入端口来说,这就意味着 PC 中支持的 1024 个端口地址被分成了相等的两组:只存在于系统板上的 512 个端口地址及只存在于插板槽中的 512 个端口地址。

重要的是,要注意此限制并没有被应用到输出端口上。1024 个端口地址的任何一个都可以用作插板槽上的输出端口地址。然而,在系统板上使用的端口地址,不应再由插板重复使用。否则的话,在对这些端口地址写数据时,可能会使数据同时写到系统板上和插板中,从而可能引起错误。图 2.5 示出了 PC 机 I/O 端口地址范围的使用安排。

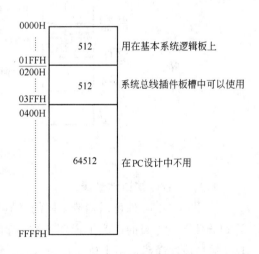

图 2.5 PC 机 I/O 端口地址范围的使用安排图

2.3.2.2 PC 机 I/O 端口地址分配图

PC 机 I/O 端口地址范围的使用安排图可以分成两部分。第一部分是从 0000H 到 01FFH 的地址空间,这部分驻留在基本系统板上。这些端口地址被用来对 80××系列 MPU 支持的设备及基本系统板上的整体 I/O 进行寻址。

应当注意,地址 00C0H 到 01FFH 在系统板上既不作为输入端口也不作为输出端口。如前所述,这些地址虽然不能作为输入端口,但对在接口方案中的应用来说可以作为在系统板上的输出端口对这些地址译码。

图 2.6 表明了 PC 机 I/O 端口地址空间的第二部分从 0200H 到 02FFH 地址的目前用法。这部分地址空间用于在系统总线上译码的地址端口,可从系统板上的 ISA 插槽中得到。应当指出的是,由于 PC 机制造厂为 PC 提供了新的特性插件板,这些地址译码的大部分都将用到。由于这种情况出现迅速,便不可能维持这些译码的准确应用规划。如果自己的工业控制计算机系统结构中并未使用这样的设备或特性的插件板,则在自己的接口设计中就可以使用这些地址译码。

		16位地址	用法
0200H	1	0200H	(用户可使用)
0201H		0201H	游戏控制适配器
0202H	118	0202H~0277H	(用户可使用)
0277H			
0278H	8	0278H~027FH	第二打印机端口适配器
027FH			
0280H	120	0280H~02F7H	(用户可使用)
02F7H			
02F8H	8	02F8H~02FFH	第二串行端口适配器插件板
02FFH			
0300H	120	0300H~0377H	(用户可使用)
0377H			
0378H	8	0378H~037FH	打印机端口适配器插件板
037FH			
0380H	48	0380H~03AFH	(用户可使用)
03AFH			
03B0H	16	0380H~038FH	单色显示器和打印机适配器
03BFH			
03C0H	16	03C0H~03CFH	(用户可使用)
03CFH			
03D0H	16	03D0H~03DFH	彩色/图形显示器适配器
03DFH			
03E0H	16	03E0H~03EFH	(用户可使用)
03EFH			
03F0H	8	03F0H~03F7H	5.25英寸软磁盘机适配器插件板
03F7H			
03F8H	8	03F8H~03FFH	串行端口适配器插件板
03FFH			

图 2.6 PC 机的 I/O 端口地址图

2.3.3 I/O 端口地址译码

采用不同的器件可以构造不同的译码电路,形成千差万别的电路形式,但其机理相同,达到异曲同工之目的。为了说明原理,简化译码电路的设计,我们下面以 PC/XT 总线(即 I/O 端口地址译码使用十位地址总线:$A_0 \sim A_9$,使用八位数据总线:$D_0 \sim D_7$)为主要蓝本展开设计,PC/AT 总线的地址译码设计原理与之十分相近,可参考有关的书籍。

2.3.3.1 组合逻辑器件译码

用组合逻辑器件(与、或、非门等)构造译码电路最直观,易理解。例如,用 74LS374 做输入接口,地址设为 2E0H,则使 74LS374 的 $\overline{OE}$ 引脚工作的有效条件为:

信号线	$\overline{IOW}$	AEN	A_9	A_8	A_7	A_6	A_5	A_4	A_3	A_2	A_1	A_0
工作时各线的逻辑电平	0	0	1	0	1	1	1	0	0	0	0	0

则译码逻辑表达式为:

$$\overline{OE} = \overline{\overline{IOW} * \overline{AEN} * A_9 * \overline{A_8} * A_7 * A_6 * A_5 * \overline{A_4} * \overline{A_3} * \overline{A_2} * \overline{A_1} * \overline{A_0}} \qquad (2.1)$$

$$= \overline{(A_9 * A_7 * A_6 * A_5) * \overline{\overline{(IOW} * \overline{AEN} * \overline{A_8} * \overline{A_4})} * (\overline{A_3} * \overline{A_2} * \overline{A_1} * \overline{A_0})}$$

$$= \overline{(A_9 * A_7 * A_6 * A_5) * \overline{(\overline{IOW} + AEN + A_8 + A_4)} * \overline{(A_3 + A_2 + A_1 + A_0)}} \qquad (2.2)$$

根据等式 2.2,我们可以很方便选择一个 4 输入与门、两个 4 输入或非门和一个 3 输入与非门构成的用于输出接口的实际译码电路如图 2.7 所示。

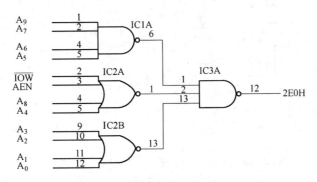

图 2.7　用组合逻辑器件实现的译码电路

很显然,由等式 2.1 到等式 2.2 的逻辑表达变化有多种形式,因此,同一需求条件下的地址译码,依据公式的不同分解、组合形式,可采用不同的组合逻辑器件构成形式上完全不同的译码电路,但其译码结果都是完全相同的。

2.3.3.2　比较器器件译码

采用组合逻辑器件构成的译码电路译码地址单一、固定。工业控制计算机采用多插板、多接口地址配置。很明显,固定地址的设置不利于实际使用。根据工业控制计算机系统的具体情况,灵活地改变接口电路的地址设置是非常必要的。

用跳线设置"0"或"1"的给定电平与相应的地址线通过"异或门"电路处理后输出电平是采用比较器实现可变地址译码技术的基本原理。用图 2.8 来取代图 2.7,可使该输入接口的地址在 2E0H~2E8H 之间任意变化。图中 74LS86 为二输入异或门。跳线 JUMP SW 与 A_0~A_3 的"异或"处理后再经四输入或非门的限定,实现了仅对两者相同输入逻辑电平的选择。因此,改变 JUMP SW 各跳线的"0"或"1"的状态,即改变了 A_0~A_3 的有效地址值。A_4~A_9 因接法未变而译码状态未变。有关该电路的逻辑表达式可自行推导。

在工业控制计算机接口译码电路的实际设计中,往往希望扩大灵活译码的范围,因此,实际应用中多采用 8 位模拟比较器 74LS688 作为比较译码芯片进行地址译码,由 74LS688 为主构成的用于输出接口的译码电路的例子如图 2.9 所示,JUMP SW 具有 8 个选择跳线,可变地址范围达到 $2^8 = 256$ 个(00H~FFH)。

2.3.3.3　译码器器件译码

采用组合逻辑器件或比较器器件译码往往一个输出地址就要对应一套译码电路,这对某些需要有连续多个输出地址的译码电路的设计有些得不偿失。采用专用译码器器件,如:74LS138、74HC139、4067 等,与其他组合逻辑器件或比较器器件相配合,特别适合连续多个地

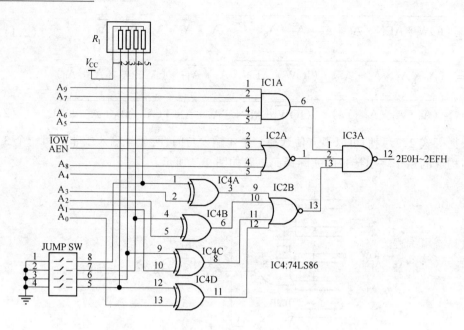

图 2.8 用比较器件实现的可变地址译码电路

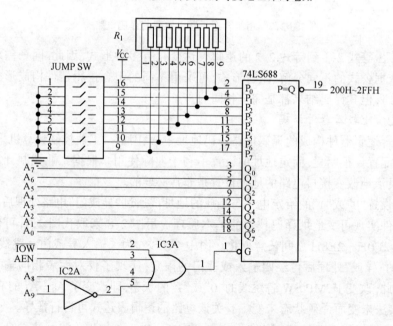

图 2.9 用 74LS688 构成的地址译码电路

址编址输出的译码电路设计。用译码器器件 74HC138 与组合逻辑器件配合为输出接口设计的译码电路如图 2.10 所示。

2.3.3.4 GAL 器件译码

由前 3 种器件构成的译码电路虽都能很好地完成译码功能。但都需要非止一个器件来构成译码电路。在实际应用中需要较大的安装空间和较多种类的产品备件,这将影响最终产品的成本、可靠性及可维护性。通过使用新型器件——通用阵列逻辑器件 GAL(Generic

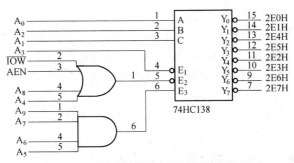

图 2.10　采用译码器为主设计的译码电路图

Array Logic),其在功能上几乎可以取代整个 74 系列或 4000 系列的器件。GAL 器件有如下特点:

● 具有可编程的与门及或门阵列,可模拟任何组合逻辑器件的功能,并减少分立组合逻辑器件的使用数量;

● GAL 的每个输出引脚上都有输出逻辑宏单元 OLMC(Output Logic Macro Cell),允许使用者定义每个输出的结构和功能,使用户能完成任何所需的功能;

● GAL 器件可在线电擦写、编程,数据保持时间在 10 年以上;

● GAL 器件有较高的响应速度,与 TTL 兼容;

● GAL 器件具有电信号标签,便于使用者在芯片预留可读的注释等条目;

● GAL 器件具有可编程的保密位,可防止对 GAL 器件的内容非法读取和复制。

显然,GAL 器件特别适合于译码电路的设计。常用的 GAL 器件有 GAL16V8、GAL20V8 等芯片,可依据应用条件不同而选取。GAL16V8 器件具有 20 个引脚,最多可具有 16 个输入端(这时仅有 2 个输出端)或最多具有 8 个输出端(这时仅有 10 个输入端)。该特性与其名字的命名相对应。

用通用阵列逻辑器件 GAL16V8 构造的译码电路如图 2.11 所示。芯片内部只有通过编程才能将所需的逻辑方程写入,即将所需的逻辑方程以特定的形式写入 GAL 芯片内部,用硬件实现了译码逻辑方程的表达。图中地址选择开关 S1 和 S2 状态的改变,可使 READ _ SEL 和 WRITE _ SEL 两个译码输出结果在 2E0H ~ 2E3H 的范围内变化。通常有 FM、CUPL 及 ABEL 等软件可实现该译码逻辑方程的表达及相应的软件设计,我们利用 FM 设计软件进行设计,其软件清单如下:

```
GAL16V8                              ;文件头定义
name autotest.pld
BY WANG MINGSHUN 05/03/95
for autotest.s01 ADDRESS DECORE
   ;GAL16V8 引脚定义,这与原理图引脚连接相对应
A0  A1  A2  A3  A4  A5  A6  A7  A8  GND
A9  AEN  IOW  IOR  W_S  R_S  NC  S2  S1  VCC
   ;逻辑表达式设计
   ;读接口逻辑表达式设计,输出定义"低"有效
/R_S =
/AEN * /IOR * IOW * /A0 * /A1 * /A2 * /A3 * /A4 * A5 * A6 * A7 *
```

/A8 * A9 * /S1 * /S2

 + /AEN * /IOR * IOW * A0 * /A1 * /A2 * /A3 * /A4 * A5 * A6 * A7 *

/A8 * A9 * S1 * /S2

 + /AEN * /IOR * IOW * /A0 * A1 * /A2 * /A3 * /A4 * A5 * A6 * A7 *

/A8 * A9 * /S1 * S2

 + /AEN * /IOR * IOW * A0 * A1 * /A2 * /A3 * /A4 * A5 * A6 * A7 *

/A8 * A9 * S1 * S2

 ;写接口逻辑表达式设计,输出定义"高"有效

W _ S =

/AEN * IOR * /IOW * /A0 * /A1 * /A2 * /A3 * /A4 * A5 * A6 * A7 *

/A8 * A9 * /S1 * /S2

 + /AEN * IOR * /IOW * A0 * /A1 * /A2 * /A3 * /A4 * A5 * A6 * A7 *

/A8 * A9 * S1 * /S2

 + /AEN * IOR * /IOW * /A0 * A1 * /A2 * /A3 * /A4 * A5 * A6 * A7 *

/A8 * A9 * /S1 * S2

 + /AEN * IOR * /IOW * A0 * A1 * /A2 * /A3 * /A4 * A5 * A6 * A7 *

/A8 * A9 * S1 * S2

DESCRIPTION ;文件注释说明

使用 GAL16V8 做译码芯片,FM 为编译软件。

通过 S1、S2 的"0"、"1"不同设定,译码输出地址可在 2E0H～2E3H 之间任意选择。

END.

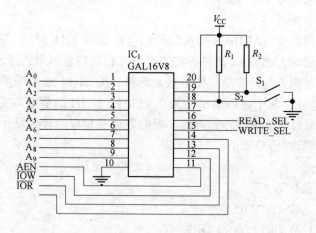

图 2.11　用 GAL 器件实现的地址译码电路

2.4　数字量/开关量输入输出通道

  我们通常称量化(规格化)后的、可以被计算机处理的离散信号为数字量信号,除此之外的二值离散信号可称之为开关量信号。

  由开关量到数字量转变要做量化处理,达到微机所能处理的电平及编码表达。而数字量与微机的接口除必须考虑操作时序外(由译码电路来完成),还应考虑接口的电压(电平)

与电流的匹配关系。与电流匹配相关联的表达是特定器件的扇入系数或扇出系数,前期课程已对此做了详细的讲解,这里不再加以叙述。而器件的输入、输出逻辑电平因其制造材料的不同而定义的标准不同。使用中应特别注意。

2.4.1 常用逻辑器件及逻辑电平

工业控制计算机常用的接口集成电路依制造材料不同可分为两大类:

● TTL(Transistor Transistor Logic,晶体管、晶体管逻辑)电路;

● CMOS(Complementary Metal Oxide Semiconductor Transistor,互补型金属氧化物半导体晶体管)逻辑电路。

TTL 逻辑电路器件的基本代号为 74(民品)或 54(军品)系列,如 74LS244、74LS373 等,而具有 74HC×××标识的器件是符合 TTL 电平的高速 CMOS 器件,与 74 系列相比具有较低的功耗。CMOS 逻辑电路器件的基本代号为 4×××系列,如 CD4011、CD4538 等。元件的标称序号不同,代表着不同的逻辑功能的芯片。

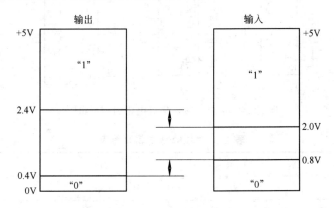

图 2.12 TTL 电路输入输出逻辑特性

74 系列和 4×××系列逻辑电路有着不同的输入、输出电路特性。图 2.12 为 TTL 电路的输入、输出逻辑特性。其中对于输入而言,0.8~2.0V 之间为不确定区。输出与输入的"0"及"1"电平之间的噪声容限(2.4~2.0V 或 0.8~0.4V)为 0.4V。噪声容限越大,说明器件的抗干扰能力越强。图 2.13 为 CMOS 电路的输入、输出逻辑特性,与 TTL 电路有着截然不同的电压范围值。当 CMOS 逻辑电路的电源 V_{DD} 也取为 5V 时,CMOS 逻辑电路的噪声容限可达 1.5V,与 TTL 电路相比有着更好的抗干扰能力,但 TTL 电路与 CMOS 电路相比具有高得多的响应速度。由上述可知:

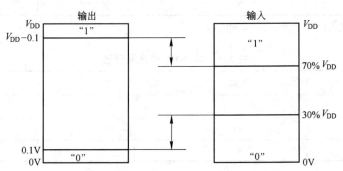

图 2.13 CMOS 电路输入输出逻辑特性

(1)CMOS 电路比 TTL 电路具有较强的抗干扰能力；

(2)对于 CMOS 输出、TTL 输入的电路的,两类器件可直接连接。对于 TTL 输出而 CMOS 输入的两类器件不可直接连接,要考虑电平匹配问题,如在 TTL 输出接口处需加必 要的上拉电阻,以使 TTL 输出的高电平能与 CMOS 的输入高电平相匹配。

2.4.2 常用接口芯片介绍

74 系列集成电路是最常用的接口集成电路之一。具有三态输出控制功能的芯片,如 74LS244、74LS245、74LS373 和 74LS374 等可用于外部数据的输入接口。具有寄存功能的 接口芯片,如 74LS273、74LS373 和 74LS374 等可用于数据向外部输出的存储记忆。这些电 路的引脚逻辑图如图 2.14 所示。其各芯片的逻辑功能真值表相应如表 2.3～表 2.7 所示。

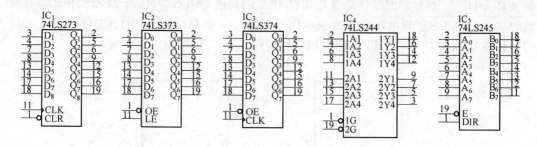

图 2.14 常用的接口集成电路引脚逻辑图

表 2.3 74LS273 逻辑真值表

CLR	CLK	Dx	Qx
L	X	X	L
H	↑	H	H
H	↑	L	L

其中:H=高电平,L=低电平,X=任意高、低电平 (以下各表的表示意义相同)。

表 2.4 74LS373 逻辑真值表

$\overline{OE}$	LE	Dx	Qx
L	H	H	H
L	H	L	L
H	X	X	Z

其中:Z=高阻状态(以下各表的表示意义相同)。

表 2.5 74LS374 逻辑真值表

$\overline{OE}$	CLK	Dx	Qx
L	↑	H	H
L	↑	L	L
H	X	X	Z

表 2.6 74LS244 逻辑真值表

输　入		输　出
$\overline{1G}$ ，　$\overline{2G}$	D	
L	L	L
L	H	H
H	X	Z

表 2.7 74LS245 逻辑真值表

输　入		输　出
$\overline{E}$	DIR	
L	L	总线 B 数据到总线 A
L	H	总线 A 数据到总线 B
H	X	A 与 B 间为高阻状态

根据各芯片的特点及设计要求不同,我们可以选择有类似功能的不同芯片构造具有相同功能的 I/O 接口电路。

2.4.3　数字量输入/输出通道

2.4.3.1　ISA 总线数字通道设计

如前几节所述,对于数字量输入/输出通道在硬件接口上输入应采用三态门控制、输出采用数据锁存控制,各控制端与有效的译码电路输出端相连接;在软件上采用程序直接控制方式(仅用一条 IN—输入或 OUT—输出指令),就构成了一个完整的数字量输入/输出接口解决方案。图 2.15 就是一个 8 位数字量输入、8 位数字量输出与 ISA(PC/XT)总线接口电路原理图。图中的译码电路采用了 GAL 芯片译码(与图 2.10 的设计相同),输入输出地址可变,因此,仅用 3 个芯片就完成了全部的工作。$IN_1 \sim IN_8$ 是与 TTL 电平相兼容的数字量输入信号,$OUT_1 \sim OUT_8$ 是系统输出的 8 位数字量控制信号。

当我们需要将输入通道的 8 位输入值直接输出到输出通道时,可以用下面的 C 语言程序段来完成(设输入、输出地址同为 2E2H):

```
char ch;
ch = inportb(0x2E2);
outportb(0x2E2, ch);
```

2.4.3.2　PCI 总线数字通道设计

随着 ISA 总线在台式电脑上利用的逐渐减少(PC98 以后的标准已经取消了 ISA 总线),ISA 总线的设备也不断减少,在商业 PC 机和工业控制计算机上用的接口总线主要转为 PCI 总线,因此,研究 PCI 总线的接口设备是工业控制领域非常现实的一个课题。但由于 PCI 总线协议的复杂性,其接口的设计实现比 ISA 总线设计要困难得多。

目前实现 PCI 接口的一般方法有:

● 使用 CPLD(复杂可编程逻辑芯片);

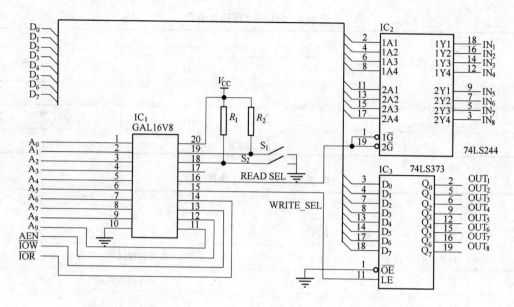

图 2.15 8 位数字输入量、8 位数字输出量与 PC/XT 接口电路例图

● 使用专用接口芯片。

采用 CPLD 实现 PCI 接口设备需设计者有着较高的 CPLD 设计水平和对 PCI 总线规范的深入了解。而专用接口芯片的设计师已依照 PCI 总线的标准为接口芯片做了特定的设计,因此,这种应用设计方法难度较低,易于实现,开发者即使不是很了解 PCI 规范的具体细则,也可成功地设计 PCI 接口卡。

我们已熟悉了 ISA 总线的设计方法,如果能利用一个桥接设备来实现由 ISA 总线到 PCI 总线的接口转换,就可利用原有的设计资源来实现总线数据的转换。实现 PCI 与 ISA 接口桥接转换的专用接口芯片有多种,PCI9052 是非常具有代表性的一个。

PCI9052 是 PLX 技术公司为扩展 PCI 适配卡推出的能提供一种混合的高性能 PCI 总线目标(从)模式的接口芯片。PCI9052 为 160 脚塑封 PQFP 封装结构。

该芯片可与多种局部总线相连,并且支持相对慢的局部总线在 PCI 总线上的突发传送,速率达到 132MB/s。PCI9052 的可编程配置直接与复用或非复用的 8/16/32 位局部总线相连。8 位和 16 位模式便于由 ISA 卡直接向 PCI 卡的转换。PCI9052 就相当于一个桥,连接 PCI 卡的本地端的芯片到 PCI 总线上,将 PCI 指令,如读写某个寄存器、内存、I/O 翻译到本地端。PCI9052 本地端提供了地址线 26 根(27:2)和数据线 32 根,还有 LBE 4 根,可以翻译成不同的地址线,在这种模式下,LBE_1 和 LBE_0 提供地址线[1:0]。PCI 配置寄存器提供了 6 个基地址寄存器,这些基地址都是在系统中的物理地址,其中 BASE1 和 BASE2 都是用来访问 LOCAL 配置寄存器的基地址,BASE1 是映射到内存的基地址,BASE2 是映射到 I/O 的基地址。所以可以通过内存和 I/O 来访问 LOCAL 配置寄存器。PCI9052 的机理比较简单,它内部提供了两种配置寄存器。一种叫做 PCI configuration registers,另一种叫做 Local configuration registers,提供了配置本地端的一些信息。

PCI9052 的内部结构中包含了一个独立的 ISA 逻辑接口,通过这个逻辑接口可以完成由 ISA 到 PCI 的平滑转换。它支持 8 位和 16 位数据宽度的 ISA 设备,该设备可以是内存映射,也可以是 I/O 映射。选读模式用于提高读取数据的吞吐量。一旦 ISA 接口模式被使能,PCI9052 只执行单个周期操作。特别要指出的是,串行 EEPROM 必须使 ISA 接口模式被使能。

PCI 接口电路的设计分为 3 部分。第一部分是 PCI9052 与 PCI 总线(插槽)间的连接信号线。这些信号包括地址数据复用信号 AD[31:0],总线命令信号 C/BE[3:0]♯ 和 PCI 协议控制信号 PAR、FRAME♯、IRDY♯、TRDY♯、STOP♯、IDSEL、DEVSEL♯、PERR♯、SERR♯ 等,各引脚的具体描述见表 2.8 所示。

表 2.8 PCI 系统总线接口信息

管脚号	符 号	名 称	功 能 描 述
150～157,2～8,11, 23～25,28～32, 34～39,42,43	AD[31:0]	地址和数据	地址数据复用信号
158,12,22,33	C/BE[3:0]♯	总线命令/字节使能	地址传送节拍用于总线命令,数据传送节拍用于字节使能
149	CLK	时钟	传送提供时序,同时作为每一个 PCI 设备的一个输入,可达 33MHz
16	DEVSEL♯	设备选择	有效时表示选中设备作为当存取的目标来译码地址
13	FRAME♯	周期帧	由当前主控制器驱动,表示一次存取的开始和过程
159	IDSEL	初始化设备选择	在配置期间用于读写传送的片选
44	INTA♯	中断 A	中断请求
14	IRDY♯	准备好	总线驱动器完成当前数据传送节拍
18	LOCK♯	锁定	多次传送完成
21	PAR	奇偶	奇偶校验
19	PERR♯	奇偶错	奇偶校验错
148	RST♯	复位	复位
20	SERR♯	系统错	系统发生错误
17	STOP♯	停止	停止当前传送
15	TRDY♯	目标准备好	所选择设备完成当前数据传送节拍
68	MODE	总线模式	1:复用总线模式; 0:非复用总线模式
137,136	LINTi1/LINTi2	局部中断 1/2 入	PCI 中断
135	LCLK	局部总线时钟	最高 40MHz,可与 PCI 时钟异步
134	LHOLD	保持请求	局部总线请求使用
133	LHOLDA	保持响应	9052 响应
132	LRESET♯	局部总线复位出	9052 复位时,用于复位局部总线设备
63	BCLKO	BCLK 出	指明局域总线选定使用的 PCI 时钟
131,130	CS[1:0]♯	片选	通用片选。可在配置寄存器编程指定
138	USERO/WAITO♯	用户 I/O 或等待出	可编程构造成用户的 I/O,USER0 或局域总线的 WAIT 输出引脚
139	LLOCKO♯	用户 I/O1 或 LLOCK 出	可编程构造成用户的 I/O,USER1 或局域总线的 LLOCK 输出引脚
140	USER2/CS2♯	用户 I/O2 或 CS2 出	可编程构造成用户的 I/O,user02 或 CS2 输出引脚
141	USER3/CS3♯	用户 I/O3 或 CS3 出	可编程构造成用户的 I/O,user03 或 CS3 输出引脚

第二部分是与串行 EEPROM 的连线。PCI9052 包含一个加载配置信息的串行 EEP-ROM 接口,用于装载一个特定的适配设备信息,将 PCI9052 转换为 ISA 接口模式时串行 EEPROM 也是必需的。与 EEPROM 的连线有 4 根信号线:EESK、EEDO、EEDI 和 EECS。串行 EEPROM(可选用 National NM93CS46 等)的数据可以预先写入,也可以在线写入。表 2.9 提供了 PCI9052 芯片的串行 EEPROM 接口信息。

表 2.9 PCI9052 芯片串行 EEPROM 接口信息

管脚号	符 号	名 称	功 能 描 述
142	EECS	片选	串行 EEPROM 片选
143	EEDO	数据出	串行 EEPROM 读数据
145	EEDI	数据入	串行 EEPROM 写数据
144	EESK	串行数据时钟	串行 EEPROM 数据时钟

第三部分是 9052 与应用电路的连接。在本例中主要用到的是 ISA 局部总线信号,有数据线 LAD[7:0],地址线 ISAA[1:0]、LA[23:2],I/O 读写信号线 IOWR♯、IORD♯,地址锁存 BALE 等。表 2.10 提供了 PCI9052 芯片的 ISA 局部总线数据传送接口信息。

表 2.10 ISA 局部总线数据传送(非复用模式)

管脚号	符 号	名 称	功 能 描 述
131	MEMWR♯	存储器写	从 ISA 总线写数据到存储器
130	MEMRD♯	存储器读	将存储器数据读到 ISA 总线
139	IOWR♯	I/O 写	从 ISA 总线写数据到 I/O 口
138	IORD♯	I/O 读	将 I/O 口数据读到 ISA 总线
46	SBHE♯	系统高字节使能	高位字[15:8]使能
48,49	ISAA[1:0]	ISA 地址总线	ISAA[1:0]是 ISA 总线地址节拍,与 LA[23:2]一起使用。对于 16bit ISA 总线,ISAA0 用做 LBE♯信号;对于 8bit ISA 总线,ISAA0 用做 1 位地址位
64	BALE	总线地址锁存使能	用以表示地址和 SBHE♯信号线有效
45	CHRDY	通道准备好	该信号从设备输入,用来表示需要附加时序(等待状态),当从设备需要等待状态时,信号保持低电平
67	NOSW♯	无等待状态	来自从器件的输入,指明现行工作周期可以被缩短
116~105,102~100,98~92	LA[23:2]	地址总线	28 位地址总线中的高 22 位
74~79,82~91	LAD[15:0]	数据总线	16 位数据总线
84~91	LAD[7:0]	数据总线	8 位数据总线

由上述 3 个表可以看出,外设部分的接口连接和操作仅仅与表 2.10 提及的引脚相关。以此为基础的 8 位数字量输入、输出接口的设计如图 2.16 所示。

在图 2.16 中,PCI 总线与 PCI9052 芯片间的连接依据表 2.8(PCI 系统总线接口信息)进行。译码器的设计可根据接口地址的需求及 2.3.3 节(I/O 端口地址译码)的设计原理来设计。显而易见,有了 ISA 总线的接口设计知识再采用 PCI9052 芯片做 PCI 与 ISA 总线之间的桥接设计,PCI 总线接口板的硬件设计仍是简单易行的。

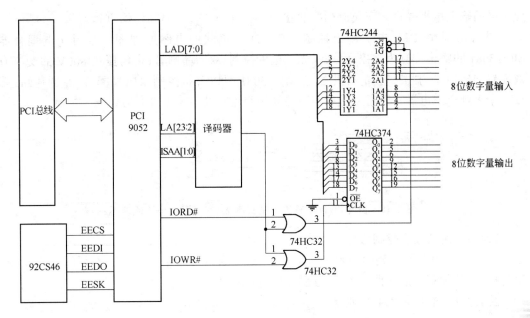

图 2.16 8 位数字量输入、输出 PCI 接口电路图

PCI 卡通常是在 windows 操作系统下应用的,所以必须编写相应的 PCI 卡驱动程序并运行之,PCI 卡才能在 windows 操作系统的应用软件控制下很好地工作。支持 windows 操作系统下 pnp(即插即用)硬件的驱动程序一般可以编写 .vxd 或 .wdm 形式的驱动程序。编写 PCI 卡的驱动程序一般需要较深的计算机知识,设计者可查阅相关的专著。

2.4.4 数字量/开关量的变换方法

由 2.4.1 节可知,数字电路有着确切的输入输出逻辑电平,而一般的开关输入、输出量很难与之配套,因此,实现数字量与开关量两者之间变换通常可采用的器件有:
- 使用晶体管;
- 使用模拟比较器;
- 使用运算放大器;
- 使用专用电平变换器件(如 CD4049、CD4050 等);
- 使用光电耦合器件;
- 使用电磁继电器或固态继电器等。

其中,晶体管与光电耦合器有较宽的电压适应范围,尤其是光电耦合器的使用还有着其他许多优点(如通过电气隔离具有抗干扰特性等)。专用电平变换器件具有变换的针对性(降压变换或升压变换),其使用简单。比较器与运算放大器在使用上的区别是比较器输出为 OC 门(集电极开路门),因此输出端的上拉电阻及外加电压可构造一个灵活的输出电压范围;运算放大器为非 OC 门输出,通过输出端的适当正反馈可构成具有输入司密特特性的电平变换装置。

图 2.17 是由光电耦合器构成的输入、输出电平隔离变换电路,由图可知,通过调整 R_1 的阻值使流过发光二极管的电流为器件的额定值即可适

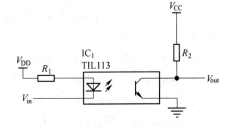

图 2.17 由光电耦合器构成的电平转换电路

应不同的输入电平并将之变换成标准的 TTL 电平(当 $V_{CC} = 5V$ 时)输出。

图 2.18 是由 TTL 电平输出控制交流 220V 负载的电路原理图。专用光电耦合器 MOC3081 的输出一侧为光控(输入发光二极管控制)双向晶闸管(可耐压达 800V 的交流有效值)。V_{ttl} 电平的"0"、"1"的变化通过 MOC3081 可以直接控制双向晶闸管 T_1 的通断(形成一个无触点继电器),即通过低压实现对高压交流负荷设备 L_1 的接通、断开控制。

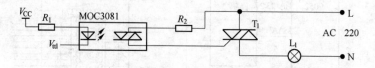

图 2.18 由 TTL 电平输出控制交流 220V 负载的电路原理图

2.4.5 常用接口控制指令

I/O 接口控制操作需要软、硬件的结合,微机底层的汇编语言就具有专用的 I/O 指令,由此扩展,各种高级语言也具备了相应的接口控制功能。

2.4.5.1 汇编语言 I/O 指令

A 输入指令

依寻址方式及数据位长的不同,Intel 系列微处理器的汇编语言各输入指令如下:

    IN AL, port ;接口字节数据送 AL 中

    IN AL, DX ;基址寄存器中指定的接口的字节数据送 AL 中

    IN AX, port ;接口字数据送 AX 中

    IN AX, DX ;基址寄存器中指定的接口的字数据送 AX 中

B 输出指令

依寻址方式及数据位长的不同,Intel 系列微处理器的汇编语言各输出指令如下:

    out port, AL ;AL 中的字节数据写到接口中

    out DX, AL ;AL 中的字节数据写到基址寄存器指定的接口中

    out port, AX ;AX 中的字数据写到接口中

    out DX, AX ;AX 中的字数据写到基址寄存器指定的接口中

2.4.5.2 C 语言 I/O 操作

C 语言是一种功能强大的语言,在 DOS 操作系统、UNIX 操作系统下有广泛的应用。其中,Turbo C2.0 提供了专用的接口操作语句和函数,可以进行直接的 I/O 端口控制操作。

(1)输入函数

C _ value = inportb(port) / ∗ 从 port 地址端口读入单字节数据送 C _ value 中 ∗ /

I _ value = inport(port) / ∗ 从 port 地址端口读入双字节数据送 I _ value 中 ∗ /

(2) 输出指令

outportb(port, C _ value) / ∗ 将单字节数据 C _ value 送到端口 port(8 位输出)中 ∗ /

outport(port, I _ value) / ∗ 将双字节数据 I _ value 送到端口 port(16 位输出)中 ∗ /

2.4.5.3 windows 平台下 I/O 操作

windows 操作平台是当今主要的微机操作平台之一。各种可视化编程软件,如 VC、VB 等,都可实现 I/O 接口操作,其方法有:

● 利用 API 函数；
● 利用自带动态连接库；
● 利用第三方提供的插件；
● 利用插入汇编语言方式。

其中插入汇编语言方式最为简洁。下面的程序段就是用 C++ Build 语言编写的一个输出数据操作程序段,该段程序利用定时器事件来操作外设地址为 2C8H 的 D0 位以一定的时间间隔做"ON"、"OFF"动作,当外设为照明灯时,此过程可看成是模拟"航标灯"在工作。

```
void __ fastcall TForm1::Timer1Timer(TObject * Sender)
    {
        char c1;
        if (i==0)
          {
          Label1 -> Caption = "ON";    /* 指示外设"ON"        */
          c1=0;
          }
        else
          {
          Label1 -> Caption = "OFF";    /* 指示外设"OFF"       */
          c1=1;
          }
        asm                           /* 插入汇编段标识       */
          {
          mov al, c1                  /* 取得控制数据        */
          mov dx, 2c8h                /* 取得输出地址        */
          out dx, al                  /* 输出"ON"、"OFF"值    */
          }
        if (i==0) i=1;                /* 改变状态位, i 是静态变量 */
          else i=0;
    }
```

2.5 数/模(D/A)转换技术

计算机处理的是数字量信号,而外部真实世界的绝大多数信号都是模拟信号。因此,由数字信号到模拟信号转换(DAC, Digital _ to _ Analogue Converter)实现计算机的控制输出;由模拟量到数字量的转换(ADC, Analogue _ to _ Digital converter)实现外部信号的采集输入;构成了外部的模拟信号与计算机的数字信号之间的桥梁。

DAC 或 ADC 都早已集成化,其应用的简单化可以使人们不必全面了解它们的工作原理就可以加以使用。不过,若不具备一定的基础知识就应用,也会导致意外的故障。

依据 D/A 转换原理不同,我们可以简单地将其分类为:
● 求取脉冲平均值的 PWM 型 DAC;

● 数字编码信号控制下加权量叠加 DAC。

由于第二种方法具有高速、高精度的特性,几乎所有的集成化 DAC 都依据该原理设计。

2.5.1 DAC 原理

相应于无符号整数形式的二进制代码, n 位 DAC 的输出电压 V_{out} 遵守如下等式:

$$V_{out} = V_{FSR}(\frac{B_1}{2} + \frac{B_2}{2^2} + \frac{B_3}{2^3} + \cdots + \frac{B_n}{2^n})$$

式中, V_{FSR} 为输出的满幅值电压; B_1 是二进制的最高有效位, B_n 是最低有效位。

以 4 位二进制为例,图 2.19 给出了一个说明实例。在图 2.19 中每个电流源值取决于相应二进制位的状态,电流源值或者为零,或者为图中显示值,则输出电流的总和为:

$$I_{out} = I(\frac{B_1}{2} + \frac{B_2}{2^2} + \frac{B_3}{2^3} + \frac{B_4}{2^4})$$

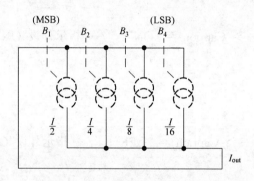

图 2.19 使用电流源的 DAC 概念图

我们可以用稳定的参考电压及不同阻值的电阻来替代图 2.19 中的各个电流源,在电流的汇合输出处加入电流/电压变换器,因此,我们可以得到权电阻法数字到模拟量转换器的原理图如图 2.20 所示。

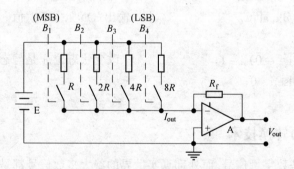

图 2.20 权电阻法数字到模拟量转换器的原理图

当用 R-2R 梯形电阻网络代替权电阻网络来生产集成 DAC 芯片时,生产工艺会更简单、易于实现,而受控加权电流值迭加的原理并没有改变。在实际应用中,大部分并行 D/A 转换集成芯片仍保持电流输出的形式,若要取得电压值的输出,需使用者另外自行增加电流/电压变换电路来实现。

2.5.2 DAC 与微机的接口设计

根据与微机接口的不同形式,DAC 可分为:

● 并行接口 DAC；

● 串行接口 DAC。

由于 ISA 总线是并行总线,为提高总线利用率,选用并行接口 DAC 与之相配接。DAC1210 是较为常用的 12 位 DAC,下面以其为例进行相应的设计。

2.5.2.1 DAC1210 的主要功能及特点

● DAC1210 的主要功能及特点为:DAC1210(与 DAC1208、DAC1209 是同一个系列)是双列直插式 24 引脚集成电路芯片,内部有输入寄存器和 DAC 寄存器两个缓冲输入寄存器;一个精密硅 – 铬 R-2R T 形网络和 12 个 CMOS 电流开关;是电流相加型 D/A 转换器。

● DAC1210 主要技术指标为:输入数字为 12 位二进制数值;分辨率为 12 位;电流建立时间是 $1\mu s$;供电电源为 $+5\sim +15V$(单电源供电);基准电压 V_{REF} 范围是 $-10\sim +10V$。

● DAC1210 具有下列特点:线性规范只有零位和满量程调节;与所有的通用微处理机直接接口;单缓冲、双缓冲或直通数字数据输入;与 TTL 逻辑电平兼容;全四象限输出。

2.5.2.2 DAC1210 引脚说明

DAC1210 的引脚逻辑图如图 2.21 所示。图 2.22 是 DAC1210 原理框图。

DAC1210 各引脚数值以及逻辑功能定义如下,其中所有控制信号都是电平激励的信号。

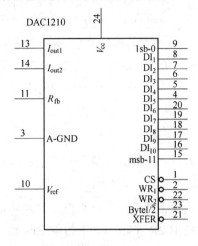

图 2.21 DAC1210 的引脚逻辑图

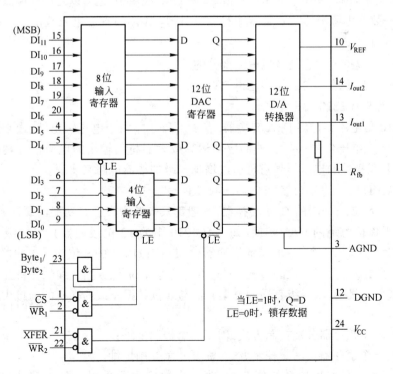

图 2.22 DAC1210 原理框图

$\overline{CS}$——片选控制信号(低电平有效)。$\overline{CS}$ 将使能 $\overline{WR_1}$。

$\overline{WR_1}$——写入控制信号 1(低电平有效),$\overline{WR_1}$ 用于将数字数据位(DI)送到输入锁存器。当 $\overline{WR_1}$ 为高电平时,输入锁存器中的数据被锁存。12 位输入锁存器分成 2 个锁存器,一个存放高 8 位的数据,而另一个存放低 4 位的数据。$Byte_1/\overline{Byte_2}$ 控制脚为高电平时选择 2 个锁存器,处于低电平时则改写低 4 位输入锁存器。

$Byte_1/\overline{Byte_2}$——字节顺序控制信号。当此控制端为高电平时,输入锁存器中的 12 个单元都被使能。当为低电平时,只使能输入锁存器中的最低 4 位。

$\overline{WR_2}$——写入控制信号 2(低电平有效)。$\overline{WR_2}$ 将使能 $\overline{XFER}$。

$\overline{XFER}$——传达控制信号(低电平有效)。该信号与 $\overline{WR_2}$ 结合时,能将输入锁存器中的 12 位数据转移到 DAC 寄存器中。

$DI_0 \sim DI_{11}$——数据写入信号。DI_0 是最低有效位(LSB),DI_{11} 是最高有效位(MSB)。

I_{out1}——数模转换器电流输出端 1。当 DAC 寄存器中所有数字码全为"1"时,I_{out1} 为最大,全为"0"时,I_{out1} 为零。

I_{out2}——数模转换器电流输出端 2。I_{out2} 为常量减去 I_{out1},即:$I_{out1} + I_{out2} = $ 常量(固定基准电压),该电流等于 $V_{REF} * (1 - \frac{1}{4096})$ 除以基准输入阻抗。

R_{fb}——反馈电阻。集成电路芯片中的反馈电阻用作为 DAC 提供输出电压的外部运算放大器的分流反馈电阻。芯片内部的电阻应当一直使用(不是外部电阻),因为它与芯片上的 R-2R T 形网络中的电阻匹配,已在全温度范围内统调了这些电阻。

V_{REF}——基准输入电压。该输入端把外部精密电压源与内部的 R-2R T 形网络连接起来。V_{REF} 的选择范围是 $-10 \sim +10V$。在四象限 DAC 应用中,也可以是可变模拟电压输入。

V_{CC}——数字电源电压。它是器件的电源引脚。V_{CC} 的直流电压范围 $5 \sim 15V$,工作电压的最佳值是 15V。

AGND——模拟地。它是模拟电路部分的地。

DGND——数字地。它是数字逻辑的地。

2.5.2.3 DAC1210 输出方式

DAC1210 是电流相加型 D/A 转换器,有 I_{out1} 和 I_{out2} 两个电流输出端,通常要求转换后的模拟量输出为电压信号,因此,外部应加运算放大器将其输出的电流信号转换为电压输出。如若需要双极性的电压信号可再通过增加一级加法器电路来实现。

2.5.2.4 DAC 与 ISA(PX/XT)的连接设计

对于一个 n 位($n > 8$)的 D/A 转换器,一般都具有两级带锁存功能的缓冲器,一级为 n 位缓冲器用于保持稳定的 D/A 转换(如 DAC1210 中的 12 位缓冲器),另一级为两个缓冲器:一个 8 位缓冲器加一个 $n-8$ 位的缓冲器(如 DAC1210 中的 8 位输入缓冲器和 4 位输入缓冲器)。因此,一个大于 8 位的 n 位 DAC 在与不小于 n 位数据总线的微机配接中可直接连接使用(采用一级锁存、一级直通的方案),而与 8 位数据总线的微机的配接中可使用两种连接方案:

● 两级、三个锁存器分别控制方式,需要三个控制地址;

● 两级、三个锁存器按两级控制方式,需要两个控制地址。

由于第二种方案占用的系统资源少,为大多数应用所采用。图 2.23 是 DAC1210 与

ISA(PC/XT)总线连接的原理图。当 74LS139 的 Y_0 为低电平且 AEN、$\overline{IOW}$ 都为低电平时，可使 $Byte_1/Byte_2$ 引脚为高电平，则向 DAC1210 写入高 8 位数据；当 74LS139 的 Y_0 为高电平、Y_1 为低电平且 AEN、$\overline{IOW}$ 都为低电平时，可使 $Byte_1/Byte_2$ 及 $\overline{XFER}$ 引脚同为低电平，则在向 DAC1210 写入低 4 位数据的同时打开 DAC1210 的 DAC 寄存器，开始进行 D/A 转换。

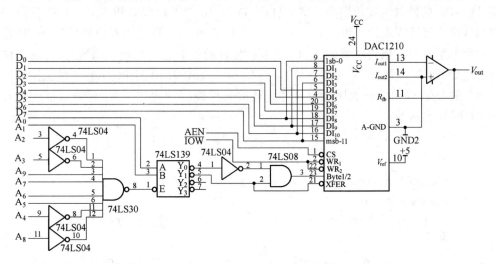

图 2.23　DAC1210 与 ISA(PC/XT)总线连接的原理图

DAC 与相应软件的配合可产生任意波形的模拟电压输出，以图 2.23 为基础，用 C 语言编写的锯齿波输出例程如下：

```
#include "dos.h"
main() {
    char ch;                          /* 变量定义                */
    unsigned int coun, temp;
    unsigned long int i;
    for (i=0;i<50000;i++)             /* 设定输出的锯齿波个数       */
    {
    for (coun=0;coun<4096;coun++)/* 设定锯齿波幅度及变化           */
    {
    temp=coun ;
    temp=temp >> 4;
    ch=temp & 0xFF;                   /* 取得高 8 位数值           */
    outportb(0x2e0, ch);              /* 输出高 8 位值到 DAC       */
    temp=coun << 4;                   /* 配合硬件设计，数据左对齐     */
    ch=temp & 0xFF;                   /* 取得低 4 位数值           */
    outportb(0x2e1, ch);              /* 输出低 4 位值并开始 D/A 转换 */
    }
    }
}
```

2.5.2.5 DAC 与 ISA(PX/AT)的连接设计

DAC1210 具有 12 位的缓冲器,因此,DAC1210 与 PC/AT(16 位)总线直接连接将使硬件更加简洁、D/A 转换的控制软件开销更小。采用 PC/AT 总线的关键之点是引入了 SBHE 控制信号。SBHE 是 ISA 总线高字节允许控制信号,该信号有效则表示数据总线传送低位字节($D_0 \sim D_7$)的同时也在传送高位字节($D_8 \sim D_{15}$),16 位 I/O 设备用 SBHE 控制信号控制数据总线缓冲器接收或传送包括高位字节($D_8 \sim D_{15}$)的 $D_0 \sim D_{15}$ 的 16 位数据。SBHE 控制信号为低电平有效。值得注意的是,16 位 I/O 地址的低 8 位地址应为偶数地址,高 8 位应为奇数地址(即按"对准的"字规则存放)。图 2.24 是 DAC1210 与 PC/AT 总线连接的原理图。相关的 D/A 输出控制程序段可参考前述的软件例程简化如下,注意输出指令应采用 outport(字输出)指令:

```
♯include "dos.h"
main( )  {
    unsigned int coun;                      /* 变量定义             */
    unsigned long int i;
    for (i = 0;i < 50000;i + + )            /* 设定输出的锯齿波个数 */
    {
        for (coun = 0;coun < 4096;coun + + ) / * 设定锯齿波幅度及变化 */
        outport(0x2e0,coun);                /* 输出高 12 位值到 DAC */
    }
}
```

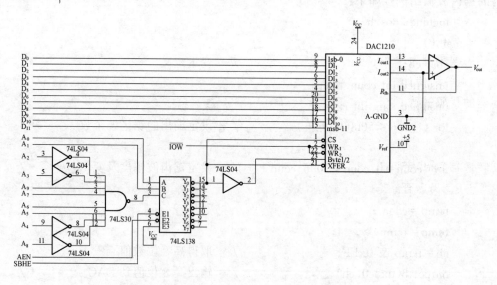

图 2.24 DAC1210 与 ISA(PC/AT)总线连接的原理图

2.5.3 D/A 转换器选择和使用

D/A 转换器是模拟量输出通道的核心部分,在设计时应慎重选择。在具体选择 D/A 转换器时,主要应考虑下列几个问题。

2.5.3.1 分辨率

D/A 转换器的分辨率表示当输入数字量每变化 1 时,输出模拟量变化的大小。它反映了计算机数字量输出对执行部件控制的灵敏程度。对于 1 个 n 位的 D/A 转换器,其分辨率为

$$分辨率 = \frac{满刻度值}{2^n - 1}$$

其单位为 V/步,这里 1 步的意义是数字变化 1(± 1)。在满刻度值一定的情况下,分辨率的大小取决于 D/A 转换器的位数,位数愈高,分辨率愈高。例如对于满刻度值 5.12V,单极性输出,8 位 D/A 转换器的分辨率为 $\frac{5.12V}{2^8 - 1} = 19.5mV/步$;10 位 D/A 转换器的分辨率 $\frac{5.12V}{1023} = 5mV/步$;12 位 D/A 转换器的分辨率为 $\frac{5.12V}{4095} = 1.25mV/步$;即 8 位的 D/A 转换器只能对 19.5mV 的增量作出反应(它反映了控制的灵敏程度),而 12 位的 D/A 转换器能对 1.25mV 的增量作出反应。因此,12 位的 D/A 转换器比 8 位的 D/A 转换器分辨率高 16 倍。设计时,应按实际系统对分辨率的要求来选择 8 位、10 位或 12 位,甚至 16 位的 D/A 转换器,应在满足控制灵敏度要求的原则下,适当留有余地,但也不是选用分辨率越高越好,这要增大成本和系统的复杂性。

2.5.3.2 稳定时间

稳定时间是 D/A 转换器速率的量度,是指 D/A 转换器代码在满刻度值变化时,其输出达到保持在所给定的百分数误差(通常为 $\pm \frac{1}{2}$LSB)范围内所需要的时间。一般为几十纳秒到几微秒。因此 D/A 转换器造成的滞后很小,一般情况下都不必考虑其延时影响,在特殊情况下,才要求选用快速的 D/A 转换器。

2.5.3.3 输入编码

输入编码可为二进制编码、BCD 码、符号 – 数值码等。一般 D/A 转换器都采用二进制码输入数据,可使计算机的运算结果直接送出,这样比较方便。也可选用 BCD 码,这与输出显示器的代码一致。

2.5.3.4 线性误差

任何两个相邻数码之间的差应是 1LSB(对于 N 位转换器,为满刻度值的 2^{-N}),一个理想的转换器输出应该是一条直线。但是,元件的非线性使之存在非线性误差,一般为 0.01% ~ 0.8%。查阅 D/A 转换器的有关资料,可选择线性误差在系统允许范围之内的 D/A 转换器产品。

2.5.3.5 输出方式和极性

按控制系统要求,可选择电流输出方式或电压方式。若选择电流输出方式,则应选定是 0 ~ 10mA 直流电流,还是 4 ~ 20mA 直流电流输出。若选择电压输出方式,进而选择电压输出极性和工作象限。若控制对象只要求一个方向的控制信号,则可选用单极性输出,若要求两个方向的控制信号,则应选择双极性输出。同样位数的 D/A 转换器,在双极性输出的幅值与单极性输出幅值相同的情况下,双极性输出的分辨率就降低了,但能得到正、负输出控制信号,故在控制系统中经常采用。

2.5.3.6 温度范围

较好的 D/A 转换器工作温度范围为 – 40 ~ 85℃,较差的为 0 ~ 70℃。按计算机控制系

统使用环境条件来查阅器件手册,可选择到合适的器件类型。

2.5.3.7 使用调整

D/A 转换器在使用前一般要进行零位调整、满刻度值校准和线性测量。设计时应在运算放大器电路上加相应的调整电路(如电阻、电位器),零位和满刻度值校准后,测量其线性度。在实际使用范围内,其非线性误差应不超过实用要求。若误差过大,应调整电源或其他参数,若仍达不到要求则应选择非线性误差更小的 D/A 转换器。

2.6 模/数(A/D)转换技术

A/D 转换器是模拟量输入通道的核心部件。它是一个把模拟量转换成数字量的装置。采样和量化主要就是通过 A/D 转换器来实现。实现 A/D 转换的方法比较多,常用的方法有:

- 逐次比较式(逐次逼近式);
- 双斜率积分式;
- V/F 转换式;
- Δ/Σ 转换式。

其中,逐次比较式 A/D 转换器由并行 D/A 转换器的原理而来,具有较快的转换速度,在工程实际中被广泛应用。双斜率积分式 A/D 转换器具有很好的抗干扰性能,但转换速度较低。后两种 A/D 转换器是以串行脉冲形式输出,方便了 A/D 转换器结果值的远程传输。

12 位逐次比较式 A/D 转换器 AD574A 是常用的 A/D 转换器之一,如下部分将以 AD574A 为例加以介绍。

2.6.1 典型 A/D 转换器介绍

2.6.1.1 AD574A 的主要功能及特点

AD574A 是一个完整的 12 位逐次逼近式带有三态输出缓冲器的 A/D 转换器,它可以直接与 8 位或 16 位微机总线进行接口。AD574A 是由两个大规模集成电路组成的,每一部分都具有模拟、数字电路,因而以最低的成本而获得最高的性能和适应性。AD574A 分辨率为 12 位,转换时间 15~35μs。AD574A 有 6 个等级,其中 AD574AJ、AD574AK 和 AD574AL适用 0~ + 70℃温度范围内工作;AD574AS、AD574AT 和 AD574AV 可用在 - 55~ + 125℃温度内工作。

AD574A 的原理框图如图 2.25 所示。由图可见,AD574A 由模拟芯片和数字芯片两部分组成。其中模拟芯片部分由高性能的 AD565 12 位 D/A 转换器和参考电压组成。它包括高速电流输出开关电路、激光切割片式电阻网络,故其精度高,可达 $\pm\frac{1}{4}$LSB。数字芯片部分是由逐次逼近寄存器(SAR)转换控制逻辑、时钟、总线接口和高性能的锁存器、比较器组成的。

2.6.1.2 AD574A 引脚功能说明

AD574A 各个型号都采用 28 引脚双列直插式封装,AD574A 的引脚排列如图 2.26 所示。其中:$DB_0 \sim DB_{11}$——12 位数据输出,分两组,均带三态输出缓冲器;

$$V_{LOGIC}—— 逻辑电源 + 5V(4.5 \sim 5.5V);$$

$$V_{CC} ——正电源 + 15V(+ 13.5 \sim + 16.5V);$$

$$V_{EE} ——负电源 - 15V(- 13.5 \sim - 16.5V);$$

AGND、DGND ——模拟、数字地;

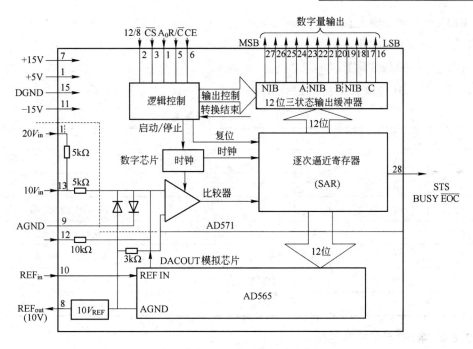

图 2.25 AD574 的原理框图

CE——片允许信号,高电平有效,应用中可简单
固定接于高电平;

$\overline{CS}$——片选择信号,低电平有效;

R/$\overline{C}$——读/转换信号,CE = 1,$\overline{CS}$ = 0,R/$\overline{C}$ = 0 时,
转换开始,启动负脉冲,400ns,CE = 1,$\overline{CS}$
= 0,R/$\overline{C}$ = 1 时,允许数据读;

A_0——转换和读字节选择信号;

启动　CE = 1,$\overline{CS}$ = 0,R/$\overline{C}$ = 0,A_0 = 0 时,启动按
12 位转换;

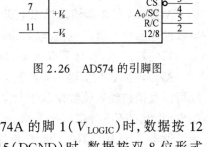

CE = 1,$\overline{CS}$ = 0,R/$\overline{C}$ = 0,A_0 = 1 时,启动按 8
位转换;

读数　CE = 1,$\overline{CS}$ = 0,R/$\overline{C}$ = 1,A_0 = 0 时,读取转
换后高 8 位数据;

CE = 1,$\overline{CS}$ = 0,R/$\overline{C}$ = 1,A_0 = 1 时,读取转

图 2.26 AD574 的引脚图

换后的低 4 位数据(低 4 位 + 0000);

12/$\overline{8}$——输出数据形式选择信号,12/$\overline{8}$ 接至 AD574A 的脚 1(V_{LOGIC})时,数据按 12
位形式输出。12/$\overline{8}$ 接至 AD574A 的脚 15(DGND)时,数据按双 8 位形式
输出;

STS——转换状态信号。转换开始,STS = 1;转换结束,STS = 0;

$10V_{in}$——模拟信号输入。单极性 0~10V,双极性 ±5V;

$20V_{in}$——模拟信号输入。单极性 0~20V,双极性 ±10V;

REF$_{in}$——参考输入；

REF$_{out}$——参考输出；

BIP$_{off}$——双极性偏置。

AD574 的工作真值表如表 2.11 所示。

表 2.11 AD574A 工作真值表

CE	$\overline{CS}$	R/$\overline{C}$	12/$\overline{8}$	A$_0$	操 作
0	X	X	X	X	无
X	1	X	X	X	无
1	0	0	X	0	初始化 12 位转换
1	0	0	X	1	初始化 8 位转换
1	0	1	V_{LOGIC}	X	允许 12 位并行输出
1	0	1	DGND	0	允许高 8 位有效输出
1	0	1	DGND	1	允许低 4 位有效输出,尾随 4 个 0

2.6.2 ADC 与微机的连接

A/D 转换器对外的连接信号有下列几类:模拟输入信号、A/D 结果数据的输出信号、启动转换信号、转换结束信号、数据的读取信号和电源引脚等。在 A/D 转换器与微机的连接设计时,要考虑这些信号的连接方法。

2.6.2.1 输入模拟电压的连接

A/D 转换器的输入模拟电压往往既可以是单端输入,又可以是双端差动输入。如单通道 8 位 A/D 转换器 ADC0804 就是这样,它有两个端分别为 V_{in-}、V_{in+}。如果用单端输入正向信号,则把 V_{in-} 接地,信号加到 V_{in+} 端;如果用单端输入负向信号,则把 V_{in+} 接地,信号加到 V_{in-} 端。如果采用差动输入,则模拟信号应加在 V_{in-} 端和 V_{in+} 端之间。

ADC0808/ADC0809 可以由 IN$_0$~IN$_7$ 端连接 8 路模拟电压输入,通常接成单端、单极性输入,这时 $V_{REF+}=5V$、$V_{REF-}=0V$,也可以接成双极性输入,这时 V_{REF+} 和 V_{REF-} 应分别接 +、- 极性的参考电压。

AD574A 是单端输入模拟电压,在 10V_{in} 和 20V_{in} 中任一端和 AGND 之间输入,可输入单极性电压或双极性电压,输入模拟电压的极性不同,其输入电路也不同。

2.6.2.2 A/D 结果数据的输出与微机总线的连接

A/D 转换器数据输出有两种方式,一种是 A/D 芯片内部带有三态输出门,其数据输出线可以直接挂到系统数据总线上去。另一种是 A/D 芯片内部不带三态输出门,或虽有三态输出门,但它不受外部信号控制,而是当转换结束时自动打开三态门,如 AD570 就是这种芯片。这类 A/D 转换器芯片的数据输出线不能和微机数据总线直接相连,而应外加具有三态功能的缓冲器(如 74LS244)或通过并行 I/O 接口的输入端口和 CPU 之间交换数据。

ADC0804、ADC0808/0809 等的数据输出线都具有三态输出门,其 8 位数据输出线可以直接接到微机数据总线上去。

AD574A 的数据输出线也有三态输出门,可直接接到微机的数据总线上,但是,它是 12 位输出,这就有一个 A/D 输出数据位和微机总线数据位的对应关系问题。如果 AD574A 直接接到 12 位或 16 位的系统数据总线上,那么可以将 AD574A 的数据输出 $DB_0 \sim DB_{11}$ 直接接到数据总线 $D_0 \sim D_{11}$ 上,CPU 通过对字的输入指令读取转换结果数据。如果 AD574A 直接接 8 位数据总线,应将结果字节分时读出。此时将 $DB_4 \sim DB_{11}$ 接数据总线 $D_0 \sim D_7$,而其低 4 位管脚(管脚 16~19)接到高 4 位上去(管脚 24~27)。通过控制信号 A_0 来区别,当 $A_0 = 0$ 时,则允许高 8 位数据呈现在管脚 20~27 上,而当 $A_0 = 1$ 时,高 8 位被禁止,低 4 位呈现在管脚 24~27 上,而管脚 20~23 为 0,这样 CPU 执行两条字节输入指令就可将换后的 12 位数据读入。

2.6.2.3 A/D 转换启动信号

A/D 转换器是在 CPU 控制下工作的,即由 CPU 发出启动转换信号。启动信号有电平启动和脉冲启动两种方式。如 AD570、AD571、AD572 等要求用电平启动信号,在整个 A/D 转换期间,启动电平信号不能被撤销。CPU 一般要通过并行输出接口的数据输出端或者用 D 触发器来发出和保持有效的电平启动信号。ADC0804、ADC0808/0809 和 AD574A 都要求用脉冲启动信号,通过读/写信号或程序控制得到足够宽度的脉冲信号来启动 A/D 转换器的工作。

2.6.2.4 转换结束信号及转换结果数据的读取

A/D 转换结束时,A/D 转换芯片输出转换结束信号。转换结束信号也有两种:电平信号和脉冲信号。CPU 检测到转换结束信号即可读取 A/D 转换的结果数据。CPU 一般可以采用 3 种方式同 A/D 转换器进行联络来实现对 A/D 转换器数据的读取。

● 程序查询方式。就是在启动 A/D 转换器工作以后,程序不断读取 A/D 转换结束信号,若检测到结束信号有效,则认为完成一次转换,即可用输入指令读取转换后的结果数据。

● 中断方式。即把 A/D 转换器送出的转换结束信号(有时可能要外加一个反相器或单稳定时器)作为中断申请信号,送到 CPU 或中断控制器的中断请求输入端以指示可以读取转换后的结果数据。

● 固定的延时程序方式。用这种方式时,要预先精确地知道完成一次 A/D 转换需要的时间。CPU 发出启动 A/D 命令之后,执行一个固定的延时程序,延时时间正好等于或略大于完成一次 A/D 转换所需的时间,延时时间一结束即可读取 A/D 转换的结果数据。

3 种方式中,当 A/D 转换时间较长时,宜用中断方式。当 A/D 转换时间较短时宜用查询方式或延时方式。实际运用中要根据具体情况而选用合适的方法。

2.6.2.5 AD574A 与 ISA(PC/AT)总线的接口设计

AD574A 与 ISA(PC/AT)总线的接口连接电路原理图如图 2.27 所示。

在图 2.27 中,AD574A 采用 12 位 A/D 转换、12 位结果数据并行输出的形式(参见表 2.11),工作地址是 2EEH。采用 PC/AT 总线的关键之处是引入了 SBHE 控制信号。SBHE 是总线高字节允许控制信号,该信号有效(低电平)则表示数据总线同时在传送高位字节 $(D_8 \sim D_{15})$ 数据,16 位 I/O 接口设备用 SBHE 控制信号控制数据总线缓冲器接收或传输数据总线包括高位字节 $(D_8 \sim D_{15})$ 在内的 $D_0 \sim D_{15}$ 的 16 位数据。SBHE 控制信号为低电平有效。地址应按"对准的"字规则存放。

图 2.27 中 STATUS 控制引脚没有连接,这意味着 ADC 结果数据的读取依靠程序延时控制方案。用 C 语言编写的 A/D 控制程序例程如下所示。

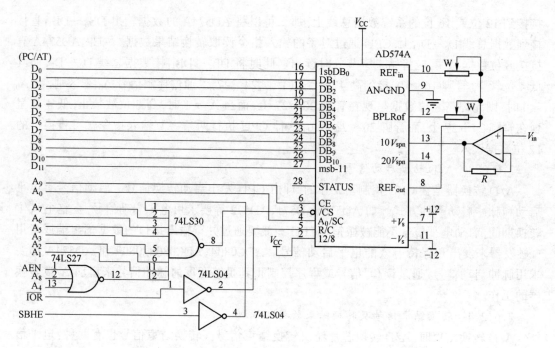

图 2.27 AD574A 与 ISA(PC/AT)总线的连接电路原理图

```
#include "dos.h"
  main()
  {
  unsigned int j;
  system("cls");              /* 清屏幕显示              */
  outport(0x2ee,0);           /* 启动 A/D(12 位)开始转换   */
  for (j=0;j<892000;j++);     /* 延时等待转换结束         */
  j=inport(0x2ee);            /* 取 A/D 转换结果(12 位)    */
  printf(" %d",j);            /* 显示 A/D 转换结果        */
  }
```

2.6.3 采样与保持电路

在许多形式的 A/D 转换器中,如逐次比较式 ADC,如果在 A/D 转换器期间输入电压变化将会导致一个错误的 A/D 转换结果。为了取得少于 $\pm\dfrac{1}{2}$LSB 的 A/D 转换误差,在 A/D 转换的时间内输入电压的变化必须少于这一量值。设输入电压平滑变化,则将有如下等式:

$$\left|\frac{\mathrm{d}V_{\mathrm{in}}}{\mathrm{d}t}\right|\leqslant\frac{1}{2}\times\frac{1}{2^{n}-1}V_{\mathrm{FSR}}\frac{1}{t_{c}} \tag{2.3}$$

式中, n 为 ADC 位数; V_{in} 为输入电压, V_{FSR} 为输入电压的最大幅值; t_{c} 为 A/D 转换时间。

如一 ADC 的 $t_{c}=10\mu\mathrm{s}$, $V_{\mathrm{FSR}}=10\mathrm{V}$, $n=8$,设输入信号为一正弦波形,计算在 A/D 转换时间内输入电压的最大变化率是多少? 当 $f>120\mathrm{Hz}$ 时,ADC 的结果是否会超差。

解:其输入电压表达式为 $V_{\mathrm{in}}=\dfrac{1}{2}\times V_{\mathrm{FSR}}\times\sin(2\pi ft)$。那么,简单的计算可以显示出 V_{in} 通过原点时的变化率(这时变化率最大)为

$$\frac{\mathrm{d}V_{\mathrm{in}}}{\mathrm{d}t}=\frac{\mathrm{d}(V_{\mathrm{FSR}}\times 1/2\times\sin(2\pi ft))}{\mathrm{d}t}\leqslant\pi f\,V_{\mathrm{FSR}} \tag{2.4}$$

此 ADC 芯片允许的最大的转换误差为:

$$\left|\frac{\mathrm{d}V_{\mathrm{in}}}{\mathrm{d}t}\right|\leqslant\frac{1}{2}\times\frac{1}{2^{n}-1}\times V_{\mathrm{FSR}}\frac{1}{t_{\mathrm{c}}}=1960\ (\mathrm{V/s})$$

所以利用式(2.4)有:$\pi f V_{\mathrm{FSR}}<1960$

可以求得 $f<62.4\mathrm{Hz}$ 才在 A/D 转换的误差内。根据前述条件及上式中求取的 f 值可知,当 $f>120\mathrm{Hz}$ 时,ADC 的结果就会超差。

采样/保持电路就是用来克服这一问题的。采样/保持电路通过对输入信号的采样与保持,可保证信号在 A/D 转换期间不发生变化。具体的采样/保持原理电路如图 2.28 所示。随着采样开关 S 的闭合(开始采样),电容 C 将被迅速充电到输入电压 V_{in}(A1 和 A2 同为单位增益放大器-跟随器);当控制变到保持时,开关 S 被打开,电容 C 将为输出提供一个恒定不变的保持电压,直至下一次采样事件的发生。在"保持"期间,ADC 能够对一个不变的输入电压进行转换,产生的代码对应于由采样到保持这一开关动作的瞬间电压值。事实上,在高速 A/D 转换的场合,ADC 的启动转换命令首先进行的是采样/保持控制,之后才进行 A/D 转换操作进程。

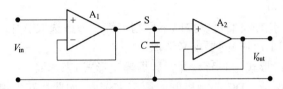

图 2.28　采样/保持原理电路图

某些高速 A/D 转换器已内带采样/保持器,如 TLC5510(8 位 20M 高速 A/D 转换器)等。但大部分单片集成 A/D 转换器内部都不带有采样/保持器。当系统需要采样、保持功能时,可直接选用具备采样/保持功能的专用集成芯片,如采用 LF193、LF293、LF393 等采样/保持器集成电路芯片来完成这一功能。

2.6.4　A/D 转换器的主要技术参数及选择

2.6.4.1　分辨率

ADC 的分辨率通常用转换后数字量的位数 n 表示。如 8 位、10 位、12 位及 16 位等。分辨率为 8 位表示它可以对满量程的 $\frac{1}{2^{8}-1}=1/255$ 的增量作出反应。分辨率是指能使转换后数字量变化 1 的最小模拟输入量,即:

$$分辨率=\frac{1}{2^{n}-1}$$

量化单位:A/D 转换器末位所代表的电压值,用 q 表示:

$$q=\frac{V_{\max}-V_{\min}}{2^{n}-1}$$

量化误差为 $q/2$。

2.6.4.2　量程

量程是指所能转换的电压范围,如 5V、10V 等。

2.6.4.3 转换精度

转换精度是指转换后所得的结果相对于实际值的准确度。有绝对精度和相对精度两种表示方法。绝对精度常用数字量的位数表示,如绝对精度为 $\pm\frac{1}{2}$ LSB。相对精度用相对于满量程的百分比表示。如满量程为 10V 的 8 位 A/D 转换器,其绝对精度为 $\pm 1/2 \times 1/255 \times 10 = \pm 19.6\text{mV}$,而 8 位 A/D 相对精度为 $1/2^8 \times 100\% \approx 0.39\%$。

精度和分辨率不能混淆。即使分辨率很高,但温度漂移、线性不良等原因可能造成精度并不是很高。

2.6.4.4 转换时间

转换时间是指启动 A/D 到转换结束所需的时间。不同型号、不同分辨率的器件,转换时间相差很大。一般为几微秒至几百毫秒,逐次逼近式 A/D 转换时间通常为 $1 \sim 200\mu s$。在设计模拟量输入通道时,应按实际应用的需要和成本来确定这一项参数的选择。

2.6.4.5 工作温度范围

较好的 A/D 转换器的工作温度为 $-40 \sim 85\text{℃}$,较差的为 $0 \sim 70\text{℃}$。应根据具体应用要求查询器件手册,选择适用的型号。超过工作温度范围,将不能保证得到额定精度指标,严重时会损坏器件。

2.6.4.6 选型原则

根据实际工作的需求,我们可以按以下原则来综合考虑选取 A/D 转换器:

● 按技术参数(如上所述)的要求来选取;

● 按同微机的接口形式(如串行、并行数据输出形式)来选取;

● 按环境干扰状况或 ADC 与微机间的距离来选取,如选择双斜率积分型、V/F 变换型等;

● 按其他的特殊要求而选取,如根据需要条件选取具有多路输入通道的 A/D 转换器、自带采样/保持电路的 A/D 转换器等。

3 计算机控制系统的理论基础

数字计算机只能接受和处理二进制代码,它可以代表某一物理量的数值大小,也可以代表字符的约定代码,称为数字信号。实际系统中的被控对象的数学描述大都是连续信号或称模拟信号,因此连续控制系统也称做模拟控制系统,而计算机控制系统被人们习惯称为数字控制系统,或离散控制系统。所以数字计算机要获取原始信息,就必须对模拟信号进行采样和量化过程,也叫做信息变换过程。

本节将介绍模拟信号与数字信号之间的变换原理。离散控制系统的数学描述和理论分析方法。离散控制系统的研究方法有很多是与连续系统对应的,例如,连续系统输入输出之间的关系是用微分方程描述的,而离散系统的输入输出之间的关系是用差分方程描述的;分析连续系统的数学工具是拉氏变换,而分析离散系统的数学工具是 Z 变换;连续系统的数学模型采用传递函数,而离散系统的数学模型采用脉冲传递函数;在近代控制理论中,连续系统用状态方程来表示,而离散系统用离散状态方程来表示。

本章将详细地介绍信息变换,差分方程、Z 变换、脉冲传递函数以及 [Z] 平面与[S]平面映射关系,最后讨论离散系统的稳定性与性能准则。

3.1 信息变换原理

3.1.1 数字控制系统方框图

前面已提到计算机进行运算和处理的是数字信号,而实际系统大部分是连续系统,连续系统中的给定量、反馈量及被控对象都是连续型的时间函数,把计算机引入连续系统,这就造成了信息表示形式与运算形式不同,为了设计与分析计算机控制系统,就要对两种信息进行变换。

首先,用结构图 3.1 与图 3.2 来说明计算机控制系统的信息转换关系。图中:

1)模拟信号——时间上连续,幅值上也是连续的信号,即通常所说的连续信号。

图 3.1　DDC 系统方框图

2)离散模拟信号——时间上离散而幅值上连续的信号。即常说的采样信号。

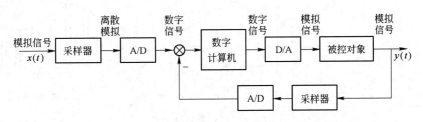

图 3.2　计算机控制系统前后的信息转换关系

3)数字信号——时间上离散而且幅值上也离散(已经量化)的信号,可用一序列数字表示。

4)量化——采用一组数码(多用二进制数码)来逼近离散模拟信号的幅值,将其转换成数字信号。

5)采样——利用采样开关,将模拟信号按一定时间间隔抽样成离散模拟信号的过程。

计算机前后信息的转换过程是将模拟信号,经过按一定周期闭合的采样器,变成离散模拟信号,经过 A/D 转换器,就转换成数字信号了,计算机将输入的数字信号进行运算与处理,输出数字信号,再送至 D/A 转换器,经 D/A 转换器变成被控对象可以接受的连续模拟信号,即通常所说的模拟控制信号。

为了对控制系统进行分析与运算,常需把图 3.2 变换成能够进行数学运算的结构图 3.3。这里假设 A/D 转换有足够的精度,因此由 A/D 转换器形成的量化误差在数学上是可以不计的,这样可以把采样器和 A/D 转换器用周期为 T 的理想采样开关代替。该采样开关在不同采样时刻的输出脉冲强度(又称脉冲冲量),表示 A/D 转换在这一时刻的采样值。这样采样函数可以用 $x^*(t)$,$y^*(t)$ 及 $e^*(t)$ 表示,$*$ 号表示离散化的意思。数字计算机用一个等效的数字控制器来表示,令等效的数字控制输出的脉冲强度,对应于计算机的数字量输出。计算机的输出通道 D/A 转换器的作用是把数字量转化成模拟量,D/A 转换器在精度足够高的情况下(通常也是满足的),数学上可用零阶保持器来代替。图 3.3 所示为由计算机作为控制器的计算机控制系统,在数学上可以等效成为一个典型的离散控制系统。在上述假定下,分析和研究离散控制系统的方法可以被直接应用于数字控制系统。

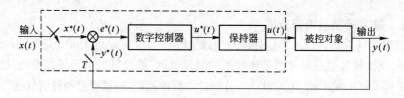

图 3.3 数字控制系统方框图

3.1.2 采样过程及采样函数的数学表示

计算机控制系统中,把一个连续模拟信号,经采样开关后,变成了采样信号,即离散模拟信号,采样信号再经过量化过程才变成数字信号。如图 3.4 所示,图 a 是采样开关,每隔一定时间(例如 T 秒),开关闭合短暂时间(例如 τ 秒),对模拟信号进行采样,得到时间上离散数值序列:

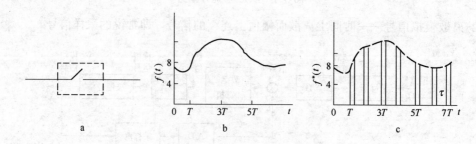

图 3.4 信息的转换过程

a—采样开关;b—模拟信号;c—采样信号

$$f^*(t) = \{f(0), f(1), f(2), \cdots f(k), \cdots\}$$

式中，T 为采样周期；$0T, T, 2T\cdots$ 为采样时刻；$f(kT)$ 表示采样 k 时刻的数值。由于实际系统 $t < 0$ 时，$f(t) = 0$，所以从 $t = 0$ 开始采样是合理的。

如果采样周期 T 比采样开关闭合时间 τ 大得多，即 $\tau \ll T$，而且 τ 比起被控对象的时间常数也非常小，那么认为 $\tau \rightarrow 0$。这样做是为了数学上的分析方便，因为以后要用到的 Z 变换与脉冲传递函数在数学上只能处理脉冲序列，因此引入了脉冲采样器的概念，脉冲采样器工作过程如图 3.5 所示。

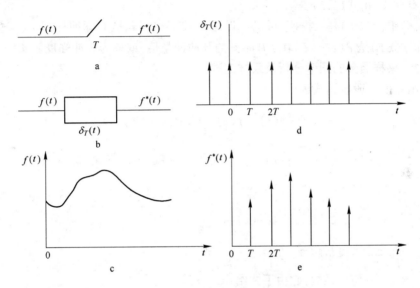

图 3.5　$f(t)$经脉冲采样器的调制过程

a—采样开关；b—脉冲采样器；c—连续函数；d—理想脉冲序列；e—调制后的脉冲函数

给脉冲采样器输入一个连续函数 $f(t)$，经脉冲采样器调制后输出一采样函数 $f^*(t)$（图中 $\delta_T(t) = \sum\limits_{k=0}^{\infty} \delta(t - kT)$，称为单位理想脉冲序列，它是一个以 T 为周期的周期函数）。采样函数表达式为：

$$f^*(t) = f(t) \sum_{k=0}^{\infty} \delta(t - kT) \tag{3.1}$$

式中　　　　　k ——整数；

　　　　　　　T ——采样周期；

　　　　　　$\delta(t)$ ——理想单位脉冲；

　$\delta(t - kT)$ ——$t = kT$ 时刻的理想单位脉冲，它定义为：

$$\delta(t - kT) = \begin{cases} \infty & t = kT \\ 0 & t \neq kT \end{cases} \tag{3.2}$$

且冲量为 1，即：

$$\int_0^{\infty} \delta(t - kT) \mathrm{d}t = 1 \tag{3.3}$$

式 (3.2) 中，当 $t \neq kT$ 时，$\delta(t - kT) = 0$，因此 $\delta(t)$ 在 $t \neq kT$ 时的取值大小没有意义了，所以式(3.1)可以改写为：

$$f^*(t) = \sum_{k=0}^{\infty} f(kT)\delta(t - kT) \tag{3.4}$$

这就是理想脉冲采样函数的数学表达式。此式的物理意义可以这样理解：采样函数 $f^*(t)$ 为一脉冲序列，它是两个函数的乘积，其中 $\delta(t-kT)$ 仅表示脉冲存在的时刻，冲量为 1，而脉冲的大小由采样时刻的函数值 $f(kT)$ 决定。

需要指出，具有无穷大幅值和时间为零的理想单位脉冲纯属数学上的假设，而不会在实际的物理系统中产生。因此，在实际应用中，对理想单位脉冲来说，只有讲它的面积，即冲量或强度才有意义，用式(3.3)表示。

式(3.4)中，$f(kT)$ 是采样值，可以看做是级数求和公式里对脉冲序列 $\delta(t-kT)$ 的加权系数，即 $f(kT)$ 是 $\delta(t-kT)$ 在 kT 时刻的脉冲冲量值，或称为脉冲强度。

3.1.3 采样函数的频谱分析及采样定理

采样函数的一般表达式为

$$f^*(t) = f(t) \sum_{k=-\infty}^{+\infty} \delta(t - kT) \tag{3.5}$$

又因为 $\sum\limits_{k=-\infty}^{+\infty} \dot{\delta}(t-kT) = \delta_T(t)$，$\delta_T(t)$ 是周期函数，可以展成傅氏级数，它的复数形式为

$$\delta_T(t) = \sum_{k=-\infty}^{+\infty} C_k e^{jk\omega_s t} \tag{3.6}$$

式中　$\omega_s = \dfrac{2\pi}{T}$——采样角频率；

　　　　C_k——傅氏系数，它由下式给出

$$C_k = \frac{1}{T} \int_{-\frac{T}{2}}^{\frac{T}{2}} \delta(t) e^{-jk\omega_s t} dt$$

因为 $\delta_T(t)$ 在 $t=0$ 时积分值为 1，所以可得

$$C_k = \frac{1}{T}$$

将 C_k 代入式(3.6)中，得

$$\delta_T(t) = \frac{1}{T} \sum_{k=-\infty}^{+\infty} e^{jk\omega_s t} \tag{3.7}$$

将式(3.7)代入式(3.5)，得

$$f^*(t) = \frac{1}{T} \sum_{k=-\infty}^{+\infty} f(t) e^{jk\omega_s t} \tag{3.8}$$

且定义 $F(s)$ 是 $f(t)$ 的拉氏变换式 $[F^*(s) = \int_0^\infty f(t) e^{-st} dt]$ 则采样函数 $f^*(t)$ 的拉氏变换式为

$$F^*(s) = \int_0^\infty f^*(t) e^{-st} dt = \int_0^\infty \frac{1}{T} \sum_{k=-\infty}^{+\infty} f(t) e^{jk\omega_s t} e^{-st} dt$$

所以

$$F^*(s) = \frac{1}{T} \sum_{k=-\infty}^{+\infty} F(s + jk\omega_s) \tag{3.9}$$

它是采样函数 $f^*(t)$ 拉氏变换式的一种表达式。可见,采样函数的拉氏变换式 $F^*(s)$ 是以 ω_s 为周期的周期函数。若令 $s=j\omega$,直接求得采样函数的傅氏变换式。即

$$F^*(j\omega) = \frac{1}{T}\sum_{k=-\infty}^{+\infty} F(j\omega + jk\omega_s) \tag{3.10}$$

式 (3.10)建立了采样函数频谱与连续函数频谱之间的关系,$F(j\omega)$ 为原连续函数 $f(t)$ 的频谱,$F^*(j\omega)$ 为采样函数 $f^*(t)$ 的频谱,如图 3.6 所示。a 表示了连续函数 $f(t)$ 的频谱 $F(j\omega)$ 是孤立的,非周期频谱,只有在 $-\omega_{max}$ 与 $+\omega_{max}$ 之间有频谱,其外 $|F(j\omega)| = 0$,而采样函数 $f^*(t)$ 的频谱 $F^*(j\omega)$ 是采样频率 ω_s 的周期函数,其中 $k=0$ 叫主频谱,除了主频谱外,$F^*(j\omega)$ 尚包括 $|k|>0$ 的无穷多个附加的高频频谱。

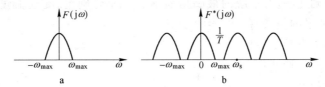

图 3.6 频谱图

a—$F(j\omega)$ 频谱;b—$F^*(j\omega)$ 频谱

频率域内的周期 ω_s 与时间域内的采样角频率 $\frac{2\pi}{T}$ 相等,即关系为:

$$\omega_s = \frac{2\pi}{T} \tag{3.11}$$

显然采样周期 T 的选择会影响 $f^*(t)$ 的频谱、采样定理所要解决的问题是,采样周期选多大,才能将采样信号较少失真地恢复为原连续信号。

当 $\omega_s \geqslant 2\omega_{max}$ 时,即 $T \leqslant \frac{\pi}{\omega_{max}}$ 时,由式(3.11)可知,如图 3.7a 所示采样信号 $f^*(t)$ 的频谱是由无穷多个孤立频谱组成的离散频谱。其中主频谱就是原连续函数 $f(t)$ 的频谱,只是幅值是原来的 $\frac{1}{T}$,其他与 $|k|>0$ 所对应的频谱,都是由于采样过程而产生的高频频谱。如果将 $f^*(t)$ 经过一个频带宽度大于 ω_{max} 而小于 ω_s 的理想滤波器 $W(j\omega)$,滤波器输出就是原连续函数的频谱,说明当 $\omega_s \geqslant 2\omega_{max}$ 时,采样函数 $f^*(t)$ 能恢复出不失真的原连续信号。这是我们希望得到的。

而当 $\omega_s < 2\omega_{max}$ 时,即 $T > \frac{\pi}{\omega_{max}}$,如图 3.7b 所示,采样函数 $f^*(t)$ 的频谱已变成连续频谱,重叠后的频谱中没有哪部分与原连续函数频谱 $F(j\omega)$ 相似,这样,采样信号 $f^*(t)$ 再不能通过低通滤波方法不失真地恢复原连续信号了。

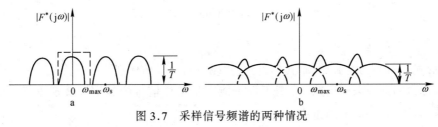

图 3.7 采样信号频谱的两种情况

a—$\omega_s > 2\omega_{max}$; b—$\omega_s < 2\omega_{max}$

因此,对采样周期就要有个限制。为了不失真地由采样函数恢复原连续函数,则要求:

$$\omega_s \geqslant 2\omega_{max} \tag{3.12}$$

即

$$T \leqslant \frac{\pi}{\omega_{max}} \tag{3.13}$$

这就是香农(Shannon)采样定理。它给出了采样周期的上限。

3.1.4　采样周期 T 的讨论

采样周期 T 的选择是实现计算机控制系统的一个关键问题,采样周期选择不合适,会导致系统动态品质恶化,甚至导致系统不稳定,前功尽弃。但是采样周期的选择至今没有一个统一公式,至于香农采样定理只给出了理论指导原则,实际应用还有些问题,主要是系统的数学模型不好精确地测量,系统的最高角频率 ω_{max} 不好确定,况且采样周期的选择与很多因素有关,比较明显的因素有:

1)控制系统的动态品质指标;

2)被控对象的动态特性;

3)扰动信号的频谱;

4)控制算法与计算机性能等。

目前采样周期的选择是在一般理论指导下,结合实际对象进行初步选择,然后再在实践中通过实验来确定的。

对于惯性大,反应慢的生产过程,采样周期 T 要选长一些,不宜调节过于频繁。虽然 T 越小,复现原连续信号的精度越高,但是计算机的负担加重,也会使执行机构不能及时反应,反而使系统品质变坏。因此,一般可根据被控对象的性质大致地选用采样周期,表 3.1 列出了某些经验数据。

表 3.1　模拟量的采样周期

被控对象	流　　量	液　　位	压　　力	温　　度	成　　分
采样周期 T/s	1~5	5~10	3~10 优选 3~8	10~20 或取纯 滞后时间	15~20

对于一些快速系统,如直流调速系统、随动系统,要求响应快,抗干扰能力强,采样周期可以根据动态品质指标来选择。假如系统的预期开环频率特性如图 3.8 a 所示,预期闭环频率特性如图 3.8b 所示。在一般情况下,闭环系统的频率特性具有低通滤波器的功能,当控制系统输入信号频率 ω_0(谐振频率)时,幅值将会快速衰减,反馈理论告诉我们,ω_0 是很接近它的开环频率特性的截止频率 ω_c,因此可以认为 $\omega_c \approx \omega_0$,这样,我们对被研究的控制系统的频率特性可以这样认为:通过它的控制信号的最高分量是 ω_c,超过 ω_c 的分量被大大地衰减掉了。根据经验,用计算机来实现模拟校正环节功能时,选择采样角频率:

$$\omega_s \approx 10\omega_c \tag{3.14}$$

或

$$T \approx \frac{\pi}{5\omega_c} \tag{3.15}$$

可见,式(3.14)、式(3.15)是式(3.12)、式(3.13)的具体体现。

按式(3.15)选择采样周期 T,则不仅不能产生采样信号的频谱混叠现象,而且对系统的预期校正会得到满意的结果。

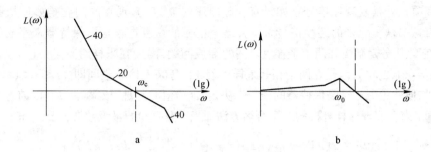

图 3.8 频率法分析系统

a—系统预期开环频率特性；b—系统预期闭环频率特性

在快速系统中，也可以根据系统上升时间来定采样周期，即保证上升时间内 2 到 4 次采样。设 T_r 为上升时间，N_r 为上升时间采样次数，则经验公式为

$$N_r = \frac{T_r}{T} = 2 \sim 4 \tag{3.16}$$

3.1.5 采样信号的复现和保持器

计算机控制系统中的控制计算机作为信息处理装置，其输出一般有两种形式，一种是直接数字量输出形式，就是直接以数字量形式输出。例如，打印输出，屏幕显示，在实际控制应用中，驱动装置可能是开关控制，仅用 3 个逻辑输出就行了，脉冲调制是一种最基本的线性控制，它将数字信号值变换为脉冲数，步进电机与数字分配器组合的驱动装置实际上是一个准离散系统。但是在另一种实际控制应用中，是需要将数字信号 $u(kT)$ 转换成连续信号 $u(t)$，用输出信号去控制被控对象。假若被控对象是伺服电动机，则它是一个将电能转换成机械能的驱动器，是连续装置。因此，必须把计算机的数字信号转换为连续信号。

若把数字信号无失真地复现成连续信号，由香农采样定理可知，采样频率 $\omega_s \geqslant 2\omega_{\max}$，则在被控对象前加一个理想滤波器，可以再现主频谱分量而除掉附加的高频频谱分量，如图 3.9 所示。

理想的低通滤波器的截止频率为 $\omega = \omega_{\max}$，并且满足

$$|W_h(j\omega)| = \begin{cases} 1 & -\omega_{\max} \leqslant \omega \leqslant \omega_{\max} \\ 0 & |\omega| > \omega_{\max} \end{cases} \tag{3.17}$$

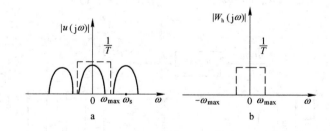

图 3.9 理想滤波器特性

a—$F^*(j\omega)$ 频谱；b—理想滤波器特性

但是，这种理想滤波器是不存在的，必须找出一种与理想滤波器特性相近的物理上可实现的实验滤波器，这种滤波器称为保持器。从保持器的特性来看，它是一种多项式外推装置。

用多项式外推复现原信号。如果有一脉冲序列 $u^*(t)$，现在的问题是如何从脉冲序列的全部信息中恢复原来的连续信号 $u(t)$，这一信号的恢复过程是由保持器来完成的。从数学上看，它的任务是解决在两个采样点之间的插值问题，因为在采样时刻是 $u(t) = u(kT)$，$t = kT$，$(k = 0, 1, 2, \cdots)$，但是在两个相邻采样时刻 kT 与 $(k+1)T$ 之间即 $kT \leqslant t < (k+1)T$ 的 $u(t)$ 值，如何确定呢？这是保持器的任务。决定 $u(t)$ 值时，只能依靠 $t = kT$ 以前各采样时刻的值推算出来。实现这样外推的一个著名方法，是利用 $u(t)$ 的幂级数展开公式，即

$$u(t) = u(kT) + u'(kT)(t - kT) + \frac{u''(kT)}{2}(t - kT)^2 + \cdots \qquad (3.18)$$

式中，$kT < t < (k+1)T$。

为了计算式(3.18)中的各项系数值，必须求出函数 $u(t)$ 在各个采样时刻的各阶导数值。但是，信号被采样后，$u(t)$ 的值仅在各采样时刻才有意义，因此，这些导数可以用各采样时刻的各阶差商来表示。于是，$u(t)$ 在 $t = kT$ 时刻的一阶导数的近似值，可以表示为

$$u'(kT) = \frac{1}{T}\{u(kT) - u[(k-1)T]\} \qquad (3.19)$$

$t = kT$ 时刻的二阶导数的近似值为

$$u''(kT) = \frac{1}{T}\{u'(kT) - u'[(k-1)T]\} \qquad (3.20)$$

由于 $u'[(k-1)T] = \dfrac{1}{T}\{u[(k-1)T] - u[(k-2)T]\}$

所以将上式和式(3.19)代入式(3.20)，整理得

$$u''(kT) = \frac{1}{T^2}\{u(kT) - 2[u(k-1)T] + u[(k-2)T]\} \qquad (3.21)$$

以此类推，可以得到其他各阶导数。外推装置是由硬件完成的。实践中经常用到的外推装置是由式(3.18)的前一项或前两项组成的外推装置。按式(3.18)的第一项组成外推器，因所用的 $u(t)$ 的多项式是零阶的，则将该外推装置称为零阶保持器。而按式(3.18)的前两项组成外推装置，因所用多项式是一阶的，则将该外推装置称为一阶保持器。

3.1.5.1 零阶保持器

仅取式(3.18)幂级数的第一项时，这时组成外推器称为零阶保持器。此时，式(3.18)简化为

$$u_h(t) = u(kT) \qquad kT \leqslant t < (k+1)T \qquad (3.22)$$

式中，$u_h(t) = u(t)$。

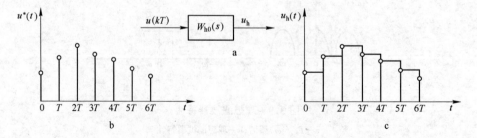

图 3.10 零阶保持器输入输出关系

a—零阶保持器单元方框图；b—保持器输入；c—保持器输出

零阶保持器的特点是把 kT 时刻的采样值,简单地、不增不减地保持到下一个采样时刻 $(k+1)T$ 到来之前。

零阶保持器的输入输出关系如图 3.11 所示。

为了对零阶保持器进一步分析,必须求出零阶保持器传递函数。为此,我们先求出保持器的脉冲响应函数,即在单位脉冲 $\delta(t)$ 作用下,零阶保持器的输出响应函数 $g_0(t)$。如图 3.11 所示,它是高度为 1 宽度为 T 的方波。

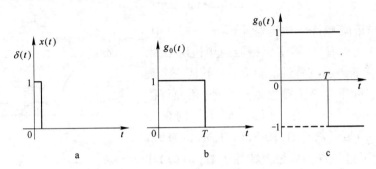

图 3.11 零阶保持器时域特性
a—输入函数;b—输出函数;c—输出函数的分解

为了便于计算,把脉冲响应函数 $g_0(t)$ 分解为图 3.11c,根据线性函数可加性,可表示为

$$g_0(t) = 1(t) - 1(t - T) \tag{3.23}$$

式中,$1(t)$ 是单位阶跃函数:

$$1(t) = \begin{cases} 1 & t \geq 0 \\ 0 & t < 0 \end{cases}$$

式(3.23)的拉氏变换:

$$G_0(s) = L[g_0(t)] = \frac{1}{s} - \frac{1}{s}e^{-sT} = \frac{1 - e^{-sT}}{s} \tag{3.24}$$

输入单位脉冲 $\delta(t)$ 的拉氏变换:

$$X(s) = L[\delta(t)] = 1$$

故求得零阶保持器的传递函数为

$$W_{h0}(s) = \frac{G_0(s)}{X(s)} = \frac{1 - e^{-sT}}{s}$$

即:

$$W_{h0}(s) = \frac{1 - e^{-sT}}{s} \tag{3.25}$$

令 $s = j\omega$ 代入,得零阶保持器的频率特性为

$$W_{h0}(j\omega) = \frac{1 - e^{-jT\omega}}{j\omega} = \frac{e^{j\frac{\omega T}{2}} \cdot e^{-j\frac{\omega T}{T}} - e^{-j\frac{\omega T}{2}}}{j\omega}$$

$$= \frac{Te^{-j\frac{\omega T}{2}}(e^{j\frac{\omega T}{2}} - e^{-j\frac{\omega T}{2}})}{\dfrac{2j\omega T}{2}}$$

$$= T\frac{\sin(\omega T/2)}{\omega T/2}e^{-j\frac{\omega T}{2}} \tag{3.26}$$

幅频特性为

$$| W_{h0}(j\omega) | = T \frac{\left| \sin \dfrac{\omega T}{2} \right|}{\dfrac{\omega T}{2}}$$

相频特性为

$$\angle W_{h0}(j\omega) = -\frac{\omega T}{2}$$

零阶保持器的幅频特性与相频特性绘于图 3.12 中。

由图 3.12 可以看出,零阶保持器的幅值随 ω 增加而减小,具有低通滤波特性。但是,它不是一个理想的滤波器,它除了允许主频谱通过之外,还允许附加的高频频谱通过一部分。因此,被恢复的信号 $u_h(t)$ 与原 $u(t)$ 是有差别的,图 3.10 中 $u_h(t)$ 的阶梯波形就说明了这一点。从相频特性上看,$u_h(t)$ 比 $u(t)$ 平均滞后 $\dfrac{T}{2}$ 时间。零阶保持器附加了滞后相位移,增加了系统不稳定因素。但是和一阶或高阶保持器相比,它具有最小的相位滞后,而且反应快,对稳定性影响相对减少,再加上容易实现,所以在实际系统中,经常采用零阶保持器。

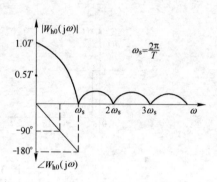

图 3.12 零阶保持器的幅频与相频特性

3.1.5.2 一阶保持器

如果仅取式(3.18)的前两项时,组成的外推器称为一阶保持器。此时,式(3.18)简化为

$$u_h(t) = u(kT) + u'(kT)(t - kT) \tag{3.27}$$
$$kT \leqslant t < (k+1)T$$

式中,$u'(kT)$ 由式(3.19)给出,代入式(3.27)得

$$u_h(t) = u(kT) + \frac{u(kT) - u[(k-1)T]}{T}(t - kT) \tag{3.28}$$

式(3.28)表示一阶保持器在相邻采样时刻 kT 与 $(k+1)T$ 之间的输出函数,是一个线性外推公式,外推的斜率是一阶差商。图 3.13 给出了一阶保持器工作情况,可见一阶保持器是利用最新的两个过去时刻采样值,以直线外推的方法获得本采样时刻到下采样时刻的信号插值。

根据一阶保持器的外推可知,每个采样时刻的采样值其作用都是延长两个周期。下面分析推导一阶保持器的单位脉冲响应函数,如图 3.14 所示。图 c 中:

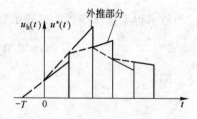

图 3.13 一阶保持器工作情况

1——$1(t)$;2——$\dfrac{t}{T} \times 1(t)$;3——$2 \times 1(t - T)$;

4——$\dfrac{2(t - T)}{T} \times 1(t - T)$;5——$1(t - 2T)$;

6——$\dfrac{(t - 2T)}{T} \times 1(t - 2T)$;

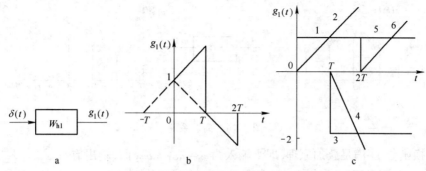

图 3.14 一阶保持器的脉冲响应

a—结构图;b—单位脉冲响应;c—单位脉冲响应分解

$$g_1(t) = 1(t) + \frac{t}{T} \times 1(t) - 2(t - T) - \frac{2(t - T)}{T} \times 1(t - T)$$

$$+ 1(t - 2T) + \frac{(t - 2T)}{t} \times 1(t - 2T) \tag{3.29}$$

取拉氏变换,得

$$W_{h1}(s) = \frac{1}{s} + \frac{1}{T} \cdot \frac{1}{s^2} - \frac{2}{s} e^{-sT} - \frac{2}{T} \cdot \frac{1}{s^2} \cdot e^{-sT} + \frac{1}{s} e^{-2sT} + \frac{1}{T} \cdot \frac{1}{s^2} e^{-2sT}$$

合并整理可得

$$W_{h1}(s) = T(1 + sT)\left(\frac{1 - e^{-sT}}{sT}\right)^2 \tag{3.30}$$

频率特性为

$$W_{h1}(j\omega) = T \sqrt{1 + (\omega T)^2}\left[\frac{\sin(\omega T/2)}{\omega t/2}\right]^2 \angle -\omega T + \arctan\omega T \tag{3.31}$$

一阶保持器的幅频特性与相频特性绘于图 3.15 中。

可见,一阶保持器的幅频特性比零阶保持器的要高,因此,离散频谱中的高频变量通过一阶保持器更容易些。另外,从相频特性上看,尽管在低频时一阶保持器相移比零阶保持器要小,但是在整个频率范围内,一阶保持器的相移要大得多。对系统的稳定不利,加之一阶保持器结构复杂,所以虽然一阶保持器对输入信号有较好复现能力,但是实际上较少采用。

3.2 线性常系数差分方程

3.2.1 线性常系数离散系统

设单输入单输出系统 D 的输入为 $e(k)$,输出为 $u(k)$(为了书写方便,把表示采样时刻的离散时间 kT 缩写成 k,以后不再说明),$e(k)$ 与 $u(k)$ 都是离散的数值序列,如图 3.16 所示。

如果 D 是确定的变换函数,则 e,u 和 D 三者之间的关系为

$$u = D[e] \tag{3.32}$$

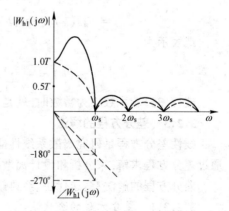

图 3.15 一阶保持器幅频与相频特性
(虚线为零阶保持器频率特性)

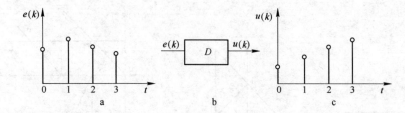

图 3.16   离散系统

当变换函数 D 满足叠加原理,即当输入为 $e = ae_1 + be_2$ 时,输出有

$$u = D[e] = aD[e_1] + bD[e_2] \tag{3.33}$$

那么认为该系统的变换函数 D 是线性的。u 与 e 之间的关系是线性的,即图 3.16 所示的线性离散系统。

如果系统 D 的参数不随时间变化,即系统 D 的响应不取决于输入作用的时刻,则系统是常系数的,输入输出的关系是:

$$u(k-n) = D[e(k-n)] \tag{3.34}$$

大部分实际系统随时间的增长,其参数都是要发生变化的,如果在系统运行期间,参数变化超过了一定范围,则认为系统是时变系统,如果参数变化范围很小,可以忽略不计,则仍认为是线性常系数系统。

线性常系数离散控制系统一般采用差分方程来描述。

3.2.2   差分方程

在图 3.16 中,系统在某一时刻 k 的输出 $u(k)$,不仅取决于本时刻的输入 $e(k)$,与过去时刻的输入数值序列 $e(k-1)$,$e(k-2)$,…也有关,而且还与该时刻以前的输出值 $u(k-1)$,$u(k-2)$,…有关。这种关系可用数学方程来描述:

$$u(k) + a_1 u(k-1) + a_2 u(k-2) + \cdots + a_n u(k-n)$$
$$= b_0 e(k) + b_1 e(k-1) + b_2 e(k-2) + \cdots + b_m e(k-m)$$

或表示为

$$u(k) = -\sum_{i=1}^{n} a_i u(k-i) + \sum_{j=0}^{m} b_j e(k-j) \tag{3.35}$$

式(3.35)若系数均为常数时,就是一个 n 阶线性常系数差分方程。

3.2.3   差分方程的解法

线性差分方程是研究离散系统性能的数学工具,它不仅能描述离散控制系统,而且还能通过差分方程求解,来分析和设计离散控制系统。

差分方程的解法有:迭代法、经典解法和 Z 变换解法。

3.2.3.1   差分方程的迭代法

例 3.1   一阶差分方程的迭代公式:

$$u(k+1) = au(k) + be(k)$$

解:设 $u(0)$ 是给定的边界条件,则

当 $k=0$ 时,$u(1) = au(0) + be(0)$

当 $k=1$ 时,$u(2) = au(1) + be(1) = a^2 u(0) + abe(0) + be(1)$

当 $k=2$ 时,$u(3) = au(2) + be(2) = a^3 u(0) + a^2 be(0) + abe(1) + be(2)$

依此类推,有

$$u(k) = a^k u(0) + a^{k-1} be(0) + a^{k-2} be(1) + a^{k-3} be(2) + \cdots + be(k-1)$$

$$= a^k u(0) + \sum_{j=0}^{k-1} a^{k-j-1} be(j) \tag{3.36}$$

一阶差分方程的齐次方程 $u(k+1) = au(k)$ 的特征根 $\lambda = a$,所以 $a^k u(0)$ 是对应齐次方程的通解,称之为自由分量,它是输入为零时的解,故又称为零输入解。一阶差分方程的非齐次方程 $u(k+1) = au(k) + be(k)$ 的特解为(3.36)式中的另一项 $\sum_{j=0}^{k-1} a^{k-j-1} be(j)$ 称之为强制分量,它又是输出 $u(0) = 0$ 时,输入 $e(j)$ 产生的解,又称为零状态解。

迭代解法适合于计算机求解,可以编制程序。

例3.2 用迭代法求解如下差分方程

$$u(k) - 8u(k-1) + 12u(k-2) = 0 \tag{3.37}$$

已知初始条件为 $u(1) = 1, u(2) = 3$。

解:当 $k = 3$ 时,$u(3) = 8u(2) - 12u(1) = 24 - 12 = 12$

当 $k = 4$ 时,$u(4) = 8u(3) - 12u(2) = 60$

当 $k = 5$ 时,$u(5) = 8u(4) - 12u(3) = 336$

可知,$u(1) = 1, u(2) = 3, u(3) = 12, u(4) = 60, u(5) = 336, \cdots$

3.2.3.2 差分方程的经典解法

差分方程的解法与微分方程的经典解法类似,方程的全解包括两部分,一部分是对应齐次差分方程的通解,另一部分是对应非齐次方程的特解。其结果是各采样时刻的输出值。

由(3.35)式可知差分方程的一般形式

$$u(k) = -\sum_{i=1}^{n} a_i u(k-i) + \sum_{j=0}^{m} d_j e(k-j)$$

此式就是线性非齐次差分方程。

当输入 $e(k) = 0 (k = 0, 1, 2, 3, \cdots)$ 时,它变成 n 阶线性齐次差分方程:

$$u(k) = -\sum_{i=1}^{n} a_i u(k-i)$$

展开上式:

$$u(k) + a_1 u(k-1) + a_2 u(k-2) + \cdots + a_n u(k-n) = 0 \tag{3.38}$$

设其通解形式为由 $u(k) = c\lambda^k \neq 0$ 的一些项组成,所以代入方程(3.38),得

$$c\lambda^k + a_1 c\lambda^{k-1} + a_2 c\lambda^{k-2} + \cdots + a_n c\lambda^{k-n} = 0$$

$$c\lambda^{k-n}(\lambda^n + a_1 \lambda^{n-1} + a_2 \lambda^{n-2} + \cdots + a_n) = 0 \tag{3.39}$$

由于 $c\lambda^{k-n} \neq 0$,则

$$\lambda^n + a_1 \lambda^{n-1} + a_2 \lambda^{n-2} + \cdots + a_n = 0 \tag{3.40}$$

式(3.40)称做齐次方程(3.38)的特征方程。如果求解(3.40),可得 $\lambda_1, \lambda_2, \cdots, n$ 个根,并且都是单根时,则齐次方程(3.38)的通解为:

$$u(k) = c_1 \lambda_1^k + c_2 \lambda_2^k + \cdots + c_n \lambda_n^k = \sum_{i=1}^{n} c_i \lambda_i^k \tag{3.41}$$

式中,系数 c_i 由初始条件决定。

例 3.3 用经典解法求解例 3.2 中的差分方程。

解:式(3.37)的特性方程为

$$\lambda^2 - 8\lambda + 12 = 0$$

解得特征根为 $\lambda_1 = 6, \lambda_2 = 2$

由式(3.41)得齐次方程通解:

$$u(k) = c_1\lambda^k + c_2\lambda_2^k = c_16^k + c_22^k$$

由初始条件确定 c_1, c_2:

$$\left.\begin{array}{l} u(1) = c_1\lambda_1^1 + c_2\lambda_2^1 \\ u(2) = c_1\lambda_1^2 + c_2\lambda_2^2 \end{array}\right\}$$

即

$$\left.\begin{array}{l} 1 = c_1 \times 6 + c_2 \times 2 \\ 3 = c_1 \times 6^2 + c_2 \times 2^2 \end{array}\right\}$$

上两式联立求解,得

$$c_1 = \frac{1}{24}, c_2 = \frac{3}{8}$$

所以差分方程的通解为

$$u(k) = \frac{1}{24}(6^k) + \frac{3}{8}(2^k)$$

当 $k = 0, 1, 2, 3, 4, \cdots$ 时,结果与例 3.2 结果相同。式(3.37)的右边为零,所以其特解为零。上式通解就是式(3.37)的全解。

当特征根中有重根时,齐次方程的通解中含有 $\lambda^k, n\lambda^k, \cdots$ 的项,例如三重根时,通解含有 $(c_1n^2 + c_2n + c_3)\lambda^k$ 的项。

对于非齐次方程特解的求法,传统上是用试探法。这种经典方法是十分麻烦的。因此,我们引入了一种变换,使差分方程简化为代数方程,使求解变得简单了。这种变换就叫做 Z 变换。

3.3 Z 变换

Z 变换是由拉氏变换引出的,可以看做是拉氏变换的变形。

3.3.1 Z 变换的定义

设连续函数 $f(t)$ 是可以进行拉氏变换的,它的拉氏变换被定义为:

$$F(s) = L[f(t)] = \int_{-\infty}^{\infty} f(t)e^{-st}dt \tag{3.42}$$

$f(t)$ 被采样后的脉冲采样函数 $f^*(t)$ 由式(3.4)给出:

$$f^*(t) = \sum_{k=0}^{\infty} f(kT)\delta(t - kT)$$

它的拉氏变换式为

$$F^*(s) = L[f^*(t)] = \sum_{-\infty}^{\infty} f^*(t)e^{-st}dt$$

$$= \int_{-\infty}^{\infty} [\sum_{k=0}^{\infty} f(kT)\delta(t - kT)]e^{-st}dt$$

$$= \sum_{k=0}^{\infty} f(kT)[\int_{-\infty}^{\infty} \delta(t - kT)]e^{-st}dt$$

根据广义脉冲函数 $\delta(t)$ 的性质：

$$\int_{-\infty}^{\infty} \delta(t - kT)e^{-st}dt = e^{-skT}$$

所以

$$F^*(s) = \sum_{k=0}^{\infty} f(kT)e^{-skT} \tag{3.43}$$

式(3.43)中 $F^*(s)$ 是脉冲采样函数的拉氏变换式，因复变量 s 含在指数 e^{-skT} 中不便计算，故引进一个新变量。令

$$z = e^{sT} \tag{3.44}$$

式中　　s——复数；

　　　　z——复变函数；

　　　　T——采样周期。

将式(3.44)代入式(3.43)中，可以得到以 z 为变量的函数，即

$$F(z) = \sum_{k=0}^{\infty} f(kT)z^{-k} \tag{3.45}$$

式(3.45)被定义为采样函数 $f^*(t)$ 的 Z 变换。在 Z 变换过程中，由于仅仅考虑采样时刻的采样值。所以式(3.45)只能表征采样函数 $f^*(t)$ 的 Z 变换，在 Z 变换过程中，由于仅仅考虑采样时刻的采样值，所以式(3.45)只能表征连续时间函数 $f(t)$ 在采样时刻上的特性，而不表征采样点之间的特性。我们习惯称 $F(z)$ 是 $f(t)$ 的 Z 变换，指的是 $f(t)$ 经采样后 $f^*(t)$ 的 Z 变换，即

$$z[f(t)] = z[f^*(t)] = F(z) = \sum_{k=0}^{\infty} f(kT)z^{-k} \tag{3.46}$$

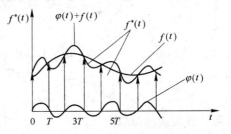

这里应特别指出，Z 变换的非一一对应性，任何采样时刻为零值的函数 $\varphi(t)$（见图 3.17）与 $f(t)$ 相加，得曲线 $f(t) + \varphi(t)$，将不改变 $f^*(t)$ 的采样值，因而它们的 Z 变换相同，由此可见，采样函数 $f^*(t)$ 与 $F(z)$ 是一一对应关系，$F(s)$ 与 $f(t)$ 是一一对应的，而 $F(z)$ 与 $f(t)$ 不是一一对应关系，一个 $F(z)$ 可有无穷多个 $f(t)$ 与之对应。

图 3.17　采样时刻为零值的函数 $\varphi(t)$ 的影响

3.3.2　Z变换方法

求取采样函数的 Z 变换有多种方法，下面介绍几种常用方法。

3.3.2.1　级数求和法

它是利用式(3.46)直接展开而得，下面举例说明。

例3.4　求单位阶跃函数 $1(t)$ 的 Z 变换

解：单位阶跃函数 $1(t)$ 在任何采样时刻的值均为 1，(如图 3.18a 所示)，即：

$$f(kT) = 1(kT) = 1, k = 0, 1, 2 \cdots$$

代入式(3.46)中，得：

$$F(z) = \sum_{k=0}^{\infty} f(kT)z^{-k} = 1z^0 + 1z^{-1} + 1z^{-2} + \cdots + 1z^{-k} \cdots \tag{3.47}$$

将式(3.47)两边乘以 z^{-1},有:

$$z^{-1}F(z) = z^{-1} + z^{-2} + z^{-3} + \cdots + z^{-k} + \cdots \tag{3.48}$$

上两式相减,得:

$$F(z) - z^{-1}F(z) = 1 \tag{3.49}$$

所以

$$F(z) = \frac{1}{1-z^{-1}} = \frac{z}{z-1} \tag{3.50}$$

式(3.47)为单位阶跃函数 Z 变换的级数展开式,式(3.50)为其闭合形式。

从式(3.47)可以清楚地看出,原函数在各个采样时刻采样值的大小及分布情况。z^{-k} 可以看做时序变量。另外从式(3.47)也可看出,已知一连续函数 $f(t)$,可以很容易地写出 Z 变换的级数展开式。但是由于无穷级数是开放的,在运算中不方便,因此往往希望求出其 闭合形式,这往往需要一定技巧。

例 3.5   求衰减指数的 Z 变换。

$$f(t) = \begin{cases} 0 & t < 0 \\ \mathrm{e}^{-at} & t \geqslant 0 \end{cases}$$

解: 令 $t = kT$。指数函数 e^{-at} 在各个采样时刻的值为(图 3.18b 所示)。

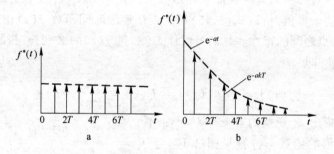

图 3.18   单位阶跃函数与指数函数的 Z 变换

a—单位阶跃函数序列;b—指数函数序列

$$f(kT) = \mathrm{e}^{-akT}, \ k = 0, 1, 2, \cdots$$

代入式(3.46)中,得

$$F(z) = \sum_{k=0}^{\infty} \mathrm{e}^{-akT} z^{-k}$$

$$= 1 + \mathrm{e}^{-aT}z^{-1} + \mathrm{e}^{-2aT}z^{-2} + \cdots + \mathrm{e}^{-kaT}z^{-k} + \cdots$$

将两边同乘以 $\mathrm{e}^{-aT}z^{-1}$,得

$$\mathrm{e}^{-aT}z^{-1}F(z) = \mathrm{e}^{-aT}z^{-1} + \mathrm{e}^{-2aT}z^{-2} + \cdots + \mathrm{e}^{-kaT}z^{-k} + \cdots$$

将上两式相减,得 $$F(z) - \mathrm{e}^{-aT}z^{-1}F(z) = 1$$

$$F(z) = 1/(1 - \mathrm{e}^{-aT}z^{-1}) = z/(z - \mathrm{e}^{-aT})$$

3.3.2.2   部分方式法

设连续函数 $f(t)$ 的拉氏变换 $F(s)$ 为有理函数,具体形式如下:

$$F(s) = \frac{M(s)}{N(s)}$$

式中，$M(s)$ 与 $N(s)$ 都是复变量 s 的多项式，若将 $F(s)$ 分解成部分分式形式：

$$F(s) = \sum_{i=1}^{n} \frac{A_i}{s + a_i}$$

它是相应的连续时间函数，$f(t)$ 为诸指数函数 $A_i e^{-a_i t}$ 之和，这样利用已知的典型函数 Z 变换，便可求出环节和系统的 Z 变换。现举例说明此方法。

例 3.6 求 $F(s) = \dfrac{a}{s(s + a)}$ 的 Z 变换

解：因为 $F(s) = \dfrac{a}{s(s + a)} = \dfrac{1}{s} - \dfrac{1}{s + a}$ 与 $\dfrac{1}{s}$ 相对应的连续时间函数是 $1(t)$，相应的 Z 变换是 $\dfrac{1}{1 + z^{-1}}$，它与 $\dfrac{1}{s + a}$ 相对应的连续函数是 e^{-at}，相应的 Z 变换是 $\dfrac{1}{1 - e^{-aT} z^{-1}}$，因而：

$$F(z) = \frac{1}{1 - z^{-1}} - \frac{1}{1 - e^{-aT} z^{-1}} = \frac{(1 - e^{-aT}) z^{-1}}{(1 - z^{-1})(1 - e^{-aT} z^{-1})}$$

部分分式法是在工程计算中常用的方法，即将 $F(s)$ 分解成部分分式后，可由拉氏变换和 Z 变换表直接写出 Z 变换式。

例 3.7 求 $F(s) = \dfrac{s + 3}{(s + 2)^2 (s + 1)}$ 的 Z 变换 $F(z)$。

解：将 $F(s)$ 分解成部分分式：

$$F(s) = \frac{A}{(s + 2)^2} + \frac{B}{s + 2} + \frac{C}{s + 1}$$

求 A, B, C：

$$A = \left[\frac{s + 3}{(s + 2)^2 (s + 1)} (s + 2)^2 \right]_{s = -2} = -1$$

$$B = \left\{ \frac{\mathrm{d}}{\mathrm{d}s} \left[\frac{s + 3}{(s + 2)^2 (s + 1)} (s + 2)^2 \right] \right\}_{s = -2}$$

$$= \frac{(s + 1) - (s + 3)}{(s + 1)^2} \bigg|_{s = -2} = -2$$

$$C = \left[\frac{s + 3}{(s + 2)^2 (s + 1)} (s + 1) \right]_{s = -1} = 2$$

所以

$$F(s) = \frac{-1}{(s + 2)^2} - \frac{2}{s + 2} + \frac{2}{s + 1}$$

查表解得

$$F(z) = \frac{-T e^{-2T} z^{-1}}{(1 - e^{-2T} z^{-1})^2} - \frac{2}{1 - e^{-2T} z^{-1}} + \frac{2}{1 - e^{-T} z^{-1}}$$

$$= \frac{(-T + 2) e^{-2T} z^{-1} - 2}{(1 - e^{-2T} z^{-1})^2} + \frac{2}{1 - e^{-2T} z^{-1}}$$

$$= \frac{(-T + 2) e^{-2T} z - 2 z^2}{(z - e^{-2T})^2} + \frac{2z}{z - e^{-T}}$$

3.3.2.3 留数计算法

若已知连续时间函数 $f(t)$ 的拉氏变换式 $F(s)$ 及全部极点 $s_i (i = 1, 2, 3, \cdots, m)$，则 $f(t)$ 的 Z 变换可由下面留数计算公式求得：

$$F(z) = \sum_{i=1}^{m} R_{es}\left[F(s_i) \frac{z}{z - e^{s_i T}}\right] \tag{3.51}$$

式中 $R_{es}\left[F(s_i) \frac{z}{z - e^{s_i T}}\right]$ 表示 $s = s_i$ 处的留数。

极点上的留数分两种情况求取：

1）单极点情况 $\quad R_{es}\left[F(s_i)\frac{z}{z - e^{s_i T}}\right] = \left[(s - s_i)F(s)\frac{z}{z - e^{sT}}\right]_{s = s_i} \tag{3.52}$

2）n 阶重极点情况

$$R_{es}\left[F(s_i)\frac{z}{z - e^{s_i T}}\right] = \frac{1}{(n-1)!}\frac{d^{n-1}}{ds^{n-1}}\left[(s - s_i)^n F(s)\frac{z}{z - e^{sT}}\right]_{s = s_i} \tag{3.53}$$

用留数计算法求取 Z 变换，对有理函数与无理函数都是有效的。

例 3.8 求 $F(s) = \dfrac{1}{(s+1)(s+3)}$ 的 Z 变换。

解：上式有两个单极点 $s_1 = -1, s_2 = -3, m = 2$，利用式（3.52）可得

$$F(z) = \left[(s+1)\frac{1}{(s+1)(s+3)}\frac{z}{z - e^{sT}}\right]_{s = -1} + \left[(s+3)\frac{1}{(s+1)(s+3)}\frac{z}{z - e^{sT}}\right]_{s = -3}$$

$$= \frac{z}{2z(z - e^{-T})} + \frac{z}{(-2)(z - e^{-3T})}$$

$$= \frac{z(e^{-T} - e^{-3T})}{2(z - e^{-T})(z - e^{-3T})}$$

例 3.9 求 $F(z) = \dfrac{1}{(s+a)^2}$ 的 Z 变换。

解：上式有二重极点 $s_{1,2} = -a, n = 2$ 根据式（3.53），得

$$F(z) = \frac{1}{(2-1)!}\frac{d}{ds}\left[(s+a)^2 \frac{1}{(s+a)^2}\frac{z}{z - e^{sT}}\right]_{s = -a}$$

$$= \frac{Tze^{-aT}}{(z - e^{-aT})^2}$$

留数计算法的优点是给出了 $F(s)$ 的 Z 变换公式，不必查常用 Z 变换表，按照规定的步骤求解也不麻烦。

例 3.10 求出 $F(s) = \dfrac{s+3}{(s+2)^2(s+1)}$ 的 Z 变换。

解：用留数法，$F(s)$ 的极点 $s_1 = -1, s_{2,3} = -2, m = 2, n = 2$

$$F(z) = \frac{1}{(2-1)!}\frac{d}{ds}\left[(s+2)^2\frac{(s+3)}{(s+2)^2(s+1)}\frac{z}{z - e^{sT}}\right]_{s = -2} + \left[(s+1)\frac{(s+3)}{(s+2)^2(s+1)}\frac{z}{z - e^{sT}}\right]_{s = -1}$$

$$= \frac{d}{ds}\left[\frac{(s+3)}{(s+1)}\frac{z}{z - e^{sT}}\right]_{s = -2} + \left[\frac{s+3}{(s+2)^2}\frac{z}{z - e^{sT}}\right]_{s = -1}$$

$$= \frac{d}{ds}\left[\frac{sz + 3z}{sz - se^{sT} + z - e^{sT}}\right]_{s = -2} + \frac{2z}{z - e^{-T}}$$

$$= \frac{z(sz - se^{sT} + z - e^{sT}) - (sz + 3z)(z - e^{sT} - Tse^{sT} - Te^{sT})}{(sT - se^{sT} + z - e^{sT})^2}\bigg/_{s = -2} + \frac{2z}{z - e^{-T}}$$

$$= \frac{-2z^2 + 2ze^{-2T} + z^2 - e^{-2T}z - (-2z + 3z)(z - e^{-2T} + 2Te^{-2T} - Te^{-2T})}{(-2z + 2e^{-2T} + z - e^{-2T})^2} + \frac{2z}{z - e^{-T}}$$

$$= \frac{-z^2 + 2ze^{-2T} - ze^{-2T} - z^2 - z^2 + ze^{-2T} - Te^{-2T}z}{(e^{-2T} - z)^2} + \frac{2z}{z - e^{-T}}$$

$$= \frac{(-T+2)e^{-2T}z - 2z^2}{(z - e^{-2T})^2} + \frac{2z}{z - e^{-T}}$$

结果与例 3.7 相同。

表 3.2　常用函数的 Z 变换

序号	$F(s)$	$f(t)$ 或 $f(k)$	$F(z)$	备注
1	1	$\delta(t)$	1	
2	e^{-ksT}	$\delta(t - kT)$	z^{-k}	
3	$\dfrac{1}{1 - e^{-sT}}$	$\delta_T(t) = \sum\limits_{k=0}^{\infty} \delta(t - kT)$	$\dfrac{1}{1 - z^{-1}}$	
4	$\dfrac{1}{s}$	$1(t)$	$\dfrac{1}{1 - z^{-1}}$	
5	$\dfrac{1}{s^2}$	t	$\dfrac{Tz^{-1}}{(1 - z^{-1})^2}$	
6	$\dfrac{1}{s^3}$	$\dfrac{1}{2}t^2$	$\dfrac{T^2 z^{-1}(1 + z^{-1})}{2(1 - z^{-1})^3}$	
7	$\dfrac{1}{s + a}$	e^{-at}	$\dfrac{1}{1 - e^{-aT}z^{-1}}$	
8		a^k	$\dfrac{1}{1 - az^{-1}}$	
9	$\dfrac{1}{(s + a)^2}$	te^{-at}	$\dfrac{Te^{-aT}z^{-1}}{(1 - e^{-aT}z^{-1})^2}$	
10	$\dfrac{\omega}{s^2 + \omega^2}$	$\sin\omega t$	$\dfrac{(\sin\omega T)z^{-1}}{1 - 2(\cos\omega T)z^{-1} + z^{-2}}$	
11	$\dfrac{s}{s^2 + \omega^2}$	$\cos\omega t$	$\dfrac{1 - (\cos\omega T)z^{-1}}{1 - 2(\cos\omega T)z^{-1} + z^{-2}}$	
12		$a^k \cos k\pi$	$\dfrac{1}{1 + (-1)^k az^{-1}}$	

3.3.3　Z 变换的基本定理

像拉氏变换一样, Z 变换也有相应的基本定理, 它可以为采样函数求取 Z 变换表达式提供简便的计算公式, 使 Z 变换的应用变得简单和方便些。

3.3.3.1　线性定理

线性函数满足齐次性和迭加性, 若

$$Z[f_1^*(t)] = F_1(z), Z[f_2^*(t)] = F_2(z)$$

则　$Z[a_1 f_1^*(t) \pm a_2 f_2^*(t)] = Z[a_1 f_1^*(t)] \pm Z[a_2 f_2^*(t)] = a_1 F_1(z) \pm a_2 F_2(z)$

写成一般形式为

$$f(t) = \sum_{i=1}^{k} a_i f_i(t)$$

则
$$F(z) = \sum_{i=1}^{k} a_i F_i(z) \tag{3.54}$$

即,脉冲采样函数线性组合的像函数,等于它们像函数的线性组合。

3.3.3.2 滞后定理

如果 $t < 0$ 时,$f(t) \neq 0$,那么

$$Z[f(t - nT)] = z^{-n}F(z) + z^{-n}\sum_{j=-1}^{-n} f(jT)z^{-j} \tag{3.55}$$

如果 $t < 0$ 时,$f(t) = 0$,则

$$Z[f(t - nT)] = z^{-n}F(z) \tag{3.56}$$

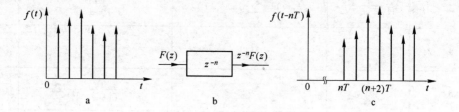

图 3.19 延迟定理

a—采样函数 $f^*(t)$;b—延迟 n 个采样的像函数关系;c—延迟 n 个采样周期的采样函数

3.3.3.3 超前定理

$$Z[f(t + nT)] = z^n F(z) - z^n \sum_{j=0}^{n-1} f(jT)z^{-j} \tag{3.57}$$

如果 $f(0T) = f(T) = \cdots = f[(n-1)T] = 0$

则
$$Z[f(t + nT)] = z^n F(z) \tag{3.58}$$

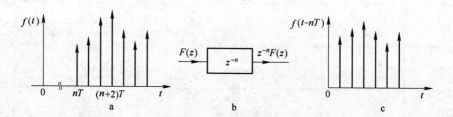

图 3.20 超前定理

a—采样函数 $f^*(t)$;b—超前 n 个采样的像函数关系;c—超前 n 个采样周期的采样函数

3.3.3.4 初值定理

如果 $f(t)$ 的 Z 变换为 $F(z)$,而 $\lim\limits_{z \to \infty} F(z)$ 存在,则

$$f(0) = \lim_{z \to \infty} F(z) \tag{3.59}$$

3.3.3.5 终值定理

如果 $f(t)$ 的 Z 变换为 $F(z)$,而 $(1 - z^{-1})F(z)$ 在 Z 平面以原点为圆心的单位上或圆外没有极点,则

$$\lim_{t \to \infty} f(t) = \lim_{k \to \infty} f(kT) = \lim_{z \to 1}(1 - z^{-1})F(z) = \lim_{z \to 1} \frac{(z-1)}{z}F(z) \tag{3.60}$$

3.3.3.6 求和定理(也称叠值定理)

在离散控制系统中,与连续控制系统积分相类似的概念叫做叠分,用 $\sum\limits_{j=0}^{k} f(j)$ 来表示。

如果
$$g(k) = \sum_{j=0}^{k} f(j) \ (k = 0,1,2,\cdots)$$

则
$$G(z) = z[g(k)] = \frac{F(z)}{1-z^{-1}} = \frac{z}{z-1}F(z) \tag{3.61}$$

证明:根据已知条件,$g(k)$ 与 $g(k-1)$ 的差值为:

$$g(k) - g(k-1) = \sum_{j=0}^{k} f(j) - \sum_{j=0}^{k-1} f(j) = f(k) \tag{3.62}$$

当 $k < 0$ 时,有 $g(k) = 0$,对上式进行 Z 变换为

$$G(z) - z^{-1}G(z) = F(z)$$

$$G(z) = \frac{1}{1-z^{-1}}F(z)$$

即
$$Z\Big[\sum_{j=0}^{k} f(j)\Big] = \frac{1}{1-z^{-1}}F(z)$$

求和定理在差分方程中,计算积分(用积分的和式表示)调节规律时要用到。

3.3.3.7 位移定理

位移定理说明,像函数域内自变量偏移 $e^{\pm aT}$ 时,相当于原函数乘以 $e^{\mp at}$,用公式表示为

$$F(ze^{\pm aT}) = z[e^{\mp at}f(t)] \tag{3.63}$$

3.3.3.8 复域微分定理

如果 $f(t)$ 的 Z 变换为 $F(z)$ 则

$$Z[tf(t)] = -Tz\frac{dF(z)}{dz} \tag{3.64}$$

证明:由 Z 定义

$$F(z) = \sum_{k=0}^{\infty} f(kT)z^{-k}$$

对上式两端进行求导得

$$\frac{dF(z)}{dz} = \sum_{k=0}^{\infty} f(kT)\frac{dz^{-k}}{dz} = \sum_{k=0}^{\infty} -kf(kT)z^{-k-1}$$

对上式进行整理,得

$$-Tz\frac{dF(z)}{dz} = \sum_{k=0}^{\infty} kTf(kT)z^{-k} = Z[tf(t)]$$

例3.11 用微分定理求 $f(t) = t$ 的 Z 变换

解:

$$t = t1(t), Z[1(t)] = \frac{1}{1-z^{-1}}$$

$$Z(t) = Z[t1(t)] = -Tz\frac{d}{dz}\Big(\frac{1}{1-z^{-1}}\Big) = \frac{Tz^{-1}}{(1-z^{-1})^2}$$

3.3.3.9 复域积分定理

若 $f(t)$ 的 Z 变换为 $F(z)$,则

$$Z\left[\frac{f(t)}{t}\right] = \int_z^\infty \frac{F(z)}{Tz}dz + \lim_{t\to 0}\frac{f(t)}{t} \qquad (3.65)$$

证明,由 Z 变换定义,令

$$G(z) = Z\left[\frac{f(t)}{t}\right] = \sum_{k=0}^\infty \frac{f(kT)}{kT}z^{-k}$$

利用微分性质,得

$$\frac{dG(z)}{dz} = \sum_{k=0}^\infty -\frac{f(kT)}{T}z^{-k-1} = -\frac{1}{Tz}\sum_{k=0}^\infty f(kT)z^{-k} = -\frac{1}{Tz}F(z)$$

对上式两边同时积分,有

$$\int_\infty^z \left[\frac{dG(z)}{dz}\right]dz = \int_\infty^z \left[-\frac{1}{Tz}F(z)\right]dz$$

$$G(z) - \lim_{z\to\infty}G(z) = \int_z^\infty \frac{F(z)}{Tz}dz$$

根据初始定理

$$\lim_{z\to\infty}G(z) = \lim_{t\to 0}\frac{f(t)}{t}$$

所以

$$G(z) = Z\left[\frac{f(t)}{t}\right] = \int_z^\infty \frac{F(z)}{Tz}dz + \lim_{t\to 0}\frac{f(t)}{t}$$

例 3.12   用积分定理求 $\frac{1(t-T)}{t}$ 的 Z 变换。

解:因为 $Z[1(t)] = \frac{1}{1-z^{-1}}$,根据滞后定理,有

$$Z[1(t-T)] = \frac{z^{-1}}{1-z^{-1}}$$

所以

$$Z\left[\frac{1(t-T)}{t}\right] = \int_z^\infty \frac{z^{-2}}{T(1-z^{-1})}dz + \lim_{t\to 0}\frac{1(t-T)}{t}$$

$$= \frac{1}{T}\ln(1-z^{-1})\bigg|_z^\infty = -\frac{1}{T}\ln(1-z^{-1})$$

3.3.3.10   卷积和定理

设 $y(k) = g(k) * f(k) \triangleq \sum_{i=0}^k g(i)f(k-i)$ 称为两序列 $g(k)$ 和 $f(k)$ 的卷积,用"$*$"表示。则

$$Y(z) = Z[g(k)*f(k)] = G(z)F(z) \qquad (3.66)$$

3.3.4   Z 反变换

从 Z 变换 $F(z)$ 求出相应的采样函数 $f^*(t)$,称为 Z 反变换,表示为

$$Z^{-1}[F(z)] = f^*(t)$$

应该指出,Z 变换得到的各采样时刻上连续函数 $f(t)$ 的数值序列值 $f(kT)$,而得不到两个采样时刻之间的连续函数的信息,因此,不能用 Z 反变换方法求原连续函数 $f(t)$。

下面介绍 3 种常用的 Z 反变换法。

3.3.4.1   长除法

这种方法是由 $F(z)$ 表达式的分子被分母除,得到 z^{-k} 升幂排列的级数展开式,即:

$$F(z) = \sum_{K=0}^{\infty} f(kT)z^{-k} = f(0) + f(1T)z^{-1} + f(2T)z^2 + \cdots + f(kT)z^{-k} + \cdots$$

$$(3.67)$$

前面已经说过 z^{-k} 是代表时序变量,因此,式(3.67)直接求得 $f^*(t)$ 为

$$f^*(t) = f(0) + f(T)\delta(t-T) + f(2T)\delta(t-2T) + \cdots + f(kT)\delta(t-kT) + \cdots$$

$$(3.68)$$

其结果 $f^*(t)$ 是开放式。

例3.13 求 $F(z) = \dfrac{5z}{z^2 - 3z + 2}$ 的反变换。

解: 首先按 z^{-1} 的升幂排列 $F(z)$ 的分子、分母。

$$F(z) = \frac{5z^{-1}}{1 - 3z^{-1} + 2z^{-2}}$$

应用长除法

$$
\begin{array}{r}
5z^{-1} + 15z^{-2} + 35z^{-3} + \cdots \\
1 - 3z^{-1} + 2z^{-2}\overline{)5z^{-1}\phantom{+ 15z^{-2} + 35z^{-3}}} \\
5z^{-1} - 15z^{-2} + 10z^{-3} \\
\hline
15z^{-2} - 10z^{-3} \\
15z^{-2} - 45z^{-3} + 30z^{-4} \\
\hline
35z^{-3} - 30z^{-4} \\
35z^{-3} - 105z^{-4} + 70z^{-5} \\
\hline
75z^{-4} - 70z^{-5} \\
\vdots
\end{array}
$$

$$F(z) = 5z^{-1} + 15z^{-2} + 35z^{-3} + \cdots$$

相应的脉冲采样函数为

$$f^*(t) = 5\delta(t-T) + 15\delta(t-2T) + 35\delta(t-3T) + \cdots$$

3.3.4.2　部分分式法

长除法只有在只需数值序列最初 n 个数值时可以使用,而部分分式法可以求出采样函数的表达式和对应的一个时间函数。具体方法是:

基本函数的 Z 变换已列成表 3.2,已知 $F(z)$ 用部分分式法展开为表内所列基本函数之和,就可以从表中查出脉冲采样函数的闭合形式。

例3.14 求下式的 Z 反变换。

$$F(z) = \frac{5z}{z^2 - 3z + 2}$$

解: 由于表 3.2 各项 Z 变换式普遍含有因式 z,所以我们先把 $F(z)$ 中的因子 z 提出:

$$F(z) = z \cdot \left[\frac{5}{z^2 - 3z + 2} \right] = z \cdot \left[\frac{5}{z-2} - \frac{5}{z-1} \right]$$

利用部分分式法,进一步写成表 3.2 的形式

$$F(z) = \frac{5z}{z-2} - \frac{5z}{z-1}$$

利用表 3.2 的序号 8 和序号 4 的公式,就可求得

$$f^*(t) = 5[2^k - 1]\delta_T(t), k = 0, 1, 2\cdots$$

3.3.4.3　留数法

实际问题中遇到的 $F(z)$，有有理公式，也有超越函数，用留数法求解都是适用的，由于这种方法要用到柯西留数定理，故称留数法。

在留数法中，采样函数 $f^*(t)$ 等于 $F(z)z^{k-1}$ 各个极点上留数之和，即

$$f(kT) = \sum_{i=1}^{m} R_{es}[F(z)z^{k-1}]_{z=z_i} \tag{3.69}$$

式中，z_i 表示 $F(z)$ 中的第 i 个极点，全部极点为 m 个；$R_{es}[F(s)z^{k-1}]_{z=z_i}$ 代表在 $z = z_i$ 处的留数。

极点上的留数分两种情况求取。

(1)单极点情况：

$$R_{es}[F(z)z^{k-1}]_{z=z_i} = [(z - z_i)F(z)z^{k-1}]_{z=z_i} \tag{3.70}$$

(2)n 阶重极点情况：

$$R_{es}[F(z)z^{k-1}]_{z=z_i} = \frac{1}{(n-1)!}\frac{d^{n-1}}{dz^{n-1}}[(z - z_i)^n F(z)z^{k-1}]_{z=z_i} \tag{3.71}$$

例 3.15　求 $F(z) = \dfrac{5z}{z^2 - 3z + 2}$ 的反变换。

解：$F(z)$ 中有两个单极点 $z_1 = 2, z_2 = 1, m = 2$。利用式(3.70)求出对于这两个极点的留数 $z = z_1 = 2$，$R_{es}[F(z)z^{k-1}]_{z=z_1} = [(z - z_1)F(z)z^{k-1}]_{z=z_1}$

$$= [(z - 2)\frac{5z}{(z - 2)(z - 1)}z^{k-1}]_{z=2}$$

$$= 5 \times 2^k$$

$$z = z_2 = 1, R_{es}[F(z)z^{k-1}]_{z=z_2} = [(z - 1)\frac{5z}{(z - 2)(z - 1)}z^{k-1}]_{z=1}$$

$$= -5 \times 1^k = -5$$

根据式(3.69)有

$$f(kT) = \sum_{i=1}^{2} R_{es}[F(z)z^{k-1}]_{z=z_i} = 5 \times 2^k - 5 = 5(2^k - 1)$$

$$f^*(t) = \sum_{k=0}^{\infty} 5(2^k - 1)\delta(t - kT)$$

例 3.16　求取 $\dfrac{z}{(z - 2)(z - 1)^2}$ 的反变换。

解：$F(z)$ 中有一个单极点和二个重极点

$$z_1 = 2, z_{2,3} = 1, m = 2, n = 2$$

利用式(3.69)求出 $z = z_1 = 2$ 时的留数

$$R_{es}[F(z)z^{k-1}]_{z=z_1} = [(z - 2)\frac{z}{(z - 2)(z - 1)^2}z^{k-1}]_{z=2} = 2^k$$

利用式(3.71)求出 $z = z_{2,3} = 1$ 的留数 $n = 2$。

$$R_{es}[F(z)z^{k-1}]_{z=z_{2,3}} = \frac{1}{(2-1)!}\frac{d}{dz}[(z - 1)^2 \cdot \frac{z}{(z - 2)(z - 1)^2} \cdot z^{k-1}]_{z=1}$$

$$= \frac{\mathrm{d}}{\mathrm{d}z} \left[\frac{z^k}{(z-2)} \right]_{z=1} = \left[\frac{kz^k(z-2) - z^k}{(z-1)^2} \right]_{z=1} = -k-1$$

$$f(kT) = 2^k - k - 1$$

$$f^*(t) = \sum_{k=0}^{\infty} (2^k - k - 1)\delta(t - kT)$$

留数计算法的优点是给出了直接求 Z 变换的闭合表达式的公式,并且不用查常用函数 Z 变换表。它的缺点是用了复变函数的数学方法,对有些人不熟悉,但是如果按着规定步骤求解,也是很简单的。

3.4 用 Z 变换求解差分方程

用 Z 变换求解差分方程的步骤是对差分方程求 Z 变换,得到 $F(z)$ 的表达式,然后通过 Z 反变换求出采样函数 $f^*(t)$。

例 3.17 求解齐次差分方程

$$f(k+2) + 3f(k+1) + 2f(k) = 0$$

初始条件:$f(0) = 0$, $f(1) = 1$

解:由超前定理式(3.57),得

$$Z[f(k)] = F(z)$$

$$Z[f(k+1)] = zF(z) - zf(0)$$

$$Z[f(k+2)] = z^2F(z) - z^2f(0) - zf(1)$$

代入原式得

$$z^2F(z) - z^2f(0) - zf(1) + 3zF(z) - 3zf(0) + 2F(z) = 0$$

代入初始条件得

$$z^2F(z) - z + 3zF(z) + 2F(z) = 0$$

整理后得

$$F(z) = \frac{z}{(z+1)(z+2)}$$

利用部分分式法可化成

$$F(z) = \frac{z}{z+1} - \frac{z}{z+2}$$

查 Z 变换表得

$$f(k) = (-1)^k - (-2)^k$$

$$f^*(t) = \sum_{k=0}^{\infty} [(-1)^k - (-2)^k]\delta(t - kT)$$

例 3.18 求解下列非齐次差分方程

$$f(k+2) - 3f(k+1) + 2f(k) = \delta(t)$$

其中,初始条件为:$f(0) = 0$, $f(1) = 0$

$$输入条件为:\delta(t) = \begin{cases} \infty & t = 0 \\ 0 & t \neq 0 \end{cases}$$

解:$z[\delta(k)] = 1$,对原式两端求 Z 变换并代入初始条件为

$$z^2F(z) - 3zF(z) + 2F(z) = 1$$

因此

$$F(z) = \frac{1}{(z-1)(z-2)}$$

$$= \frac{-1}{z-1} + \frac{1}{z-2}$$

由于上式 Z 变换中查不出反变换,则利用下述关系

$$Z[f(k+1)] = zF(z) - zf(0)$$

将初始条件 $f(0) = 0$ 代入,得

$$Z[f(k+1)] = zF(z)$$

将 $F(z)$ 代入,得

$$Z[f(k+1)] = \frac{-z}{z-1} + \frac{z}{z-2}$$

经反变换为

$$f(k+1) = 2^k - 1^k \qquad (k = 0, 1, 2, \cdots)$$

或者

$$f(k) = 2^{k-1} - 1$$

所以

$$f^*(t) = \sum_{k=0}^{\infty} (2^{k-1} - 1) \delta(t - kT)$$

例 3.19 用 Z 变换方法求解例 3.2 所给的差分方程

$$u(k) - 8u(k-1) + 12u(k-2) = 0$$

初始条件为

$$u(1) = 1, u(2) = 3$$

解: 由滞后定理式(3.55)得

$$Z[u(k)] = U(z)$$
$$Z[u(k-1)] = z^{-1}U(z) + u(-1)$$
$$Z[u(k-2)] = z^{-2}U(z) + z^{-1}u(-1) + u(-2)$$

上式中的 $u(-1), u(-2)$ 可由原式和初始条件解出。当 $k = 2$, $u(2) - 8u(1) + 12u(0) = 0$

$$u(0) = \frac{8u(1) - u(2)}{12} = \frac{8 \times 1 - 3}{12} = \frac{5}{12}$$

当 $k = 1$, $u(1) - 8u(0) + 12u(-1) = 0$

$$u(-1) = \frac{8u(0) - u(1)}{12} = \frac{7}{36}$$

当 $k = 0$, $u(0) - 8u(-1) + 12u(-2) = 0$

$$u(-2) = \frac{8u(-1) - u(0)}{12} = \frac{41}{432}$$

代入原式得

$$U(z) - 8[z^{-1}U(z) + u(-1)] + 12[z^{-2}U(z) + z^{-1}u(-1) + u(-2)] = 0$$

代入初始条件整理得

$$U(z) = \frac{15/36 - (21/9)z^{-1}}{(1 - 6z^{-1})(1 - 2z^{-1})}$$

利用部分分式可化成

$$U(z) = \frac{0.0419}{1-6z^{-1}} + \frac{0.375}{1-2z^{-1}}$$

经反变换为

$$u^*(t) = \sum_{k=0}^{\infty} \left[\frac{1}{24}(6^k) + \frac{3}{8}(2^k) \right] \delta(t-kT)$$

$$u(0) = 0.416, \ u(1) = 1, \ u(2) = 3, \ u(3) = 12\cdots$$

3.5 脉冲传递函数

线性连续系统的性能指标,主要用传递函数来描述;线性离散控制系统的性能指标,主要用脉冲传递函数来描述。脉冲传递函数也称为 Z 传递函数。

3.5.1 脉冲传递函数的定义

线性离散控制系统,在零初始条件下,一个系统(或环节)输出脉冲序列的 Z 变换与输入脉冲序列的 Z 变换之比,被定义为该系统(或环节)的脉冲传递函数。用公式表示:

$$W(z) = \frac{Y(z)}{X(z)} = \frac{\text{输出脉冲序列的 Z 变换}}{\text{输入脉冲序列的 Z 变换}} \tag{3.72}$$

应当指出,无论是连续还是离散系统,而且是零初始条件下,即 $x(-1), x(-2T), x(-3T)\cdots$ $y(-T), y(-2T), \cdots$ 均为零,同时脉冲传递函数也仅取决于本身的特性,与输入量无关。

描述脉冲传递函数的方框图如图 3.21 所示。

通常物理系统的输出量是时间的连续函数,在图 3.21 中是 $y(t)$,但是由于 Z 变换定义的原

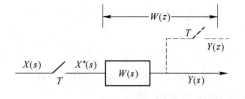

图 3.21 脉冲传递函数

函数是离散化了的脉冲序列,它只能给出采样时刻的特性。所以这里求系统(或环节)的脉冲传递函数,实际上是取该系统(或环节)的脉冲序列做输出量,这就是图 3.21 中输出端加虚线所示的同步开关的原因。

3.5.2 脉冲传递函数的推导

3.5.2.1 由单位脉冲响应推出脉冲传递函数 $W(z)$

由单位脉冲响应推出脉冲传递函数,可以从概念上掌握脉冲传递函数的物理意义。

当输入信号为 $x(t)$ 被采样后脉冲序列 $x^*(t)$,它可表示为

$$x^*(t) = x(0)\delta(t) + x(T)\delta(t-T) + \cdots + x(kT)\delta(t-kT) + \cdots$$

这一系列脉冲作用于连续系统(或环节)$W(s)$ 时,该系统(或环节)输出各脉冲响应之和,如图 3.22 所示。

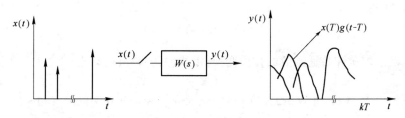

图 3.22 脉冲响应

如在 $0 \leqslant t < T$ 时间间隔内,作用于 $W(s)$ 的输入脉冲为 $x(0T)$,则 $W(s)$ 的输出响应为

$$y(t) = x(0T)g(t)$$

式中,$g(t)$ 为系统(或环节)的单位脉冲响应。满足如下关系

$$g(t) = \begin{cases} g(t) & t \geqslant 0 \\ 0 & t < 0 \end{cases}$$

在 $T \leqslant t < 2T$ 时间间隔内,系统是在两个输入脉冲作用下:一个是 $t = 0$ 时的 $x(0T)$ 的脉冲作用,它产生的脉冲响应依然存在;另一个是 $t = T$ 时的 $x(t)$ 脉冲作用,所以在此区间的脉冲响应为

$$y(t) = x(0T)g(t) + x(T)g(t - T)$$

式中,$g(t - T) = \begin{cases} g(t) & t \geqslant T \\ 0 & t < T \end{cases}$

所以,当系统或环节的输入为一系列脉冲时,输出应为各个脉冲响应之和。这样,在 $kT \leqslant t < (k+1)T$ 的时间,输出响应为

$$y(t) = \sum_{i=1}^{k} g(t - iT)x(i)$$

同理,式中

$$g(t - iT) = \begin{cases} g(t) & t \geqslant iT \\ 0 & t < iT, i = 0, 1, 2, \cdots \end{cases}$$

在 $t = kT$ 时刻,输出的脉冲值是 kT 时刻和 kT 时刻以前的所有输入脉冲在该时刻脉冲响应的总和,故

$$y(kT) = \sum_{i=0}^{k} g[(k - i)T]x(iT)$$

就是说,kT 时刻以后的一系列输入脉冲,即 $x[(k+1)T], x[(k+2)T], \cdots$ 不会对 kT 时刻的输出有任何影响。因此,上式的求和上限 k 可以扩展成 ∞,故式又可写成

$$y(kT) = \sum_{i=0}^{\infty} g[(k - i)T]x(iT)$$

由卷积定理可得

$$Y(z) = W(z)X(z)$$

式中,$X(z)$,$Y(z)$,$W(z)$ 分别是函数 $x(t)$,$y(t)$,$g(t)$ 的 Z 变换式。由此可得

$$W(z) = \frac{Y(z)}{X(z)}$$

3.5.2.2　由拉氏变换求出 $W(z)$

由图 3.21 得

$$Y(s) = W(s)X^*(s)$$

对等式两边取脉冲传递函数的拉氏变换,由式(3.9)$F^*(s) = \dfrac{1}{T} \sum\limits_{k=-\infty}^{\infty} F(s + jk\omega_s)$ 可得

$$Y^*(s) = [W(s)X^*(s)]^* = \frac{1}{T} \sum_{k=-\infty}^{\infty} W(s + jk\omega_s) \cdot X^*(s)$$

$$= W^*(s)X^*(s) \tag{3.73}$$

所以,用 Z 变换式表示为

$$Y(z) = W(z)X(z)$$

$$W(z) = \frac{Y(z)}{X(z)}$$

3.5.2.3 由差分方程求 $W(z)$

设有一线性离散控制系统用下列差分方程来描述:

$$y(k) + a_1 y(k-1) + a_2 y(k-2) + \cdots + a_n y(k-n)$$
$$= b_0 x(k) + b_1 x(k-1) + \cdots + b_m x(k-m)$$

在零初始条件下,对上式两边取 Z 变换,得

$$(1 + a_1 z^{-1} + a_2 z^{-2} + \cdots + a_n z^{-n})Y(z)$$
$$= (b_0 + b_1 z^{-1} + \cdots + b_m z^{-m})X(z)$$

所以该离散系统的脉冲传递函数为

$$W(z) = \frac{Y(z)}{X(z)} = \frac{b_0 + b_1 z^{-1} + \cdots + b_m z^{-m}}{1 + a_1 z^{-1} + \cdots + a_n z^{-n}} \tag{3.74}$$

在处理实际系统时,若给出了系统或环节的差分方程式,则可用式(3.74)求其对应的脉冲传递函数。

3.5.3 开环系统脉冲传递函数

3.5.3.1 串联各环节间有采样开关的情况

如图 3.23 所示,可由脉冲传递函数定义直接求出

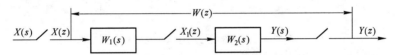

图 3.23 串联环节间有采样开关

第一个环节 $X_1(z) = W_1(z)X(z)$,第二个环节 $Y(z) = W_2(z)X_1(z)$,系统总的脉冲传递函数为:

$$W(z) = \frac{Y(z)}{X(z)} = W_1(z)W_2(z) \tag{3.75}$$

这就是说,中间有采样开关的串联环节,其脉冲传递函数等于各环节脉冲传递函数的乘积。

3.5.3.2 串联各环节间没有采样开关的情况

如图 3.24 所示。根据脉冲函数定义得:

$$W(z) = Z[W_1(s)W_2(s)] = W_1 W_2(z) \tag{3.76}$$

可以看出,中间没有采样开关时,其总的传递函数等于各环节传递函数相乘后再取 Z 变换。

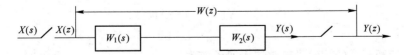

图 3.24 串联环节间没有采样开关

例 3.20 已知 $W_1(s) = \dfrac{1}{s}$,$W_2(s) = \dfrac{a}{s+a}$,试求中间有、没有采样开关时的 $W(z)$。

解: 中间有采样开关时

$$W_1(z) = Z\left[\frac{1}{s}\right] = \frac{1}{1-z^{-1}}, \quad W_2(z) = Z\left[\frac{a}{s+a}\right] = \frac{a}{1-e^{-aT}z^{-1}}$$

$$W(z) = W_1(z)W_2(z) = \frac{a}{(1-z^{-1})(1-e^{-aT}z^{-1})}$$

中间没有采样开关时

$$W(z) = Z[W_1(s)W_2(s)] = z\left[\frac{1}{s}\cdot\frac{a}{s+a}\right]$$

$$= Z\left[\frac{1}{s} - \frac{1}{s+a}\right] = \frac{1}{1-z^{-1}} - \frac{1}{1-e^{-aT}z^{-1}}$$

$$= \frac{(1-e^{-aT})z^{-1}}{(1-z^{-1})(1-e^{-aT}z^{-1})}$$

由上两式可看出,有无采样开关,其脉冲传递函数是不同的,但极点是相同的。

3.5.3.3 并联环节的脉冲传递函数

对于图 3.25a 与 b 情况,有

$$W(z) = Z[W_1(s)] + Z[W_2(s)] = W_1(z) + W_2(z)$$

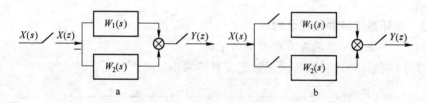

图 3.25 两个环节并联

3.5.4 闭环系统脉冲传递函数

闭环系统脉冲传递函数的求取,同样也必须注意到在闭环的各个通道,以及各环节之间是否有采样开关,因为有无采样开关,所得的闭环脉冲传递函数是不一样的。下面推导几种典型闭环系统的脉冲传递函数。

图 3.26 为误差离散系统,它是具有负反馈的线性离散系统,$W_1(s)$ 与 $H(s)$ 分别表示正向通道与反馈通道的传递函数。输出函数的拉氏变换为:

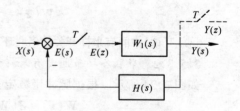

图 3.26 误差离散系统结构图

$$Y(s) = E^*(s)W_1(s)$$

由式(3.73)可得脉冲传递函数为

$$Y(z) = E(z)W_1(z) \qquad (3.77)$$

又因误差信号的拉氏变换为

$$E(s) = X(s) - Y(s)H(s)$$

$$= X(s) - E^*(s)W_1(s)H(s)$$

由式(3.73)和式(3.76)可得脉冲传递函数为

$$E(z) = X(z) - E(z)W_1H(z)$$

所以误差脉冲传递函数为

$$\frac{E(z)}{X(z)} = \frac{1}{1 + W_1 H(z)} = \frac{1}{1 + W_K(z)} \qquad (3.78)$$

式中,$W_K(z)$ 为开环脉冲传递函数。

闭环脉冲传递函数由式(3.77)和式(3.78)求得

$$W_B(z) = \frac{Y(z)}{X(z)} = \frac{W_1(z)}{1 + W_1 H(z)}$$

若系统反馈为单位反馈,即 $H(s) = 1$,则

$$W_B(z) = \frac{W_1(z)}{1 + W_1(z)} \qquad (3.79)$$

图 3.27 为具有数字校正装置的闭环离散系统,在该系统的正向通道中,有脉冲传递函数为 $D(z)$ 的数字校正装置,可由计算机软件来实现,其作用与连续系统中的串联校正装置相同。输出函数的拉氏变换为

$$Y(s) = E^*(s)D^*(s)W(s)$$

脉冲传递函数为

$$Y(z) = E(z)D(z)W(z) \qquad (3.80)$$

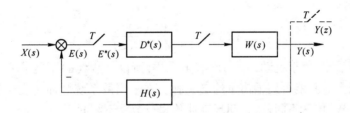

图 3.27 具有数字校正的离散系统结构图

又因误差信号的拉氏变换为

$$E(s) = X(s) - Y(s)H(s) = X(s) - E^*(s)D^*(s)W(s)H(s)$$

脉冲传递函数为

$$E(z) = X(z) - E(z)D(z)WH(z)$$

所以误差脉冲传递函数为

$$\frac{E(z)}{X(z)} = \frac{1}{1 + D(z)WH(z)} = \frac{1}{1 + W_K(z)} \qquad (3.81)$$

式中,$W_K(z)$ 为开环脉冲传递函数。闭环脉冲传递函数可由式(3.80)与式(3.81)得

$$W_B(z) = \frac{Y(z)}{X(z)} = \frac{D(z)W(z)}{1 + D(z)WH(z)} \qquad (3.82)$$

图 3.28 所示,该系统连续部分的扰动输入信号 $N(s)$,对输出量的影响常是衡量系统性能的一个重要指标。分析方法与连续系统一样,在求输出对扰动的脉冲传递函数时,通常设定输入量 $x(t) = 0$。

为了求输出与扰动之间的关系,首先将图 3.28 变换为图 3.29,由图 3.29 得输出的拉氏变换式为

$$Y(s) = [N(s) - Y^*(s)W_1(s)]W_2(s)$$
$$= N(s)W_2(s) - Y^*(s)W_1(s)W_2(s)$$

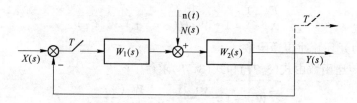

图 3.28 扰动输入时采样系统结构图

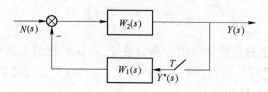

图 3.29 扰动输入的等效结构图

脉冲传递函数为

$$Y(z) = NW_2(z) - Y(z)W_1W_2(z)$$

所以

$$Y(z) = \frac{NW_2(z)}{1 + W_1W_2(z)} \tag{3.83}$$

由上式可以看出,由于扰动 $N(s)$ 没有被采样,所以 $NW_3(z)$ 不能分开,不能得到对扰动的脉冲传递函数。只能得到输出量的 Z 变换。在求离散系统脉冲传递函数时,应特别注意采样开关的位置,位置不同,所得闭环脉冲传递函数就不相同。

3.6 用脉冲传递函数求解离散系统过渡过程

3.6.1 闭环系统的过渡过程

脉冲传递函数用来描述离散控制系统的性能,可以用它分析离散控制系统的过渡过程稳态误差及稳定性。下面举例说明。

例3.21 如图3.30所示离散控制系统

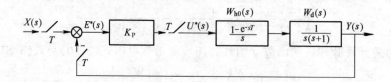

图 3.30 有零阶保持器的二阶采样系统

已知采样周期 $T = 1\text{s}$,输入为单位阶跃函数 $X(s) = \dfrac{1}{s}$,$D(z) = K_P$,$K_P = 1$

求:系统的过渡过程与稳态误差。

解: 闭环系统的过渡过程。系统的闭环传递函数为

$$W_B(z) = \frac{Y(z)}{X(z)} = \frac{D(z)W_{h0}W_d(z)}{1 + D(z)W_{h0}W_d(z)} = \frac{W_K(z)}{1 + W_K(z)}$$

式中

$$W_K(z) = D(z)W_{h0}W_d(z) = D(z)Z[W_{h0}(s)W_d(s)]$$

$$= K_P Z\left[\frac{1-e^{-sT}}{s} \cdot \frac{1}{s(s+1)}\right]$$

$$= K_P(1-z^{-1})z\left[\frac{1}{s^2} - \frac{1}{s} + \frac{1}{s+1}\right]$$

$$= K_P(1-z^{-1})\left[\frac{Tz^{-1}}{(1-z^{-1})^2} - \frac{1}{1-z^{-1}} + \frac{1}{1-e^{-T}z^{-1}}\right]$$

$$= \frac{e^{-1}z^{-1} + z^{-2} - 2e^{-1}z^{-2}}{1-(1+e^{-1})z^{-1} + e^{-1}z^{-2}} = \frac{0.368z^{-1} + 0.264z^{-2}}{1-1.368z^{-1} + 0.368z^{-2}}$$

$$W_B(z) = \frac{Y(z)}{X(z)} = \frac{0.368z^{-1} + 0.264z^{-2}}{1-z^{-1} + 0.632z^{-2}}$$

单位阶跃输入 Z 变换

$$X(z) = Z[x(t)] = \frac{1}{1-z^{-1}}$$

代入上式得

$$Y(z) = \frac{0.368z^{-1} + 0.264z^{-2}}{1-2z^{-1} + 1.632z^{-2} - 0.632z^{-3}}$$

$$= 0.368z^{-1} + z^{-2} + 1.4z^{-3} + 1.4z^{-4} + 1.147z^{-5} + \cdots$$

因为

$$Y(z) = \sum_{k=0}^{\infty} y(kT)z^{-k}$$

所以,可以得出离散系统输出量在各个采样时刻上的离散值 $y(k)$,即

$$y(0) = 0, y(1) = 0.368, y(2) = 1, y(3) = 1.4, y(4) = 1.4$$
$$y(5) = 1.147, y(6) = 0.895, y(7) = 0.802, y(8) = 0.868\cdots$$

离散系统在单位阶跃函数作用下的过渡过程曲线如图 3.31 所示。

3.6.2 闭环系统稳定误差

闭环系统误差脉冲传递函数为

$$\frac{W(z)}{X(z)} = \frac{X(z) - Y(z)}{X(z)} = 1 - W_B(z)$$

所以

$$E(z) = [1 - W_B(z)]X(z)$$

$$= \frac{1-1.368z^{-1} + 0.368z^{-2}}{1-z^{-1} + 0.632z^{-2}} \cdot \frac{1}{1-z^{-1}}$$

根据 Z 变换的终值定理式(3.60)来计算稳定误差,即

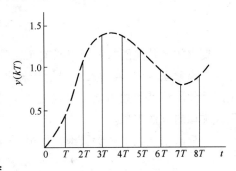

图 3.31 离散系统过渡过程曲线

$$\lim_{t \to \infty} e(t) = \lim_{z \to 1}(1-z^{-1})E(z)$$

$$= \lim_{z \to 1}(1-z^{-1})\frac{1-1.368z^{-1} + 0.368z^{-2}}{1-z^{-1} + 0.632z^{-2}} \cdot \frac{1}{1-z^{-1}} = 0$$

按照上述方法,可以分析和求出系统分别在速度函数和加速度函数输入时的过渡过程与稳态误差。

3.7　线性离散控制系统稳定性分析

　　稳定性是设计计算机控制系统首先要考虑的问题。分析稳定性的基础是 Z 变换,由于 Z 变换与研究连续系统的 S 变换在数学上的内在联系,使我们有可能经过一定的变换把分析连续系统的稳定性的方法引入到离散控制系统中来。所以我们首先由 S 平面上稳定条件来分析 Z 平面上的稳定条件。然后再研究 S 平面到 Z 平面的映射,最后分析研究闭环脉冲传递函数极点的位置与暂态特性的关系。

3.7.1　Z 平面上系统稳定的条件

　　在连续系统中,闭环传递函数可以写成两个多项式之比。

$$\frac{Y(s)}{X(s)} = \frac{b_0 s^m + b_1 s^{m-1} + \cdots + b_{m-1} s + b_m}{s^n + a_1 s^{n-1} + \cdots + a_{n-1} s + a_n}$$

　　系统稳定条件是闭环传递函数的全部极点位于 S 平面的左半平面内。因为在一连续系统内,当输入为一有界信号时,例如最简单情况,令 $x(t) = 1(t)$(系统稳定性与输入信号无关),输出拉氏变换为

$$Y(s) = \frac{b_0 s^m + b_1 s^{m-1} + \cdots + b_{m-1} s + b_m}{s^n + a_1 s^{n-1} + \cdots + a_{n-1} s + a_n} \cdot \frac{1}{s}$$

$$= \frac{A_0}{s} + \frac{A_1}{s + p_1} + \frac{A_2}{s + p_2} + \cdots + \frac{A_n}{s + p_n}$$

它的时间函数为

$$y(t) = A_0 + A_1 e^{-p_1 t} + A_2 e^{-p_2 t} + \cdots + A_n e^{-p_n t}$$

$$= A_0 + \sum_{i=1}^{n} A_i e^{-p_i t}$$

式中,$s_i = -P_i (i = 1, 2, 3, \cdots)$为闭环传递函数的极点。

　　可见,当 $t \to \infty$,系统输出不趋于无穷大的条件是所有暂态项趋于零,即

$$\lim_{t \to \infty} \sum_{i=1}^{n} A_i e^{-p_i t} \to 0$$

要求闭环传递函数的极点具有负实部,或者极点均分布在 S 平面的左半平面。

　　在离散系统中,若输入序列是有限的,其输出序列也是有限的,则离散系统稳定的条件是闭环脉冲传递函数的全部极点位于 Z 平面上以原点为圆心的单位圆内。可以用与连续系统类似的方法求出。

　　设离散系统在单位阶跃函数作用下,其输出的 Z 变换为

$$Y(z) = \frac{b_0 z^m + b_1 z^{m-1} + \cdots + b_{m-1} z^{+1} + b_m}{z^n + a_1 z^{n-1} + \cdots + a_{n-1} z^{+1} + a_n} \cdot \frac{z}{z - 1}$$

$$= \frac{A_0 z}{z - 1} + \frac{A_1 z}{z + P_1} + \frac{A_2 z}{z + P_2} + \cdots + \frac{A_n z}{z + P_n}$$

$$= \frac{A_0 z}{z - 1} + \sum_{i=1}^{n} A_i \frac{z}{z + P_i}$$

式中,$z_i = -P_i (i = 1, 2, 3, \cdots)$为闭环脉冲传递函数的极点。对上式取反变换,并写成序列形式为

$$y(k) = A_0 1(k) + \sum_{i=1}^{n} A_i z_i^k$$

式中,第一项为系统的稳态分量,第二项为系统的暂态分量。显然,若系统是稳定的,当 k 趋于无穷大时,系统输出的暂态分量应趋于零,即

$$\lim_{k \to \infty} \sum_{i=1}^{n} A_i z_i^k \to 0$$

为满足这一条件,要求闭环系统脉冲传递函数的全部极点 $z_i(i=1,2,3,\cdots,n)$ 满足

$$|z_i| < 1 \tag{3.84}$$

这一条件说明系统稳定条件是闭环脉冲传递函数的全部极点 $z_i(i=1,2,3,\cdots,n)$ 位于 Z 平面上以原点为圆心的单位圆内。

应当指出,上述稳定条件虽然是从没有重极点或复数极点的情况下推导出来的,但是对于有重极点或复数极点的情况,上述结论也是成立的。系统只要有一个极点在单位圆之外,系统就不稳定。

3.7.2 S 平面到 Z 平面的映射

离散系统的稳定条件也可由 S 平面与 Z 平面间的关系得到进一步说明。

复变量 s 与 z 的关系为

$$z = e^{sT}$$

式中,T 为采样周期。

首先把 S 平面主频带的左半平面映射到 Z 平面上,如图 3.32 所示。

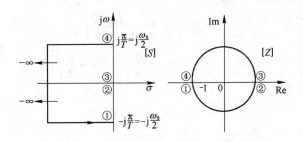

图 3.32 S 平面到 Z 平面的映射

在 $j\omega$ 轴上,S 沿 $j\omega$ 轴由①点向④点移动,这时 $s = j\omega$,$z = e^{j\omega T}$,$e^{j\omega T}$ 是 Z 面上的一个向量,其模等于 1,与频率无关,其相角为 ωT,随频率 ω 而改变。当频率 ω 由 $-\dfrac{\pi}{T}(-\dfrac{\omega_s}{2})$ 变化到 $+\dfrac{\pi}{T}(+\dfrac{\omega_s}{2})$ 时,$z = e^{j\omega T}$ 的相角由 $-\pi$ 变至 $+\pi$,即由①点变到④点,在 Z 平面上对应于以原点为圆心的单位圆。若 S 沿 $j\omega$ 轴由 $-\infty$ 向 $+\infty$ 移动,$z = e^{j\omega T}$ 的轨迹仍然是个以原点为圆心的单位圆,只不过在 Z 平面的轨迹沿着单位圆转了无数圈。

当 $s = \sigma + j\omega$ 时,$z = e^{sT} = e^{(\sigma + j\omega)T} = e^{\sigma T} e^{j\omega T}$,其幅值为 $|z| = e^{\sigma T}$,当 s 位于 S 平面虚轴的左半部时,σ 为负数,这时 $|z| < 1$,反之,若 s 位于虚轴的右半部时,σ 为正数,$|z| > 1$。

由此可见,S 平面左半部映射到 Z 平面的以原点为圆心的单位圆内。

S 平面到 Z 平面的映射关系是:

$$
\begin{array}{ll}
\text{在 } S \text{ 平面内} & \text{在 } Z \text{ 平面内} \\
\sigma_i > 0 \text{ 系统不稳定} & |z_i| > 1 \\
\sigma_i = 0 \text{ 临界稳定} & |z_i| = 1 \\
\sigma_i < 0 \text{ 系统稳定} & |z_i| < 1
\end{array}
$$

S 平面到 Z 平面的映射如图 3.33 所示。

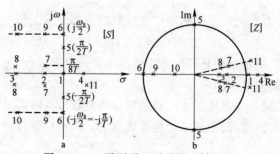

图 3.33　S 平面到 Z 平面的映射关系

a—极点在[S]平面的位置；b—极点在[Z]平面的位置

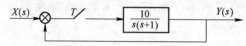

图 3.34　离散控制系统

例 3.22　图 3.34 所示系统,试分析系统的稳定性。图中采样周期 $T = 1\text{s}$

解: 系统开环脉冲传递函数为

$$
\begin{aligned}
W_K(z) &= Z\left[\frac{10}{s(s+1)}\right] \\
&= \frac{10z(1 - e^{-T})}{(z-1)(z - e^{-T})}
\end{aligned}
$$

闭环系统特征方程为

$$
1 + W_K(z) = 0
$$

$$
(z-1)(z - e^{-T}) + 10z(1 - e^{-T}) = 0
$$

因 $T = 1\text{s}$,所以 $e^{-1} = 0.368$,代入并整理得

$$
z^2 + 4.952z + 0.368 = 0
$$

解之得

$$
z_1 = -0.076, z_2 = -4.87
$$

由于 $|z_2| > 1$,所以系统是不稳定的。

3.7.3　闭环脉冲传递函数极点的位置与暂态响应的关系

在离散控制系统中,闭环脉冲传递函数的极点在 Z 平面单位圆上和内、外的不同位置时,系统的暂态特性是不同的。

在单位阶跃输入下,系统的输出为

$$
y(k) = A_0 1(k) + \sum_{i=1}^{n} A_i z_i^k \tag{3.85}
$$

式中,z_i 为闭环系统脉冲传递函数在 Z 平面上的极点,可表示为

$$
z_i = |z_i| e^{j\theta_i}
$$

θ_i 表示极点 z_i 在 Z 平面的矢量与正实轴的夹角,如图 3.35 所示。

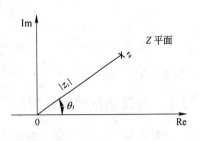

图 3.35 极点 Z_i 在 Z 平面的位置

下面分 2 种情况加以讨论。

3.7.3.1 极点位于 Z 平面实轴上的情况

在式(3.85)中,由极点给出的暂态响应分量为

$$y_i(k) = A_i z_i^k = A_i |z_i| e^{jk\theta_i} \qquad (3.86)$$

z_i 在正实轴上,$\theta_i = 0$ 所以

$$y_i(k) = A_i |z_i|^k$$

在单位圆内 $|z_i| < 1$,当 k 增加时,$y_i(k)$ 为单调衰减过程;在单位圆外 $|z_i| > 1$,当 k 增加时,$y_i(k)$ 是单调发散过程;在单位圆上 $z_i = 1$。当 k 增加时,$y_i(k)$ 不变,为常值的脉冲序列。

z_i 在负实轴上,$\theta_i = \pi$,所以

$$y_i(k) = A_i |z_i|^k e^{jk\pi}$$

因为 $e^{jk\pi} = \cos k\pi + j\sin k\pi$,所以当 $k=1$ 时,$e^{j\pi} = -1$;当 $k=2$ 时,$e^{j2\pi} = 1$,$\cdots$,$y_i(k)$ 为正负交替的震荡过程。在单位圆内 $|z_i| < 1$,当 k 增加时,$y_i(k)$ 为震荡衰减过程;在单位圆外 $|z_i| > 1$,当 k 增加时,$y_i(k)$ 是震荡发散过程;在单位圆上 $|z_i| = 1$,当 k 增加时,$y_i(k)$ 为等幅震荡过程。

3.7.3.2 极点位于 Z 平面复平面上的情况

设 z_i 与 $\bar{z}_i$ 为一对共轭复极点,它们可分别表示为

$$z_i = |z_i| e^{j\theta_i}, \bar{z}_i = |z_i| e^{-j\theta_i}$$

对应的暂态响应分量为:

$$y_{iz} = A_i z_i^k, \bar{y}_{iz} = \bar{A}_i \bar{z}_i^k$$

式中,A_i、$\bar{A}_i$ 是由部分分式求得的系数,它们都是复数,分别表示为

$$A_i = |A_i| e^{j\theta_{A_i}}, \bar{A}_i = |A_i| e^{-j\theta_{A_i}}$$

将 A_i、$\bar{A}_i$ 和 Z_i、$\bar{Z}_i$ 分别代入上式,则共轭极点产生的暂态量为

$$\begin{aligned} y_i(k) &= y_{iz_i}(k) + \bar{y}_{iz_i}(k) \\ &= |A_i||z_i|^k e^{j(k\theta_i + \theta_{A_i})} + |A_i||z_i|^k e^{-j(k\theta_i + \theta_{A_i})} \\ &= 2|A_i||z_i|^k \cos(k\theta_i + \theta_{A_i}) \end{aligned} \qquad (3.87)$$

显然,同上面分析一样,极点在单位圆内 $|z_i| < 1$,系统响应为衰减震荡过程,极点在单位圆外 $|z_i| > 1$,系统响应为一发散震荡过程。极点在单位圆上 $|z_i| = 1$,系统响应为等幅震荡过程。极点在 Z 平面上的分布及其响应分别如图 3.36、图 3.37 所示。

从图中可见,为使系统的暂态响应超调量小,调整时间短,系统的极点应分布在 Z 平面单位圆内正实轴原点附近。

从图中还可看出,每个循环经过采样周期数 N 与 θ_i 有关,它们之间的关系是:

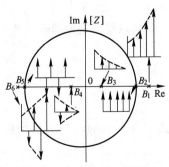

图 3.36 极点位于 Z 平面
实轴上的暂态响应

$$N = 2\pi/\theta_i$$

例如图中对应极点 C_1，当 $\theta_i = \dfrac{\pi}{4}$ 时，$N = 8$，即每经过 8 个采样周期完成一个循环。

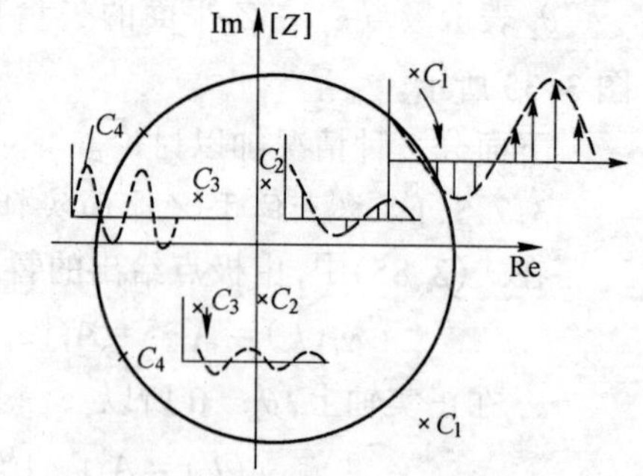

3.8 线性离散控制系统的稳态误差

稳态误差是系统稳态性能的一个重要指标。采样系统的稳态误差和连续系统一样，都和输入信号的类型有关，也和系统本身的特性有关。因此，在分析系统稳态误差时，将从系统的类型和几种典型输入信号开始，利用 Z 变换的终值定理求出。

图 3.37 共轭复数极点的暂态响应

图 3.38

具有单位反馈的采样系统如图 3.38 所示。其误差信号的 Z 变换为

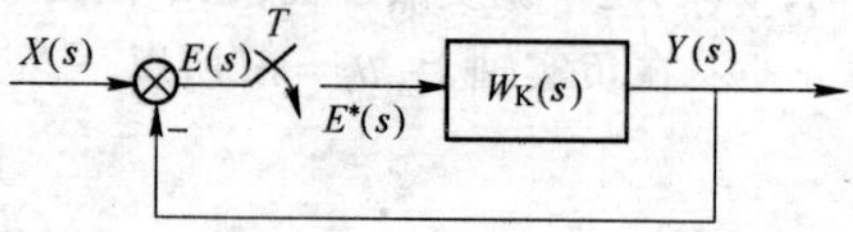

$$E(z) = X(z) - Y(z) = \frac{1}{1 + W_K(z)} X(z)$$

$$(3.88)$$

对于稳定的闭环系统，由 Z 变换的终值定理得：

$$\lim_{t \to \infty} e^*(t) = \lim_{z \to 1} \left(\frac{z-1}{z}\right) \frac{1}{1 + W_K(s)} X(z) = e^*(\infty) \tag{3.89}$$

通常选择 3 种典型的信号做基准信号，即阶跃输入、斜坡输入和抛物线输入信号。采样系统开环脉冲传递函数用它的零极点表示时，一般形式为

$$W_K(z) = \frac{k_g \prod\limits_{i=1}^{m} (z + z_i)}{(z-1)^N \prod\limits_{j=1}^{n-N} (z + p_j)} \tag{3.90}$$

式中，$-z_i$，$-p_j$ 分别表示开环脉冲传递函数的零点和极点；$(z-1)^N$ 表示在 $z = 1$ 处有 N 个重极点；$N = 0, 1, 2$ 时，分别表示为 0 型、1 型和 2 型系统。

3.8.1 单位阶跃输入时采样系统的稳态误差

因为单位阶跃函数的 Z 变换为

$$X(z) = \frac{z}{z-1}$$

所以稳态误差的表达式为

$$
\begin{aligned}
e^*(\infty) &= \lim_{z \to 1} \frac{z-1}{z} \frac{1}{1 + W_K(z)} \frac{z}{z-1} \\
&= \frac{1}{1 + \lim\limits_{z \to 1} W_K(z)} = \frac{1}{1 + k_p}
\end{aligned} \tag{3.91}
$$

式中，$k_p = \lim\limits_{z \to 1} W_K(z)$，称为位置误差系数。

0 型系统：$N = 0$，$k_p = \dfrac{k_g \prod\limits_{i=1}^{m} (1 + z_i)}{\prod\limits_{j=0}^{n} (1 + p_j)} = $ 常数。

1 型系统:$N=1$,$k_p=\infty$,$e^*(\infty)=0$。

2 型系统:$N=2$,$k_p=\infty$,$e^*(\infty)=0$。

3.8.2 单位斜坡输入时系统的稳态误差

因单位斜坡输入时 $X(z)=\dfrac{Tz}{(z-1)^2}$,所以稳态误差为

$$e^*(\infty)=\lim_{z\to1}\frac{z-1}{z}\frac{1}{1+W_K(z)}\frac{Tz}{(z-1)^2}=\frac{1}{k_v} \tag{3.92}$$

式中,$k_v=\dfrac{1}{T}\lim\limits_{z\to1}[(z-1)W_K(z)]$,称为速度误差系数。

0 型系统:$N=0$,$k_v=0$,$e^*(\infty)=\infty$。

1 型系统:$N=1$,$k_v=$ 常数,$e^*(\infty)=$ 常数。

2 型系统:$N=2$,$k_v=\infty$,$e^*(\infty)=0$。

3.8.3 抛物线函数输入时系统的稳态误差

抛物线函数的 Z 变换为

$$X(z)=\frac{T^2z(z+1)}{2(z-1)^3}$$

稳态误差为

$$\begin{aligned}
e^*(\infty)&=\lim_{z\to1}\frac{z-1}{z}\frac{1}{1+W_K(z)}\frac{T^2z(z+1)}{2(z-1)^3}\\
&=\frac{T^2}{2}\lim_{z\to1}\frac{(z+1)}{(z-1)^2[1+W_K(z)]}\\
&=\frac{1}{\dfrac{1}{T^2}\lim\limits_{z\to1}[(z-1)^2W_K(z)]}=\frac{1}{k_a}
\end{aligned} \tag{3.93}$$

式中,k_a 称为加速度误差系数,

$$k_a=\frac{1}{T^2}\lim_{z\to1}[(z-1)^2W_K(z)] \tag{3.94}$$

0 型和 1 型系统:$k_a=0$,$e^*(\infty)=\infty$;2 型系统:$k_a=$ 常数,稳态误差也为常数。

由上面求得的结果看出,在 $z=1$ 处的极点越多,则稳态误差越小。这也可由表 3.3 看出稳态误差。

表 3.3 稳态误差

系统类型	位置误差	速度误差	加速度误差
0	$1/1+k_p$	∞	∞
1	0	$1/k_v$	∞
2	0	0	$1/k_a$

4 数字控制系统的模拟化设计方法

4.1 概述

数字控制系统的类型很多,但就其研究系统而言,它们都有共性,既它们都是由两部分组成:

(1) 被控对象:输入输出均为模拟量,这是系统的连续部分。

(2) 数字控制器:由于数字控制器所处理的信号是离散的数字信号,因此这部分是系统的离散部分。这种连续—离散混合系统示于图4.1中。

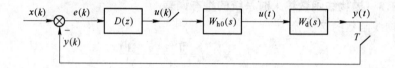

图4.1 计算机控制系统

图中 $D(z)$ 是离散部分的数字控制器,$W_d(s)$ 是连续部分的被控对象,$W_{h0}(s)$ 是零阶保持器。

我们知道,对任何系统进行分析、综合或设计时,首先要解决的是数学描述问题,对于图4.1所示混合系统的分析,存在着"离散化"与"模拟化"两种不同的设计方法。

离散化设计方法是把保持器与被控对象组成的连续部分用适当的方法离散化。如图4.2所示。$W_1(z)$ 整个系统完全变成离散系统,然后由离散控制系统的设计方法来确定数字控制器,并用计算机实现,这种方法将在第5章介绍。

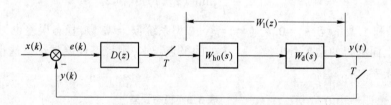

图4.2 离散控制系统

模拟化设计方法是假设采样频率很高(相对于系统的工作频率),其采样保持器所引进的附加偏差可以忽略,因此把保持器去掉,把 $D(z)$ 用连续校正装置 $D(s)$ 来代替,这时混合系统就变成如图4.3所示的连续系统,系统的设计完全按以下4个步骤进行。

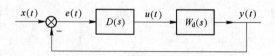

图4.3 连续控制系统

第一步:用连续系统的理论设计 $D(s)$。

第二步:用合适的离散化方法,将 $D(s)$ 离散化成数字校正装置 $D(z)$。

第三步:检查计算机控制系统是否符合设计要求。

第四步:将数字控制器 $D(z)$ 表示成差分方程的形式,并编制程序,以便计算机实现。

第一步已经在自控原理中解决,第三步已经在第 3 章中解决,那么本章将解决第二步与第四步。上述结果可以通过仿真来检查系统的指标是否满足设计要求。

4.2 模拟量校正装置的离散化方法

模拟量校正装置离散化的方法很多,下面介绍几种最常用的方法。

4.2.1 双线性变换的方法

这种方法又称为土斯廷(Tustin)近似法,它和微分方程的梯形积分法是相同的,根据 Z 变换定义:

$$z = e^{sT} \tag{4.1}$$

或写成

$$s = \ln z / T \tag{4.2}$$

将对数表达式展成级数形式

$$\ln z = 2\left[\frac{z-1}{z+1} + \frac{(z-1)^3}{3(z+1)^3} + \cdots \right] \tag{4.3}$$

若只取级数的第一项来近似,则有

$$s \approx \frac{2(z-1)}{T(z+1)} = \frac{2(1-z^{-1})}{T(1+z^{-1})} \tag{4.4}$$

或者

$$z = \frac{2/T + s}{2/T - s} \tag{4.5}$$

因此有

$$D(z) = D(s)\Big|_{s = \frac{2(1-z^{-1})}{T(1+z^{-1})}} \tag{4.6}$$

根据第 3 章 S 平面到 Z 平面的映射关系,当 $s = \mathrm{j}\omega$ 时,$z = (2/T + \mathrm{j}\omega)/(2/T - \mathrm{j}\omega)$。

由上式可以看出,当 $\omega = 0$ 时,$z = 1$。当 $\omega = \infty$ 时,$z = -1$ 时。处于两极限值之间时,z 的相角单调地由 0 变到 π。

当 $s = \sigma + \mathrm{j}\omega$ 时

$$z = \frac{2/T + \sigma + \mathrm{j}\omega}{2/T - \sigma - \mathrm{j}\omega} \qquad |z| = \sqrt{\frac{(2/T + \sigma)^2 + \omega^2}{(2/T - \sigma)^2 + \omega^2}}$$

当 $\sigma < 0$ 时(S 平面左半平面时),可得 $|z| < 1$,其处于 Z 单位圆内。还可以看出,变换后,$D(s)$ 和 $D(z)$ 的分母阶数是相同的,而分子的阶数可能不同。例如 $D(s) = 1/(s+a)$ 分子为零阶,分母为一阶,通过双线性变换后,得出 $D(z)$ 为:

$$D(z) = \frac{1}{\frac{2}{T}\left(\frac{1-z^{-1}}{1+z^{-1}}\right) + a} = \frac{1+z^{-1}}{\frac{2}{T} + a + \left(a - \frac{2}{T}\right)z^{-1}}$$

显然,它的分子和分母都是一阶,这是由于 $D(s)$ 在 $s = \infty$ 处有一零点,而经过双线性变换,把它变换到 $z = -1$ 处。

双线性变换法使用方便,它将整个左半 S 平面变换到 Z 平面单位圆上和圆内,因而没有频率混迭效应。此外,如果 $D(s)$ 是稳定的,则 $D(z)$ 也是稳定的。但是,它不能保持变换前后的频率响应不畸变。这种畸变也可以采用带有预修正(prowarping)作用的双线性变换加以改善。

例4.1 伺服系统设计

某模拟伺服系统如图 4.4 所示,试设计一个数字控制器 $D(z)$ 代替模拟量校正装置 $D(s)$。

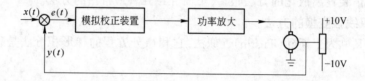

图 4.4 伺服系统方框图

在系统结构图 4.5 中,$D(s) = 20 \dfrac{s+4}{s+10}$ 是用连续理论设计出来的,被控对象 $W_d(s) = \dfrac{2.5}{s^2}$,其中二阶积分环节为伺服电动机的传递函数。2.5 是功率放大倍数。

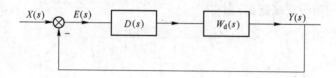

图 4.5 伺服系统结构图

4.2.1.1 用双线性变换法将 $D(s)$ 离散化为 $D(z)$

$$D(z) = 20 \frac{s+4}{s+10} \bigg|_{s = \frac{2(1-z^{-1})}{T(1+z^{-1})}} = \frac{(40+80T) - (40-80T)z^{-1}}{(2+10T) - (2-10T)z^{-1}} \tag{4.7}$$

式中 T 为采样周期。

4.2.1.2 采样周期 T 的确定

采样周期即采样频率 $\omega_s = \dfrac{2\pi}{T}$ 的确定是一个比较复杂的问题,根据采样定理,$\omega_s \geqslant 2\omega_{max}$,通常选取 $\omega_s = 10\omega_c$,ω_c 为系统的开环截止频率(参见图 4.6),此外,还应根据采样模数转换的速度、控制的复杂程度、计算机的类型等决定。如计算机类型不一样,计算机处理的速度就有很大差异。

根据经验,当计算机选用 IBM-PC 来完成数字采集时,其控制算法运算及控制输出所需时间大约为一毫秒,因此取采样周期 $T = 0.015\text{s}$。由此得出采样角频率:

$$\omega_s = 2\pi/T = 418.671/\text{s}$$

显然,采样频率 $\omega_s \geqslant 10\omega_c$(参见图 4.6,其中 $\omega_c = 5$)。因此,零阶保持器可以忽略不计

（因为 $W_{h0}(s) \approx \dfrac{1}{\dfrac{T}{2}s + 1}$，它的转折频率在 $\dfrac{2}{T} = 133$ 处，

远离 ω_c）。

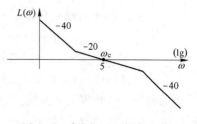

图 4.6 系统的开环频率响应

将 $T = 0.015$ 代入式(4.7)，得

$$D(z) = \frac{19.16 - 18.05z^{-1}}{1 - 0.86z^{-1}} \qquad (4.8)$$

4.2.1.3 数字控制器 $D(z)$ 的程序实现

式(4.8)表明：

$$\frac{U(z)}{E(z)} = D(z) = \frac{19.16 - 18.05z^{-1}}{1 - 0.86z^{-1}} \qquad (4.9)$$

将上式交叉相乘后，取 Z 反变换为：

$$u(k) = 0.86u(k-1) + 19.16e(k) - 18.05e(k-1) \qquad (4.10)$$

在上述 3 个步骤的基础上，得出数字控制伺服系统结构图，如图 4.7 所示。

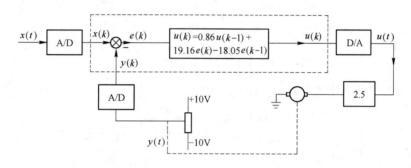

图 4.7 数字控制系统结构图

数字控制程序流程图如图 4.8 所示。

实践表明，双线性变换法是几种离散化方法中一个比较好的方法。

4.2.2 零极点匹配法

双线性变换法比较适合于 $D(s)$ 的分子和分母为多项式的形式。实际上 $D(s)$ 常常是以零极点形式出现，如

$$D(s) = \frac{K_s(s + a_1)(s + a_2)\cdots(s + a_m)}{(s + b_1)(s + b_2)\cdots(s + b_n)} \qquad (4.11)$$

式中，$n \geqslant m$。

利用 $z = e^{sT}$ 关系，将 S 平面上的零点(或极点)一一对应地变换到 Z 平面上。例如，S 平面上的一个 $s = -a$ 的零点，变换到 Z 平面上则为 e^{-aT}，即

$$(s + a) \rightarrow 1 - e^{-aT}z^{-1} = z - e^{-aT}$$

$$(s + b) \rightarrow 1 - e^{-bT}z^{-1} = z - e^{-bT} \qquad (4.12)$$

对于复数极点(或零点)，可写成

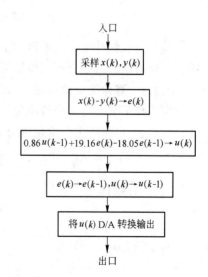

图 4.8 数字控制程序流程图

$$(s+a+\mathrm{j}b)(s+a-\mathrm{j}b) \rightarrow (1-\mathrm{e}^{-aT}\mathrm{e}^{-\mathrm{j}bT}z^{-1})(1-\mathrm{e}^{-aT}\mathrm{e}^{\mathrm{j}bT}z^{-1})$$
$$= 1-\mathrm{e}^{-aT}(\mathrm{e}^{-\mathrm{j}bT}+\mathrm{e}^{\mathrm{j}bT})z^{-1}+\mathrm{e}^{-2aT}z^{-2}$$
$$= 1-2\mathrm{e}^{-aT}\cos(bT)z^{-1}+\mathrm{e}^{-2aT}z^{-2} \tag{4.13}$$

在式(4.11)中,当 $n>m$ 时,相当于在 S 平面的无穷远处存在 $(n-m)$ 个零点,可用 Z 平面上的 $z=-1$ 的零点来匹配,其道理已在4.2.1中阐述。那么,不管 $D(s)$ 的分母和分子的阶次如何,$D(z)$ 的分母和分子的阶次总是相等的。

应用上述变换规则,可以写出与式(4.11)相对应的 $D(z)$ 表达式为

$$D(z) = \frac{K_z(1-\mathrm{e}^{-a_1T}z^{-1})(1-\mathrm{e}^{-a_2T}z^{-1})\cdots(1-\mathrm{e}^{-a_mT}z^{-1})(1+z^{-1})^{n-m}}{(1-\mathrm{e}^{-b_1T}z^{-1})(1-\mathrm{e}^{-b_2T}z^{-1})\cdots(1-\mathrm{e}^{-b_nT}z^{-1})} \tag{4.14}$$

式中,K_z 的选择是使得 $D(s)$ 与 $D(z)$ 在稳态时具有相同的增益,即:

$$D(s)\Big|_{s=0} = D(z)\Big|_{z=1} \tag{4.15}$$

例4.2　例4.1所示系统中 $D(s)=20(s+4)/(s+10)$,$T=0.015\mathrm{s}$,用零极点匹配法求 $D(z)$。

解: $D(s)$ 有 1 个极点、1 个零点,即 $m=n$,根据公式(4.14)得

$$D(z) = \frac{K_z(1-\mathrm{e}^{-4T}z^{-1})}{1-\mathrm{e}^{-10T}z^{-1}}$$

将 $T=0.015$ 代入上式得:

$$D(z) = K_z\frac{1-0.942z^{-1}}{1-0.86z^{-1}}$$

K_z 可由式(4.15)求得

$$\frac{20(s+4)}{s+10}\Big|_{s=0} = \frac{K_z(1-0.94z^{-1})}{1-0.86z^{-1}}\Big|_{z=1}$$

$$K_z=18.67,\quad D(z)=\frac{18.67-17.55z^{-1}}{1-0.86z^{-1}} \tag{4.16}$$

其与用双线性变换法求得的 $D(z)$ 即式(4.8)大致相同。这种方法也是一种近似方法,随着采样周期的减小会越来越接近实际情况。

4.2.3　直接微分差分法

模拟校正装置的一个最简单方法是将模拟校正装置的微分方程中的微分符号用有限差分符号代替,得出一个与给定微分方程逼近的差分方程,如下所示:

$$\frac{\mathrm{d}e(t)}{\mathrm{d}t} = \frac{e(k)-e(k-1)}{T} \tag{4.17}$$

从式(4.17)得出

$$s = \frac{1-z^{-1}}{T} \quad \text{或} \quad z = \frac{1}{1-sT} \tag{4.18}$$

当 $s=\mathrm{j}\omega$ 时

$$z = \frac{1}{1-\mathrm{j}\omega T} = \frac{1}{2}\left(1+\frac{1+\mathrm{j}\omega T}{1-\mathrm{j}\omega T}\right) = \frac{1}{2}(1+\mathrm{e}^{\mathrm{j}\psi}) \tag{4.19}$$

式中,$\psi = 2\arctan\omega T$。

也可以写成:

$$z = \frac{1}{2}(1 + \cos\psi + j\sin\psi) \tag{4.20}$$

取 z 的实部与虚部,得:

$$\mathrm{Re}[z] = (1 + \cos\psi)/2$$
$$\mathrm{Im}[z] = \sin\psi/2$$

于是 S 平面上的虚轴 $S = j\omega(\omega$ 从 $-\infty$ 到 $\infty)$ 映射到 Z 平面上是一个用下式描述的圆:

$$(\mathrm{Re}[z] - 0.5)^2 + \mathrm{Im}[z]^2 = 0.5^2 \tag{4.21}$$

式(4.21)是一个圆心在 $\mathrm{Re}[z] = 0.5$ 处的圆,显然它位于 Z 单位圆内,从图 4.9 可以看出这种离散办法,把 S 平面映射到 Z 平面由式(4.21)描述的小圆内。

这种差分方法称为后项差分方法,使用方便。当 $D(s)$ 是稳定的,转换后也是稳定的,这种方法不保持 $D(s)$ 脉冲响应和频率响应不畸变。

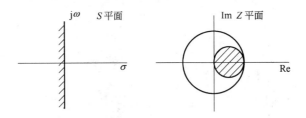

图 4.9 S 平面与 Z 平面间的直接微分映射

例 4.3   例 4.1 所示系统中 $D(s) = \dfrac{20(s+4)}{s+10}$, $T = 0.015\mathrm{s}$,用直接微分差分法求 $D(z)$。

解:

$$D(s) = \frac{U(s)}{E(s)} = \frac{20(s+4)}{s+10}$$

$$(s+10)U(s) = 20(s+4)E(s)$$

变成微分方程:

$$\frac{\mathrm{d}u(t)}{\mathrm{d}t} + 10u(t) = 20\frac{\mathrm{d}e(t)}{\mathrm{d}t} + 80e(t)$$

由式(4.17)可得差分方程:

$$\frac{u(k) - u(k-1)}{T} + 10u(k) = 20\frac{[e(k) - e(k-1)]}{T} + 80e(k)$$

将 $T = 0.015$ 代入后得:

$$u(k) = 0.87u(k-1) + 18.43e(k) - 17.39e(k-1) \tag{4.22}$$

其与用双线性变换法求得 $u(k)$ 即式(4.10)大致相同。这仍然是一种近似离散方法。

4.3   数字 PID 控制算法

众所周知,PID 控制规律是广泛应用的一种控制规律,PID 控制规律表示比例(proportional) – 积分(integral) – 微分(differential)控制,即调节器的输出与输入是比例 – 积分 – 微分的关系。下面我们就讨论模拟数字化 PID 的两种算法。

4.3.1   PID 控制算法

4.3.1.1   位置式 PID 算法

这种算法是以连续系统的 PID 控制规律为基础的,然后再将其数字化,写成差分方程,

PID 调节器的微分方程为：

$$u(t) = K_P[e(t) + \frac{1}{T_I}\int e(t)\mathrm{d}t + T_D\frac{\mathrm{d}e(t)}{\mathrm{d}t}] \tag{4.23}$$

式中 $u(t)$——PID 调节器的输出量；

$e(t)$——PID 调节器的输入量；

K_P——比例系数；

T_I——积分时间常数；

T_D——微分时间常数。

在计算机控制系统中,使用数字 PID,因此将式(4.23)离散化,令

$$u(t) \approx u(k)$$

$$e(t) \approx e(k)$$

$$\int_0^t e(t)\mathrm{d}t = T\sum_{j=0}^k e(j)$$

$$\frac{\mathrm{d}e(t)}{\mathrm{d}t} = \frac{e(k) - e(k-1)}{T}$$

式中,T 为采样周期(必须足够短,才能保证精度),则式(4.23)可以写成差分方程为

$$u(k) = K_P\{e(k) + \frac{T}{T_I}\sum_{j=0}^k e(j) + \frac{T_D}{T}[e(k) - e(k-1)]\}$$

$$= K_P e(k) + K_I\sum_{j=0}^k e(j) + K_D[e(k) - e(k-1)] \tag{4.24}$$

式中 $K_I = K_P\dfrac{T}{T_I}$——积分系数；

$K_D = K_P\dfrac{T_D}{T}$——微分系数。

由于 $u(k)$ 是代替被控对象执行机构的位置,故称为位置式 PID,可以看出 $u(k)$ 是全量输出,是执行机构所应达到的位置。数字 PID 的输出跟过去的状态有关,需要对偏差进行累积,计算机工作量比较大,并且,计算机的任何故障都可能引起 $u(k)$ 的大幅度变化。

4.3.1.2 增量式 PID 算法

增量式 PID 推导如下。由式(4.24)可得：

$$u(k-1) = K_P e(k-1) + K_I\sum_{j=0}^{k-1} e(j) + K_D[e(k-1) - e(k-2)] \tag{4.25}$$

将式(4.24)与式(4.25)相减,得

$$\Delta u(k) = u(k) - u(k-1)$$

$$= K_P[e(k) - e(k-1)] + K_I e(k) + K_D[e(k) - 2e(k-1) + e(k-2)] \tag{4.26}$$

由式(4.26)可知,$\Delta u(k)$ 仅与 $e(k)$、$e(k-1)$、$e(k-2)$ 有关,它的输出只对应执行机构位置的增量,故称为增量式。

增量式与位置式算法是有差别的,增量式是计算机的累积功能,由硬件或者被控对象完成,如用步进电机带动电位器来完成累积功能,其传递函数包括了积分环节,如图 4.10 所示。

增量式 PID 算法程序流程图如图 4.11 所示。

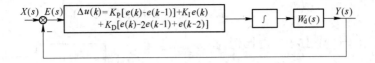

图 4.10 数字增量式 PID 控制结构图

位置式 PID 也可由增量式表示为：

$$u(k) = u(k-1) + \Delta(k)$$
$$= u(k-1) + K_P[e(k) - e(k-1)] + K_I e(k)$$
$$+ K_D[e(k) - 2e(k-1) + e(k-2)] \tag{4.27}$$

位置式 PID 算法程序流程图如图 4.12 所示。

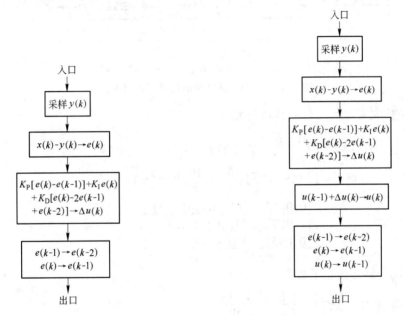

图 4.11 增量式 PID 算法程序流程图   图 4.12 位置式 PID 算法程序流程图

4.3.2 数字 PID 参数对系统性能的影响与参数整定

首先由位置式 PID 算法式(4.24)求出 Z 脉冲传递函数：

$$u(k) = K_P e(k) + K_I \sum_{j=0}^{k} e(j) + K_D[e(k) - e(k-1)]$$

由 Z 变换的迭加定理有

$$Z\left[\sum_{j=0}^{k} e(j)\right] = \frac{1}{1 - z^{-1}} E(z)$$

由 Z 变换的滞后定理有

$$Z[e(k-1)] = z^{-1} E(z)$$

由式(4.24)可得到数字 PID 的 Z 脉冲传递函数：

$$U(z) = K_P E(z) + K_I \frac{E(z)}{1 - z^{-1}} + K_D[E(z) - z^{-1} E(z)]$$

整理后得

$$\frac{U(z)}{E(z)} = K_P + K_I\frac{1}{1-z^{-1}} + K_D(1-z^{-1})$$

其方框图示于图 4.13 中,由比例、积分、
微分 3 部分组成。

4.3.2.1　在 PID 控制中比例系数对系统
　　　　　性能的影响

例 4.4　计算机控制系统如图 4.14 所示,
其中数字调节器 $D(z) = K_P$,试分析 K_P 对系
统的影响。

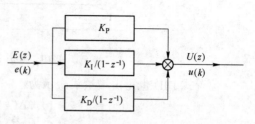

图 4.13　数字 PID 调节器的方框图

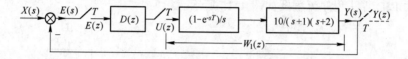

$$T = 0.1s$$

图 4.14　带数字调节器的计算机控制系统

解:系统广义对象的 Z 脉冲传递函数为

$$
\begin{aligned}
W_1(z) &= Z\Big[\frac{1-e^{-sT}}{s}\frac{10}{(s+1)(s+2)}\Big]\\
&= Z\Big[(1-e^{-sT})\Big(\frac{5}{s} - \frac{10}{s+1} + \frac{5}{s+2}\Big)\Big]\\
&= \frac{0.0453z^{-1}(1+0.904z^{-1})}{(1-0.905z^{-1})(1-0.819z^{-1})}\\
&= \frac{0.0453(z+0.904)}{(z-0.905)(z-0.819)}
\end{aligned}
\tag{4.28}
$$

系统的闭环脉冲传递函数为

$$
\begin{aligned}
W_B(z) &= \frac{Y(z)}{X(z)} = \frac{D(z)W_1(z)}{1+D(z)W_1(z)}\\
&= \frac{0.0453(z+0.904)K_P}{z^2 - 1.724z + 0.0453K_Pz + 0.04095K_P + 0.741}
\end{aligned}
\tag{4.29}
$$

当 $K_P = 1, X(z) = \dfrac{1}{1-z^{-1}}$ 时有:

$$Y(z) = W_B(z)X(z) = \frac{0.0453z^2 + 0.04095z}{z^3 - 2.679z^2 + 2.461z - 0.782}\tag{4.30}$$

由式(4.30)用长除法可求得输出序列 $y(kT)$,见图 4.15。

输出量的稳态误差为

$$E(z) = X(z) - Y(z), E(z) = \frac{X(z)-Y(z)}{X(z)}X(z)$$

$$E(z) = [1 - W_B(z)]X(z)$$

$$\lim_{t\to\infty}e(t) = \lim_{z\to1}(z-1)[1 - W_B(z)]X(z)$$

当 $K_P = 1$ 时,$e(\infty) = 0.165$

当 $K_P = 2$ 时,$e(\infty) = 0.09$

由此可见,当 K_P 加大时,系统的稳态误差将减小,但仍有误差。

4.3.2.2 在 PID 控制中积分系数对系统性能的影响

仍以例 4.4 为例,采用 PI 调节器校正,有

$$D(z) = K_P + K_I \frac{1}{1-z^{-1}} = K_P + K_I \frac{z}{z-1} = \frac{K_P(z-1) + K_I}{z-1}$$

$$= \frac{(K_P + K_I)(z - \frac{K_P}{K_P + K_I})}{z-1}$$

解: 系统的开环脉冲传递函数为

$$W_K(z) = D(z)W_1(z)$$

$$= \frac{(K_P + K_I)[z - K_P/(K_P + K_I)] \times 0.045(z + 0.904)}{(z - 0.905)(z - 0.819)(z-1)} \tag{4.31}$$

为了确定积分系数 K_I,可以使由于积分校正增加的零点 $[Z - K_P/(K_P + K_I)]$ 抵消极点 $(z - 0.905)$,由此得

$$\frac{K_P}{K_P + K_I} = 0.905 \tag{4.32}$$

假设放大倍数 K_P 已由静态速度误差系数确定,若选 $K_P = 1$,则由式(4.32)可以确定 $K_I = 0.105$,所以:

$$D(z) = \frac{(K_P + K_I)[z - K_P/(K_P + K_I)]}{z-1} = \frac{1.105(z - 0.905)}{z-1} \tag{4.33}$$

经过 PI 校正后,闭环脉冲传递函数为:

$$W_B(z) = \frac{Y(z)}{X(z)} = \frac{D(z)W_1(z)}{1 + D(z)W_1(z)}$$

$$= \frac{0.05(z + 0.904)}{(z-1)(z-0.819) + 0.05(z + 0.904)} \tag{4.34}$$

$$Y(z) = W_B(z)X(z)$$

当 $X(z) = 1/(1 - z^{-1})$ 时,求出 $Y(z)$ 为:

$$Y(z) = \frac{0.05(z + 0.904)}{(z-1)(z-0.819) + 0.05(z + 0.904)} \frac{z}{z-1} \tag{4.35}$$

用长除法求得 $y(kT)$,如图 4.15 所示,系统的稳态误差为

$$\lim_{t \to \infty} e(t) = \lim_{z \to 1}(z-1)E(z) = \lim_{z \to 1}(z-1)[1 - W_B(z)X(z)] = 0$$

可见增加积分校正后,消除了稳态误差提高了控制精度,但是超调量达到 45% 且调节时间长。为了改善动态性能,必须引入微分校正即采用 PID 控制。

4.3.2.3 在 PID 控制中微分系数对系统性能的影响

现仍以例 4.4 为例,当 $D(z)$ 采用 PID 时为:

$$D(z) = K_P + K_I \frac{1}{1-z^{-1}} + K_D(1-z^{-1})$$

解:

$$D(z) = \frac{K_P(1-z^{-1}) + K_I + K_D(1-z^{-1})^2}{1-z^{-1}}$$

$$= \frac{(K_P + K_I + K_D)\left(z^2 - \frac{K_P + 2K_D}{K_P + K_I + K_D}z + \frac{K_D}{K_P + K_I + K_D}\right)}{z(z-1)} \quad (4.36)$$

假设 $K_P = 1$ 已选定，并要求 $D(z)$ 的两个零点对消 $W_1(z)$ 的两个极点 $z = 0.905$，$z = 0.819$。则：

$$z^2 - \frac{K_P + 2K_D}{K_P + K_I + K_D}z + \frac{K_D}{K_P + K_I + K_D} \quad (4.37)$$

$$= (z - 0.905)(z - 0.819) = (z^2 - 1.724z + 0.7412)$$

两边系数对比可得：

$$\frac{K_P + 2K_D}{K_P + K_I + K_D} = 1.724 \quad (4.38)$$

$$\frac{K_D}{K_P + K_I + K_D} = 0.7412 \quad (4.39)$$

由于 $K_P = 1$，可解得 $K_I = 0.069$，$K_D = 3.062$

所以

$$D(z) = \frac{4.131(z - 0.905)(z - 0.819)}{z(z-1)} \quad (4.40)$$

系统开环脉冲传函

$$W_K(z) = D(z)W_1(z)$$

$$= \frac{4.131(z - 0.905)(z - 0.819) \times 0.453(z + 0.904)}{z(z-1)(z - 0.905)(z - 0.819)}$$

$$= \frac{0.187(z + 0.904)}{z(z-1)}$$

$$W_B(z) = \frac{W_K(z)}{1 + W_K(z)} = \frac{0.187(z + 0.904)}{z(z-1) + 0.187(z + 0.904)}$$

$$Y(z) = W_B(z)X(z)$$

当 $X(z) = \frac{1}{1 - z^{-1}}$ 时，求得 $Y(z)$，并用长除法求得 $y(kT)$，见图 4.15。

$$\lim_{t \to \infty} e(t) = \lim_{z \to 1}(Z-1)E(z) = \lim_{z \to 1}(z-1)[1 - W_B(z)]X(z) = 0$$

由图 4.15 可见，加入微分后，系统动态性能得到很大改善，调节时间 t 缩短，超调量 σ_P 减小。

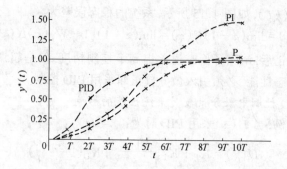

图 4.15 比例积分微分控制系统输出响应图

4.3.2.4 数字 PID 参数的实际整定方法(凑试法)

数字 PID 参数的实际整定方法可采用如下凑试法。凑试法是根据调节器参数 K_P, K_I, K_D 对系统响应的作用反复凑试,以达到满意输出响应。具体可以用模拟试验,如果现场允许也可以闭环运行。

比例系数 K_P 的作用是对偏差作出的响应,使系统向减少偏差的方向变化。K_P 增大有利于减小静差(在有静差系统中),但 K_P 增加太大,将导致系统超调增加,稳定性变坏,甚至使系统产生震荡。

积分系数 K_I 的作用是消除系统静差,但 K_I 增加太大不利于减少超调、减小震荡,使系统不稳定,系统静差的消除反而减慢。

微分系数 K_D 的作用是加快系统的响应,对偏差量的变化做出响应,按偏差量趋向进行控制,把偏差消灭在萌芽状态之中,使超调小,稳定性增加,但对扰动的抑制能力减弱。

凑试法的步骤是:先调比例、再加积分、最后加微分。

(1) 首先仅整定比例部分。将比例系数由小变大,直至观察到系统输出反应快、超调量小的响应曲线。如果系统没有静差或静差已达到了允许的范围内,并且响应曲线已经满意,那么只需比例调节即可,比例系数可由此确定。

对于一阶惯性系统,负荷变化不大,工艺要求不高的场合,可采用比例控制。例如,压力、液位、串级副回路等。

(2) 加入积分控制整定积分系数 K_I。K_I 应由小变大,首先置 K_I 一个小值,并将第一步整定得到的比例系数略微缩小,例如是原来 0.8 倍,观察输出响应,若系统的动态特性不满意和静差没有消除则增大 K_I,并配合改变 K_P 反复进行,以期得到满意的控制过程与整定参数。

对于一阶惯性带滞后的系统,负荷变化不大,要求控制精度较高,可采用 PI 控制,例如流量的控制等。

(3) 加入微分控制整定微分系数 K_D。若系统已无静差,但动态过程仍不满意,则加入微分环节,构成 PID 控制。置 K_D 由零增加,同时相应地改变 K_P 与 K_I,逐步凑试,以获得满意的调节效果。

对于纯滞后,负荷变化大,控制性能要求高的场合,可采用 PID 控制。例如温度控制等。

4.3.3 数字 PID 控制算法的改进

数字 PID 控制算法是人们最普遍使用的一种算法。人们在实践中,不断总结经验,对数字 PID 控制算法提出了一些改进措施。下面介绍 3 种改进方法:积分分离 PID、带死区的 PID 和微分先行 PID。

4.3.3.1 积分分离 PID 控制算法

在连续系统中存在的饱和现象,在数字控制系统中仍然存在,因为当偏差较大时(如大幅度升降给定值时),其偏差就不能很快得到消除。积分项取值很大,这样导致较大超调与较长时间震荡。为了改善这种情况,引入了逻辑判断功能来限制积分项起作用。这样不仅可以减少超调量,还可以取得积分校正的预期效果。

积分分离 PID 算法可以表示为

$$u(k) = K_P e(k) + K_L K_I \sum_{j=0}^{k} e(j) + K_D [e(k) - e(k-1)] \tag{4.41}$$

式中　K_L——逻辑系数；

$$K_L \begin{cases} 1 & |e(j)| \leqslant A \\ 0 & |e(j)| > A \end{cases} \tag{4.42}$$

　　A——预先设置的门限值。

　　可见,当偏差绝对值大于 A 时,积分不起作用;当偏差较小时,才引入积分作用,使调节性能得到改善,如图 4.16 所示。

　　积分分离 PID 控制算法流程图如图 4.17 所示。由流程图可见,当 $|e(j)| > A$ 时, $K_L = 0$,作 PD 控制;当 $|e(j)| \leqslant A$ 时,作 PID 控制。

4.3.3.2 带有死区的 PID 控制算法

　　在要求控制作用少变动的场合,常采用带死区的 PID 控制,实际上是一个非线性系统,控制特性如图 4.18 所示。

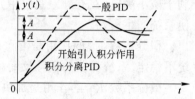

图 4.16　积分分离 PID 调节

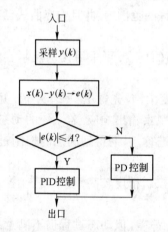

图 4.17　积分分离 PID 算法流程图

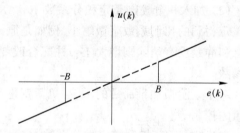

图 4.18　带死区的 PID 调节

　　要求在偏差信号小于或等于某一个规定值 B 时,不进行调节,当偏差大于规定值时才进行 PID 调节。即

　　$|e(k)| > B$ 时　　　PID 控制

　　$|e(k)| \leqslant B$ 时　　　$u(k) = 0$　　(4.43)

其流程图如图 4.19 所示。

4.3.3.3 微分先行 PID 控制算法

　　计算机控制系统的采样回路都可能窜入高频干扰,因此有必要在采样回路中设置一级低通滤波器来抑制高频干扰信号。它有如下两种结构,如图 4.20 所示,a 为偏差微分,b 为输出微分。

　　a 种结构对给定、输出信号都有微分作用,它适用于串级控制的副控回路。因为副控回路的给定是主控调节器的输出,因此有必要对其进行微分处理。

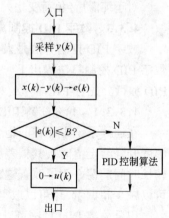

图 4.19　带死区的 PID 控制算法流程图

b 种结构只是对输出信号微分。它适用于给定值频繁升降的场合,可以避免由此引起的输出超调过大,震荡过分剧烈。

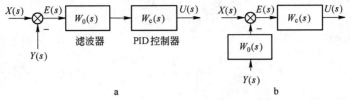

图 4.20 微分先行 PID

a—偏差微分; b—输出微分

图中 $W_0(s) = \dfrac{1}{T_0 s + 1}$,为低通滤波器。

$$W_c(s) = \frac{K_c(T_i s + 1)(T_d s + 1)}{T_i s} \tag{4.44}$$

$$= K_P(1 + \frac{1}{T_I s} + T_D s) \tag{4.45}$$

此为 PID 调节器的传递函数。

式中　　T_i——频域积分时间常数;

　　　　T_d——频域微分时间常数;

　　　　K_c——频域比例放大系数;

　　　　T_I——时域积分时间常数,$T_I = T_i + T_d$;

　　　　T_D——时域微分时间常数,$T_D = \dfrac{T_i \times T_d}{T_i + T_d}$;

　　　　K_P——时域比例放大系数,$K_P = K_c \dfrac{T_i + T_d}{T_i}$。

所以,微分先行 PID 控制是低通滤波器与一般 PID 的结合,以图 4.20a 为例:

$$\frac{U(s)}{E(s)} = \frac{1}{T_0 s + 1} \frac{K_c(T_i s + 1)(T_d s + 1)}{T_i s} \tag{4.46}$$

令 $T_0 = r T_d, r < 1$,则有

$$\frac{U(s)}{E(s)} = \frac{1}{r T_d s + 1} \frac{K_c(T_i s + 1)(T_d s + 1)}{T_i s}$$

$$= \frac{T_d s + 1}{r T_d s + 1} K_c \frac{T_i s + 1}{T_i s}$$

$$= \frac{T_d s + 1}{r T_d s + 1} K_c [1 + \frac{1}{T_i s}] \tag{4.47}$$

上式可以用图 4.21 表示。

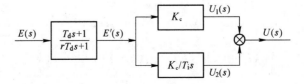

图 4.21 微分先行 PID 及其方框图

微分先行 PID 差分方程式可由每个方框图求出。

(1) 微分方框。

$$\frac{E'(s)}{E(s)} = \frac{T_d s + 1}{r T_d s + 1} \tag{4.48}$$

写成微分方程

$$r T_d \frac{de'(t)}{dt} + e'(t) = T_d \frac{de(t)}{dt} + e(t) \tag{4.49}$$

再离散化,变成差分方程

$$r T_d \frac{e'(k) - e'(k-1)}{T} + e'(k) = T_d \frac{e(k) - e(k-1)}{T} = e(k) \tag{4.50}$$

求出

$$e'(k) = \frac{r T_d}{r T_d + T} e'(k-1) + \frac{T_d + T}{r T_d + T} e(k) - \frac{T_d}{r T_d + T} e(k-1) \tag{4.51}$$

因为 $T_d \geqslant T$,所以 $\qquad\qquad T_d + T \approx T_d$

近似式为:

$$e'(k) = \frac{r T_d}{r T_d + T} e'(k-1) + \frac{T_d}{r T_d + T} [e(k) - e(k-1)] \tag{4.52}$$

(2)比例方框。

$$\frac{U_1(s)}{E'(s)} = K_c \tag{4.53}$$

写成差分方程:

$$u_1(k) = K_c e'(k) \tag{4.54}$$

(3)积分方框。

$$\frac{U_2(s)}{E'(s)} = \frac{K_c}{T_i s} \tag{4.55}$$

写成微分方程:

$$u_2(t) = \frac{K_c}{T_i} \int e'(t) dt \tag{4.56}$$

写成差分方程:

$$u_2(k) = \frac{K_c}{T_i} \sum_{j=0}^{k} e'(j) T \tag{4.57}$$

$$u_2(k) = u_2(k-1) + \frac{K_c T}{T_i} e'(k) \tag{4.58}$$

(4)控制量输出 $u(k)$。

$$U(s) = U_1(s) + U_2(s)$$

$$u(k) = u_1(k) + u_2(k) \tag{4.59}$$

$$u(k) = K_c e'(k) + u_2(k-1) + \frac{K_c T}{T_i} e(k)$$

$$= K_c (1 + \frac{T}{T_i}) e'(k) + u_2(k-1) \tag{4.60}$$

将 $e'(k)$ 代入,得

$$u(k) = u_2(k-1) + K_c(1 + \frac{T}{T_i})\left\{\frac{rT_d}{rT_d + T}e'(k-1) + \frac{T_d}{rT_d + T}[e(k) - e(k-1)]\right\} \quad (4.61)$$

与一般 PID 一样,也有增量式:

$$\Delta u(k) = \Delta u_2(k-1) + K_c(1 + \frac{T}{T_i})\left\{\frac{rT_d}{rT_d + T}\Delta e'(k-1) + \frac{T_d}{rT_d + T}[\Delta e(k) - \Delta e(k-1)]\right\} \quad (4.62)$$

式中
$$\Delta u(k) = u(k) - u(k-1)$$
$$\Delta u_2(k-1) = u_2(k-1) - u_2(k-2)$$
$$\Delta e'(k) = e'(k) - e'(k-1)$$
$$\Delta e'(k-1) = e'(k-1) - e'(k-2)$$

图 4.22 给出了微分先行 PID 与一般 PID 算法分别对单位阶跃输入的响应。从图中可知,一般 PID 的微分作用只在第一个采样周期很强,容易溢出。而微分先行 PID 算法克服了上述缺点,使调节器的输出能在各个采样周期里按照偏差变化均匀地输出,真正起到了微分作用,改善了系统性能。具体分析如下:

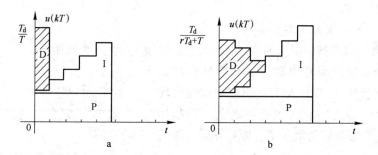

图 4.22 数字 PID 控制作用
a——一般 PID 控制;b—微分先行 PID 控制

分析一般 PID 中微分作用:

$$U(s) = T_d s E(s)$$
$$u(t) = T_d de(t)/dt$$
$$u(k) = \frac{T_d}{T}[e(k) - e(k-1)] \quad (4.63)$$

数字调节器的输入为阶跃序列,$e(k) = a, k = 0, 1, 2, \cdots$。由式(4.63)可得

$$u(0) = \frac{T_d}{T}a$$
$$u(1) = 0$$
$$u(2) = u(3) = \cdots = 0$$

通常 $T_d \geqslant T$,所以 $u(0) \geqslant a$。因此,可得图 4.22a 中 D 部分。

分析微分先行 PID 控制中微分作用:

由公式 (4.52)可得,当输出 $E'(s)$ 用 $U(s)$ 符号记时(为了与上式对比),式(4.52)为

$$u(k) = \frac{rT_d}{rT_d + T}u(k-1) + \frac{T_d}{rT_d + T}[e(k) - e(k-1)]$$

$$u(0) = \frac{T_d}{rT_d + T} a$$

$$u(1) = \frac{rT_d}{rT_d + T} u(0) = \frac{rT_d^2}{(rT_d + T)^2} a$$

$$u(2) = \frac{rT_d}{rT_d + T} u(1) = \frac{r^2 T_d^3}{(rT_d + T)^3} a$$

显然 $u(k) \neq 0, k = 1, 2, \cdots$，并且

$$u(0) = \frac{T_d}{rT_d + T} \leqslant \frac{T_d}{T}$$

由此可见，在第一个采样周期里，微分先行 PID 调节器的输出比一般 PID 小得多，控制特性良好，在工程实际中被采用的越来越多，是今后的发展方向。

4.3.4 数字 PID 控制算法的参数选择方法

数字 PID 控制算法是要确定 K_P, K_I, K_D 及 T 4 个参数，而大多数情况下，采样周期 T 与被控对象时间常数相比小得多，所以可以仿照模拟调节器参数选择的各种方法。除了前面 4.3.2 节中介绍的凑试法以外，本文将介绍扩充临界比例度法、过渡过程法、参数归一法和变参数寻优法等。

4.3.4.1 扩充临界比例度法

此法是模拟调节器中所用的临界比例度法的扩充，其整定步骤如下：

(1) 选择合适的采样周期 T。调节器作纯比例 K_P 的闭环控制，逐步加大 K_P，使控制过程出现临界震荡。如图 4.23 所示，由临界震荡求得临界震荡周期 T_u 和临界震荡增益 K_u，即临界震荡时的 K_P 值。

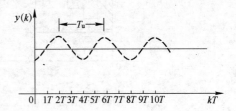

图 4.23 扩充临界比例度实验曲线

(2) 选择控制度，控制度的意义是数字调节器和模拟调节器所对应的过渡过程的误差平方的积分之比，即

$$控制度 = \frac{\left[\min \int e^2 dt\right]_D}{\left[\min \int e^2 dt\right]_A} \tag{4.64}$$

当控制度为 1.05 时，数字调节器的效果和模拟调节器相同，当控制度为 2 时，数字调节器较模拟调节器差一倍。

(3) 选择控制度后，按表 4.1 求得 T, K_P, T_I, T_D 值。

(4) 参数的整定只给出一个参考值，需再经过实际调整，直到获得满意的控制效果为止。

4.3.4.2 过渡过程响应法

这一方法适用于多容量自平衡系统，首先它通过开环实验，测得系统单位阶跃响应曲线如图 4.24 所示，以此确定 τ 与 R 两个基准参量。

$$R = 1/T_g \tag{4.65}$$

表 4.1 扩充临界比例度法整定计算表

控制度	控制规律	T/T_u	K_P/K_u	T_I/T_u	T_D/T_u
1.05	PI	0.03	0.55	0.88	—
	PID	0.014	0.63	0.49	0.14
1.20	PI	0.05	0.49	0.91	—
	PID	0.043	0.47	0.47	0.16
1.50	PI	0.14	0.42	0.99	—
	PID	0.02	0.34	0.43	0.20
2.0	PI	0.22	0.36	1.05	—
	PID	0.16	0.27	0.40	0.22
模拟 调节器	PI	—	0.57	0.83	—
	PID	—	0.70	0.50	0.13

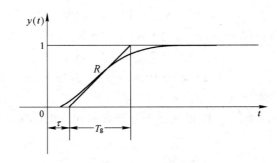

图 4.24 被控对象的阶跃响应

R 表示最陡的斜率,τ 表示滞后时间,T_g 表示被控对象时间常数,那么 PID 参数可根据 τ 和 R 确定出来,见表 4.2。

表 4.2 PID 参数整定计算表

	K_P	T_I	T_D
P	$1/R\tau$		
PI	$0.9/R\tau$	3τ	
PID	$1.2/R\tau$	2τ	0.5τ

例 4.5 实验室有一炉温控制系统,如图 4.25 所示。图中:

$$W_d(s) = \frac{K}{T_A s + 1} e^{-\tau s}$$

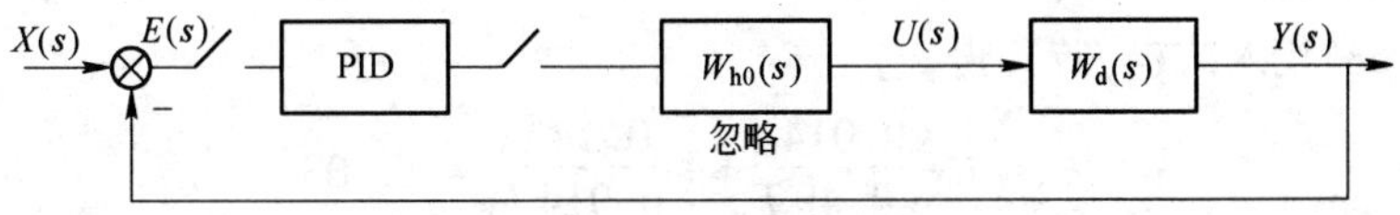

$$X(s) \xrightarrow{\quad} \otimes \xrightarrow{E(s)} \boxed{PID} \longrightarrow \boxed{W_{h0}(s)} \xrightarrow{U(s)} \boxed{W_d(s)} \xrightarrow{Y(s)}$$

图 4.25 炉温控制系统结构图

其中用过渡过程响应法求得 τ 与 R，$\tau = 30s$，$T_g = 180s$。若取 $T = 10s$，试求：PID 控制算法的参数，并求其差分方程。

解： 由式(4.65)得 $R = 1/T_g = 1/180$，$R\tau = 1/180 \times 30 = 1/6$。根据表 4.2 有

$$K_P = 1.2/R\tau = 7.2$$

$$T_I = 2\tau = 60$$

$$T_D = 0.5\tau = 15$$

计算 K_I, K_D：

$$K_I = K_P \frac{T}{T_I} = 7.2 \times 10/60 = 1.2$$

$$K_D = K_P \frac{T_D}{T} = 7.2 \times 15/10 = 10.8$$

$$u(k) = K_P e(k) + K_I \sum_{j=0}^{k} e(j) + K_D[e(k) - e(k-1)]$$

或

$$u(k) = u(k-1) + \Delta u(k)$$

其中

$$\Delta u(k) = K_P[e(k) - e(k-1)] + K_I e(k) + K_D[e(k) - 2e(k-1) + e(k-2)]$$

即

$$u(k) = u(k-1) + 7.2[e(k) - e(k-1)] +$$
$$1.2e(k) + 10.8[e(k) - 2e(k-1) + e(k-2)]$$

4.3.4.3 PID 参数归一法

下面介绍一种简便的选择方法，以减轻十分浩繁的计算机选择参数的工作。设 PID 的增量式为

$$\Delta u(k) = K_P\{[e(k) - e(k-1)] + \frac{T}{T_I}e(k) + \frac{T_D}{T}[e(k) - 2e(k-1) + e(k-2)]\}$$
$$= K_P[(1 + \frac{T}{T_I} + \frac{T_D}{T})e(k) - (1 + 2\frac{T_D}{T})e(k-1) + \frac{T_D}{T}e(k-2)]$$
$$= K_P[a_0 e(k) + a_1 e(k-1) + a_2 e(k-2)] \tag{4.66}$$

式中

$$a_0 = 1 + \frac{T}{T_I} + \frac{T_D}{T}$$

$$a_1 = -(1 + 2T_D/T)$$

$$a_2 = T_D/T \tag{4.67}$$

为了减少选择参数个数，按扩充临界比例度法整定计算法(表 4.1)，取控制度为 1.05、控制规律 PID，可得式(4.68)关系式：

$$T \approx 0.014 T_u$$

$$T_I \approx 0.49 T_u$$

$$T_D \approx 0.14 T_u \tag{4.68}$$

式中，T_u 是图 4.23 中的 T_u。

将式(4.68)代入式(4.67)，得

$$a_0 = 1 + \frac{0.014 T_u}{0.49 T_u} + \frac{0.14 T_u}{0.014 T_u} = 11.03$$

$$a_1 = -(1 + 2\frac{0.14 T_u}{0.014 T_u}) = -21$$

$$a_2 = \frac{0.14T_u}{0.014T_u} = 10$$

所以

$$\Delta u(k) = K_P[11.03e(k) - 21e(k-1) + 10e(k-2)] \tag{4.69}$$

可以看出,只要选择 K_P 就可以了。应用约束条件减少选择参数数目的方法很简单,而且是有发展前途的,因此,它不仅对数字 PID 调节器整定有意义,而且对实现 PID 自整定系统也带来许多方便。

4.3.5 变参数寻优法

在实际的生产过程中,由于干扰或工况发生变化等,PID 的参数都应及时调整,目前常用的参数调整方法有:

(1) 对于某些控制回路,根据负荷不同采用几组参数,以提高控制质量;

(2) 时序控制。按照一定时间顺序采用不同组的参数;

(3) 人工模型。把现场操作人员的操作方法编成程序,由计算机自动改变参数;

(4) 寻优。编制寻优程序,计算机随时寻找最合适的参数,使系统保持最佳的状态。

4.4 Smith 预估控制方法

在工业生产中,实际的被控对象大都有很长的纯滞后时间。由自动控制理论可知,被控对象的纯滞后时间使系统的稳定性下降,如果滞后时间较长,则会使系统不稳定。为了改善滞后对系统性能的不良影响,国内外已做过大量的研究工作,最常用的方法是纯滞后补偿法,即 Smith 预估控制方法。

4.4.1 Smith 补偿原理

为了清楚起见,先讨论单闭环系统,如图 4.26 所示,图中 $W_d(s) = W_P(s)e^{-\tau s}$,表示带有纯滞后环节的被控对象,其中 $e^{-\tau s}$ 是被控对象纯滞后部分的传递函数,$D(s)$ 为调节器传递函数。

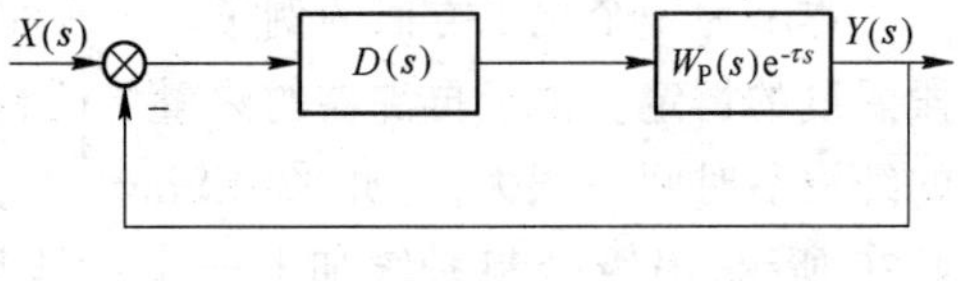

被控对象纯滞后时间 τ,对控制系统极为不利,特别是当 τ 很大,$\tau/T_A \geqslant 0.5$ 时,若 $D(s)$ 采用常规的 PID 控制,很难达到良好的控制效果(其中 T_A 为被控对象的时间常数)。因此,引入一个纯滞后补偿环节 $D_\tau(s)$,即 Smith 预估器,与被控对象相并联,补偿后被控对象的等效传递函数不包括纯滞后项 $e^{-\tau s}$,如图 4.27 所示。

图 4.26 带有纯滞后环节的控制系统

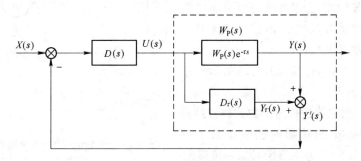

图 4.27 Smith 补偿方框图

$$D_\tau(s) + W_P(s)e^{-\tau s} = W_P(s) \tag{4.70}$$

由式(4.70)求出补偿器的传递函数为:

$$D_\tau(s) = W_P(s)[1 - e^{-\tau s}] \tag{4.71}$$

实际上,Smith 预估器并不并联在被控对象上,而是并联在调节器上,等效为带 Smith 预估器的调节器,如图 4.28 所示。

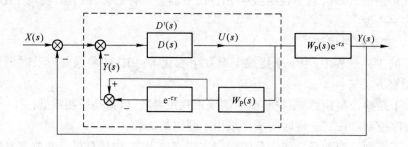

图 4.28 图 4.27 的等效结构图

$$D'(s) = \frac{D(s)}{1 + D(s)W_P(s)[1 - e^{-\tau s}]} \tag{4.72}$$

因此,闭环系统的传递函数为

$$W_B(s) = \frac{D'(s)W_P(s)e^{-\tau s}}{1 + D'(s)W_P(s)e^{-\tau s}} = \frac{D(s)W_P(s)e^{-\tau s}}{1 + D(s)W_P(s)} \tag{4.73}$$

由式(4.73)中可以看出,经 Smith 补偿后,在闭环系统的特征方程式中不含有纯滞后项 $e^{-\tau s}$,说明纯滞后被消除了,只是它的输出响应位移一个纯滞后时间。

4.4.2 Smith 预估器的应用举例

本节为一个化工方面的例子。一个精馏塔,借助控制再沸器的加热汽量来保持其提馏段温度的恒定。由于再沸器的热量传递和精馏塔的传热过程需要一定时间,因而被控对象的纯滞后时间 τ 很大,为此采用 Smith 补偿器,其控制流程如图 4.29 所示,系统方框图如图 4.30 所示。串级控制系统加上一个纯滞后补偿,副被控对象的输出是再沸器加热蒸汽流量 $q(k)$,选择副被控对象的目的是当再沸器加热蒸汽量波动时,能及时由流量调节器(QC)调节,毋使其影响提馏段的温度。主被控对象的输出是提馏段温度,由于其他原因引起的温度变化则由温度调节器(TC)调节。这样可以收到较好的控制效果。

4.4.2.1 带 Smith 预估器的控制器程序设计

根据 Smith 预估器的传递函数式(4.71)和图 4.30,可得 Smith 预估器的框图如图 4.31 所示。图中 $W_P(s)e^{-\tau s}$ 为主被控对象的传递函

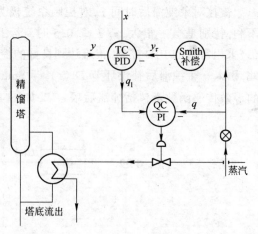

图 4.29 带 Smith 补偿的精馏塔控制流程图
TC—PID 温度控制; QC—PI 流量控制

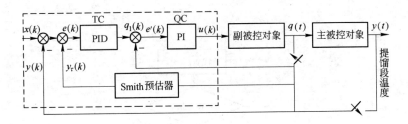

图 4.30 带 Smith 补偿的精馏塔控制流程图

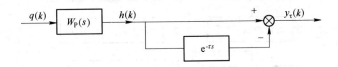

图 4.31 Smith 预估器框图

数,知道 $W_P(s)$ 后,可利用模拟量离散化的方法求出 $h(k)$;知道 $e^{-\tau s}$,就可以确定纯滞后的拍数 $n = \tau/T$,T 为采样周期。计算出滞后环节 $e^{-\tau s}$ 的输出 $h(k-n)$;$h(k-n)$ 是将 $h(k)$ 信号滞后 n 个采样周期后输出。最后计算补偿器的输出 $y_\tau(k) = h(k) - h(k-n)$。

4.4.2.2 PID 与 PI 算法的程序设计

由图 4.30,可求出温度调节器 PID 输出为

$$q_1(k) = K_{P1}\{e(k) + \frac{T}{T_{I1}}\sum_{j=0}^{k} e(j) + \frac{T_D}{T}[e(k) - e(k-1)]\} \tag{4.74}$$

由图 4.30,可求出流量调节器 PI 输出为

$$u(k) = K_{P2}[e'(k) + \frac{T}{T_{I2}}\sum_{j=0}^{k} e'(j)] \tag{4.75}$$

由式(4.74)、式(4.75)与图 4.30 可得 PID、PI 程序框图,如图 4.32 所示。

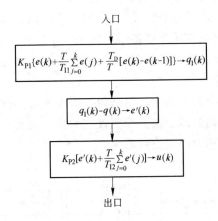

图 4.32 在图 4.30 中 PID、PI 子程序算法程序流程图

图 4.30 的带 Smith 预估器的控制器的程序流程图如图 4.33 所示。

Smith 预估器对被控对象的参数变化非常敏感,为了取得好的控制效果,经常加入变参数寻优控制。

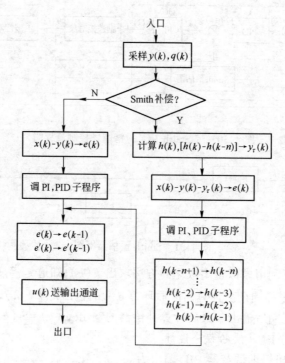

图 4.33 带 Smith 补偿的控制器的程序流程图

4.5 串级控制

4.5.1 串级控制系统的组成及工作原理

串级控制系统为双闭环或多闭环控制系统。控制系统内环为副控对象,外环为主控对象。内环的作用是将外部扰动的影响在内环内进行处理,而尽可能不使其波及到外环。这就加快了系统的快速性并提高了系统的品质。因此,在组成的串级控制系统中选择内环时应考虑其响应速度要比外环响应速度快得多。例如 4.4 节介绍的精馏塔控制,流量是内环,温度是外环。又例如直流电机速度控制系统,其速度为外环,电流为内环。系统对电流与负荷的变化具有较强的适应能力。

图 4.34 是串级控制系统的结构图。由结构图可以看出,主控调节器的输出作为副控调节器的给定值,而副控调节器的输出则去控制被控对象。这种由两个调节器串在一起控制一个执行机构的控制系统,称为串级控制系统。

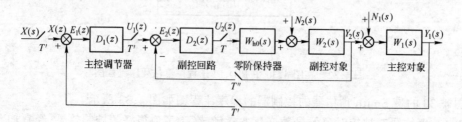

图 4.34 串级控制系统的结构图

　　串级系统一般都把主要扰动包括在副控回路中,以便在扰动影响到主控被调参数之前,已由副控回路进行调节,使扰动的影响大为削弱。副控回路的惯性通常应小于主控回路的惯性,以便提高副控回路动作的灵敏性。

4.5.2　计算机串级控制系统

　　在计算机串级控制系统中,$D_1(z)$,$D_2(z)$为串级控制系统中的数字控制器,$W_{h0}(s)$是零阶保持器,T',T''分别为主控回路和副控回路的采样周期。

　　计算机串级控制系统中,$D_1(z)$,$D_2(z)$的控制规律用的较多的通常是 PID 调节规律。用计算机实现调节器时,根据控制算法编制出相应的程序在计算机上运行。下面分析和讨论计算机串级控制的算法步骤。

4.5.2.1　主控和副控回路采样周期相同(同步采样)

　　采样周期 $T' = T'' = T$,调节过程中要作两次采样输入,做两次 PID 运算并输出。对于串级控制,计算的顺序,总是先计算最外面的回路,然后,逐步向里面的回路进行计算。

　　(1) 计算主控回路的偏差 $e_1(k)$。

$$e_1(k) = x(k) - y_1(k) \tag{4.76}$$

　　(2) 计算机主控调节器的增量输出 $\Delta u_1(k)$。

$$\Delta u_1(k) = K'_P[e_1(k) - e_1(k-1)] + K'_I e_1(k) + K'_D[e_1(k) - 2e_1(k-1) + e_1(k-2)] \tag{4.77}$$

式中, $K'_I = K'_P \dfrac{T}{T'_I}$;$K'_D = K'_P \dfrac{T'_D}{T}$。

　　T'_I 是主控调节器的积分时间常数;T'_D 是主控调节器的微分时间常数;T 是采样周期;K'_P 是主控调节器的放大系数。

　　(3) 计算主控调节器的位置输出 $u_1(k)$。

$$u_1(k) = u_1(k-1) + \Delta u_1(k) \tag{4.78}$$

　　(4) 计算副控回路的偏差 $e_2(k)$。

$$e_2(k) = u_1(k) - y_2(k) \tag{4.79}$$

　　(5) 计算副控调节器的增量输出 $\Delta u_2(k)$。

$$\Delta u_2(k) = K''_P[e_2(k) - e_2(k-1)] + K''_I e_2(k) + K''_D[e_2(k) - 2e_2(k-1) + e_2(k-2)] \tag{4.80}$$

式中,$K''_I = K''_P \dfrac{T}{T''_I}$;　$K''_D = K''_P \dfrac{T''_D}{T}$。

　　T''_I 是副控调节器的积分时间常数;T''_D 是副控调节器的微分时间常数;T 是采样周期;K''_P 是副控调节器的放大系数。

　　(6) 计算副控调节器的位置输出 $u_2(k)$。

$$u_2(k) = u_2(k-1) + \Delta u_2(k) \tag{4.81}$$

4.5.2.2　主控和副控回路采样周期不同(异步采样)

　　在许多串级控制系统中主控对象和副控对象的特性相差悬殊,例如流量与温度,流量与成分的串级控制系统中,流量对象的特性响应速度是比较快的,而温度和成分对象的响应速度是很慢的,在这种串级系统中主、副控回路的采样周期若选择得相同,即 $T' = T''$,若按照快速的流量对象特性选取采样周期,计算机采样频繁计算的工作量增多,降低了计算机的使用效率,另外采样周期太短,不利于克服温度对象纯滞后的不良影响。若按照缓慢的温度对象特性选取采样周期,会降低副控回路的控制性能,削弱副控回路抑制干扰的能力,以至副控回路没有起到应有的作用。因此,主控和副控回路根据对象特性选择相应的采样周期,称为异步采样调节。通常取 $T' = lT''$ 与 $T'' = T$,l 为正整数,T' 为主控回路的采样周期,T'' 为副控回路的采样周期。异步采样调节的算法流程如图 4.35 所示。图中 T'、T'' 分别是存放主控、副控采样周期的单元。

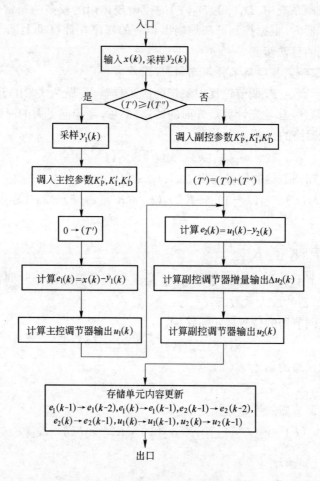

图 4.35 异步采样调节器算法流程图

4.5.2.3 多回路串级控制系统

通常使用较多的是双回路串级控制系统,双回路的分析方法可以推广应用到多回路串级控制系统。图 4.36 为多回路串级控制系统的示意图。当采样一批数据以后,连续运算。逐渐向里面推进,遇到分岔点时,则按下接回路的权级先后处理。尽管各个回路的计算有时间先后之别,但是计算机的运算速度与串级控制系统的采样周期相比要快得多,因此,这点时间差别完全可以忽略不计。

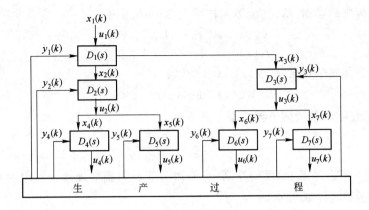

图 4.36 多回路串级控制系统

4.6 典型的前馈控制

在负反馈控制系统中,当对象受到扰动 $N(s)$ 的作用、被控量 $Y(s)$ 偏离给定值时,调节器才会起控制作用,改变对象的输出,从而补偿扰动的影响。这种靠偏差 $E(s)$ 来消除扰动影响的负反馈控制系统,控制作用 $U(s)$ 总是落后于扰动作用。工业生产过程中控制对象总是存在惯性和纯滞后,从扰动改变到被控量 $Y(s)$ 发生变化,也需要一定时间,所以从扰动作用产生到使控制量回复到给定值需要相当长的时间。在存在扰动的系统中,可以直接按照扰动进行控制,称作前馈控制。在理论上,它可以完全消除扰动引起的偏差。前馈控制有多种,比较典型的前馈控制有前馈-反馈控制系统与前馈-串级控制系统。

4.6.1 前馈-反馈控制系统的组成及工作原理

系统中存在扰动幅度大、频率高且可测不可控时,由于扰动对被控参数的影响显著,反馈控制难以消除扰动影响,而对被控参数的控制性能要求很高时,可引入前馈控制。

前馈控制具有控制及时,负反馈控制具有控制精确的特点,两者结合使得前馈-反馈控制具有控制及时而又精确的特点。典型的前馈-反馈控制系统的结构如图 4.37 所示。

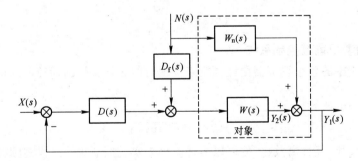

图 4.37 典型的前馈控制系统框图

由图 4.37 可以推导出前馈-反馈控制调节器的传递函数。图中 $D_f(s)$ 是前馈调节器;$D(s)$ 是反馈控制的调节器;$W(s)$ 是反馈控制通道的传递函数;$W_n(s)$ 是对象扰动通道的传递函数。

$$Y(s) = W_n(s)N(s) + \{[X(s) - Y(s)]D(s) + D_f(s)N(s)\}W(s) \qquad (4.82)$$

因为是分析扰动作用,所以,设输入作用 $X(s) = 0$,则有:

$$\frac{Y(s)}{N(s)} = \frac{W_n(s) + D_f(s)W(s)}{1 + D(s)W(s)} \tag{4.83}$$

当前馈调节器完全补偿时, $Y(s) = 0$。所以:

$$W_n(s) + D_f(s)W(s) = 0 \tag{4.84}$$

可得前馈-反馈控制的前馈调节器模型:

$$D_f(s) = -\frac{W_n(s)}{W(s)} \tag{4.85}$$

由式(4.85)可见,在前馈-反馈控制中,前馈调节器的调节规律是对象的扰动通道和控制通道的传递函数之比取负号。

前馈-反馈控制除了图4.37的结构以外,还可以将前馈调节器的输出送到反馈调节器的输入端。

前馈-反馈控制的控制性能是,当有其他扰动作用时,系统的性能仍不理想、扰动无法用串级控制包围在副控回路;而前馈-串级控制则可以更好地改善系统的控制性能。

此系统可以看作是在串级控制的基础上引入前馈控制,以克服 $n(t)$ 波动的影响。前馈控制与串级控制构成了前馈-串级控制。

典型的前馈-串级控制系统的结构如图4.38所示

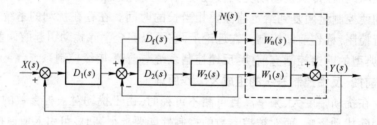

图4.38　典型的前馈-串级控制系统框图

同样,可以推导出前馈调节器的调节规律都是

$$D_f(s) = -\frac{W_n(s)}{W_1(s)}$$

4.6.2　计算机前馈控制系统

当前馈控制中的各个调节器由计算机来实现时即为计算机前馈控制。前馈调节器的调节规律是:

$$D_f(s) = -\frac{W_n(s)}{W(s)}$$

有了调节规律,经过离散化,便可以由计算机来实现调节规律。设前馈控制的结构如图4.37所示。若

$$W_n(s) = \frac{K_1}{1 + T_1 s}e^{-\tau_1 s}, W(s) = \frac{K_2}{1 + T_2 s}e^{-\tau_2 s}$$

令　　$\tau = \tau_1 - \tau_2$,则

$$D_f(s) = \frac{U(s)}{N(s)} = K_f \frac{s + \frac{1}{T_2}}{s + \frac{1}{T_1}} e^{-\tau s} \tag{4.86}$$

式中, $K_f = -\frac{K_1 T_2}{K_2 T_1}$。

由式(4.86)可得前馈调节器的微分方程为:

$$\frac{du(t)}{dt} + \frac{1}{T_1} u(t) = K_f \left[\frac{dn(t-\tau)}{dt} + \frac{1}{T_2} n(t-\tau) \right] \tag{4.87}$$

假如选择采样频率 f_s 足够高,也即采样周期 $T = \frac{1}{f_s}$ 足够短,可对微分方程离散化,得到差分方程。

设纯滞后时间 τ 是采样周期 T 的整数倍,即 $\tau = lT$,离散化时,令:

$$u(t) \approx u(k)$$

$$n(t-\tau) \approx n(k-l)$$

$$dt \approx T$$

$$\frac{du(t)}{dt} \approx \frac{u(k) - u(k-1)}{T}$$

$$\frac{dn(t-\tau)}{dt} \approx \frac{n(k-l) - n(k-l-1)}{T} \tag{4.88}$$

由式(4.87)和式(4.88)可得到差分方程:

$$u(k) = a_1 u(k-1) + b_l n(k-l) + b_{l+1} n(k-l-1) \tag{4.89}$$

式中　$a_1 = \frac{T_1}{T + T_1}$;

　　　$b_l = K_f \frac{T_1(T + T_2)}{T_2(T + T_1)}$;

　　　$b_{l+1} = -K_f \frac{T_1}{T + T_1}$;

根据差分方程(4.89),便可编制出相应的软件,由计算机来实现前馈调节器的功能。

推导计算机前馈-反馈控制的算法步骤为:

(1) 计算反馈控制的偏差 $e(k)$

$$e(k) = x(k) - y(k) \tag{4.90}$$

(2) 计算反馈调节器(PID)的输出 $c(k)$

$$\Delta c(k) = K_P[e(k) - e(k-1)] + K_I e(k) + K_D[e(k) - 2e(k-1) + e(k-2)] \tag{4.91}$$

$$c(k) = c(k-1) + \Delta c(k) \tag{4.92}$$

(3) 计算前馈调节器 $D_f(s)$ 的输出 $u(k)$

$$u(k) = a_1 u(k-1) + b_l n(k-l) + b_{l+1} n(k-l-1) \tag{4.93}$$

(4) 计算前馈-反馈调节器的输出 $p(k)$

$$p(k) = u(k) + c(k) \tag{4.94}$$

(5) 存储单元内容更新

$e(k-1) \rightarrow e(k-2), e(k) \rightarrow e(k-1), c(k) \rightarrow c(k-1)$

$u(k) \rightarrow u(k-1), n(k-l) \rightarrow n(k-l-1), n(k-l+1) \rightarrow n(k-l), n(k-l+2) \rightarrow n(k-l+1), \cdots$

$n(k-1) \rightarrow n(k-2), n(k) \rightarrow n(k-1)$。

有了算法步骤,便可以方便地画出前馈-反馈控制的算法流程图。

5　直接数字控制方法

前一章讨论的是模拟化设计方法对计算机控制系统进行综合与设计,本章将用直接设计法对计算机控制系统进行综合与设计,这显然更具有一般性的意义。

5.1　直接数字控制系统的脉冲传递函数

从被控对象的实际特性出发,直接根据采样系统理论来设计数字控制器,这样的方法称为直接数字控制。用直接设计法对计算机控制系统进行综合与设计,它完全是根据采样系统的特点进行分析与综合,并导出相应的控制规律。利用计算机软件的灵活性,可以实现从简单到复杂的各种控制。

直接数字控制的设计基于离散方法的理论,被控对象可用离散模型描述,或用离散化模型来表示连续对象。典型的数字控制系统原理如图 5.1 所示。

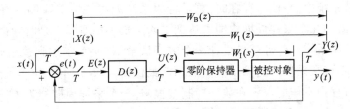

图 5.1　数字控制系统原理框图

在图 5.1 中,设 $D(z)$ 为数字控制器,$W_1(z)$ 为包括零阶保持器在内的广义对象的脉冲传递函数。$W_B(z)$ 为闭环脉冲传递函数,$Y(z)$ 为输出信号的 Z 变换,$X(z)$ 为输入信号的 Z 变换。由数字控制系统理论可知,其闭环脉冲传递函数为

$$W_B(z) = \frac{D(z)W_1(z)}{1 + D(z)W_1(z)} \tag{5.1}$$

偏差脉冲传递函数

$$W_e(z) = \frac{E(z)}{X(z)} = 1 - W_B(z) \tag{5.2}$$

由式(5.1)和式(5.2)可得出数字控制器 $D(z)$ 为

$$D(z) = \frac{W_B(z)}{W_1(z)[1 - W_B(z)]} = \frac{W_B(z)}{W_1(z)W_e(z)} = \frac{1 - W_e(z)}{W_1(z)W_e(z)} \tag{5.3}$$

在式(5.3)中,广义对象的脉冲传递函数 $W_1(z)$ 是保持器和被控对象所固有的,一旦被控对象被确定,$W_1(z)$ 是不能改变的。但是,偏差脉冲传递函数 $W_e(z)$ 是随不同的典型输入而改变的,$W_B(z)$ 则根据系统的不同要求来决定。因此,当 $W_B(z)$、$W_1(z)$、$W_e(z)$ 确定后,便可根据式(5.3)求出数字控制系统的脉冲传递函数,它是设计数字控制器的基础。

脉冲传递函数 $D(z)$ 求出之后,需要校核一下,它在物理上是否能够实现。如果在物理上是可实现的,下一步工作便是根据式(5.3)编制实现 $D(z)$ 的控制算法程序。如果 $D(z)$ 在物理上不能实现,则需要重新设计数字控制器 $D(z)$。判断 $D(z)$ 在物理上能够实现的条

件是 $D(z)$ 分母的 z 的最高阶次大于或等于 $D(z)$ 分子的 z 的最高阶次 m，即 $n \geqslant m$。否则就会出现要求数字控制器有超前输出，这是无法实现的。例如：

$$D(z) = \frac{U(z)}{E(z)} = \frac{z^2 + z + 1}{z - 1} = \frac{1 + z^{-1} + z^{-2}}{z^{-1} - z^{-2}}$$

$$n = 1, \ m = 2, \ n < m$$

对上式进行交叉相乘，得出

$$(z^{-1} - z^{-2})U(z) = (1 + z^{-1} + z^{-2})E(z)$$

对上式两边进行 Z 反变换，得出：

$$u(k-1) - u(k-2) = e(k) + e(k-1) + e(k-2)$$

或写成

$$u(k) = u(k-1) + e(k+1) + e(k) + e(k-1)$$

上式表明，计算机（数字控制器）本次采样输出值 $u(k)$ 与下次采样偏差 $e(k+1)$ 有关。由于在本次采样期间无法得到下次采样的偏差值 $e(k+1)$，算不出 $u(k)$，计算机无法工作。如果满足 $n \geqslant m$ 条件，类似上式的 $e(k+1)$ 项，将不会出现。

5.2 最小拍计算机控制系统的设计

在自动调节系统中，当偏差存在时，总是希望系统能尽快地消除偏差，使输出跟随输入变化；或者在有限的几个采样周期内即可达到平衡。最小拍实际上是时间最优控制。因此，最小拍计算机控制系统的任务就是设计一个数字调节器，使系统达到稳定时所需要的采样周期最少，而且系统在采样点的输出值能准确地跟踪输入信号，不存在静差。对任何两个采样周期中间的过程则不作要求。在数字控制过程中，一个采样周期称为 1 拍。

5.2.1 最小拍控制系统数字控制器分析

在一般的自动调节系统中，有以下几种典型输入形式。

(1) 单位阶跃输入

$$x(t) = 1(t), \quad X(z) = \frac{1}{1 - z^{-1}}$$

(2) 单位速度输入

$$x(t) = t, \quad X(z) = \frac{Tz^{-1}}{(1 - z^{-1})^2} \qquad (T \text{ 为采样周期})$$

(3) 单位加速度输入

$$x(t) = \frac{t^2}{2}, \quad X(z) = \frac{T^2 z^{-1}(1 + z^{-1})}{2(1 - z^{-1})^3}$$

(4) 单位重加速度输入

$$x(t) = \frac{1}{3!}t^3 = \frac{1}{6}t^3, \quad X(z) = \frac{T^3 z^{-2}(1 + 4z^{-1} + z^{-2})}{6(1 - z^{-1})^4}$$

由此可得出调节器输入共同的 Z 变换形式

$$X(z) = \frac{A(z)}{(1 - z^{-1})^m} \tag{5.4}$$

式中，m 为正整数，$A(z)$ 是不包括 $(1 - z^{-1})$ 因式的 z^{-1} 的多项式。因此，对于不同的输入，只是 m 不同而已。一般只讨论 $m = 1、2、3$ 的情况，在上述的几种典型输入中，m 分别为 1、

2、3、4。

将式(5.4)代入式(5.2),得

$$E(z) = X(z)W_e(z) = \frac{A(z)W_e(z)}{(1-z^{-1})^m} \qquad (5.5)$$

根据零静差的要求,由终值定理

$$\lim_{k\to\infty} e(k) = \lim_{z\to 1}(z-1)E(z) = \lim_{z\to 1}(z-1)X(z)W_e(z)$$

$$= \lim_{z\to 1}(z-1)\frac{A(z)[1-W_B(z)]}{(1-z^{-1})^m} \to 0$$

由于 $A(z)$ 不含 $(1-z^{-1})$ 因式,若使上式趋于0,必应消去分母因式 $(1-z^{-1})^m$,因此必有

$$1 - W_B(z) = W_e(z) = (1-z^{-1})^M F(z), \qquad M \geqslant m \qquad (5.6)$$

式中,$F(z)$ 是不含因式 $(1-z^{-1})$ 的 z^{-1} 的多项式。

当选择 $M = m$,且 $F(z) = 1$ 时,不仅可使数字控制器结构简单,阶数降低,而且还可使 $W_e(z)$ 项数最小,即 $E(z)$ 的项数最少,因而调节时间 t_s 最短,可使系统在采样点的输出在最小拍内达到稳态,即最小拍控制。据此,对于不同的输入,可以选择不同的偏差 z 传递函数 $W_e(z)$。详见表 5.1。

表 5.1 三种典型输入的最小拍系统

输入函数 $x(kT)$	偏差脉冲传递函数 $W_e(z)$	闭环脉冲传递函数 $W_B(z)$	最小拍数字控制器 $D(z)$	调节时间 t_s
$1(kT)$	$1-z^{-1}$	z^{-1}	$\dfrac{z^{-1}}{(1-z^{-1})W_1(z)}$	T
kT	$(1-z^{-1})^2$	$2z^{-1}-z^{-2}$	$\dfrac{2z^{-1}-z^{-2}}{(1-z^{-1})^2 W_1(z)}$	$2T$
$\dfrac{(kT)^2}{2}$	$(1-z^{-1})^3$	$3z^{-1}-3z^{-2}+z^{-3}$	$\dfrac{3z^{-1}-3z^{-2}+z^{-3}}{(1-z^{-1})^3 W_1(z)}$	$3T$

5.2.2 最小拍控制系统数字控制器的设计

设计最小拍控制系统数字控制器的方法步骤如下:

(1)根据被控对象的数学模型求出广义对象的脉冲传递函数 $W_1(z)$;

(2)根据输入信号类型,查表 5.1 确定偏差脉冲传递函数 $W_e(z)$;

(3)将 $W_1(z)$、$W_e(z)$ 代入式(5.3),进行 Z 变换运算,即可求出数字控制器的脉冲传递函数 $D(z)$;

(4)根据结果,求出输出序列及画出其响应曲线等。

下边结合例子介绍 $D(z)$ 的设计方法。

例 5.1 设最小拍计算机控制系统,如图 5.1 所示。被控对象的传递函数

$$W_d(s) = \frac{2}{s(1+0.5s)}$$

采样周期 $T = 0.5\text{s}$,采用零阶保持器,试设计在单位速度输入时的最小拍数字控制器。

解: 根据图 5.1 可写出该系统的广义对象脉冲传递函数

$$W_1(z) = Z\left[\frac{1-e^{-sT}}{s} \cdot \frac{2}{s(1+0.5s)}\right] = Z\left[(1-e^{-sT})\frac{4}{s^2(s+2)}\right]$$

$$= (1 - z^{-1}) \left[\frac{2Tz^{-1}}{(1-z^{-1})^2} - \frac{1}{1-z^{-1}} + \frac{1}{1-e^{-2T}z^{-1}} \right]$$

$$= \frac{0.368z^{-1}(1+0.718z^{-1})}{(1-z^{-1})(1-0.368z^{-1})}$$

由于输入 $x(t) = t$，由表 5.1 查得

$$W_e(z) = (1-z^{-1})^2$$

所以，由式(5.3)可写出控制器的脉冲传递函数

$$D(z) = \frac{1 - W_e(z)}{W_1(z)W_e(z)} = \frac{5.435(1-0.5z^{-1})(1-0.368z^{-1})}{(1-z^{-1})(1+0.718z^{-1})}$$

数字控制器可以用计算机来实现，其具体方法将在 5.5 节中讲述。

下面分析一下数字控制器 $D(z)$ 对系统的控制效果。由表 5.1 可查出系统闭环脉冲传递函数

$$W_B(z) = 2z^{-1} - z^{-2}$$

当输入为单位速度信号时，系统输出序列的 Z 变换

$$Y(z) = W_B(z)X(z) = (2z^{-1} - z^{-2})\frac{Tz^{-1}}{(1-z^{-1})^2}$$

$$= 2Tz^{-2} + 3Tz^{-3} + 4Tz^{-4} + 5Tz^{-5} + \cdots$$

上式中各项系数即为 $y(t)$ 在各个采样时刻的数值。$y(0) = 0, y(1) = 0, y(2) = 2T, y(3) = 3T, y(4) = 4T, \cdots$。输出响应曲线，如图 5.2 所示。

从图 5.2 中可以看出，当系统为单位速度输入时，经过两拍以后，输出量完全等于输入采样值，即 $y(k) = x(k)$。但在各采样点之间还存在着一定的偏差，即存在着一定的纹波。

再来看一下当输入为其他函数值时，输出响应的情况。

设输入为单位阶跃函数时，输出量的 Z 变换

$$Y(z) = W_B(z)X(z) = (2z^{-1} - z^{-2})\frac{1}{1-z^{-1}} = 2z^{-1} + z^{-2} + z^{-3} + z^{-4} + \cdots$$

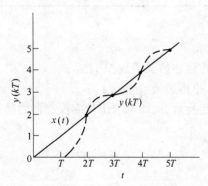

图 5.2 单位速度输入时的响应曲线

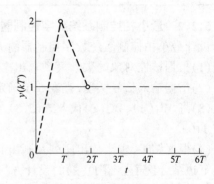

图 5.3 单位阶跃输入时的响应曲线

输出序列为 $y(0) = 0, y(1) = 2, y(2) = 1, y(3) = 1, y(4) = 1, \cdots$。其输出响应曲线，见图 5.3。

由图 5.3 可见，按单位速度输入设计的最小拍系统，当为单位阶跃输入时，经过两个采样周期，$y(k) = x(k)$。但当 $k = 1$ 时，将有 100% 的超调量。

若输入为单位加速度，则输出量的 z 变换为

$$Y(z) = W_B(z)X(z) = (2z^{-1} - z^{-2})\frac{T^2 z^{-1}(1 + z^{-1})}{2(1 - z^{-1})^3}$$

$$= T^2 z^{-2} + 3.5T^2 z^{-3} + 7T^2 z^{-4} + 11.5T^2 z^{-5} + \cdots$$

由此可得，$y(0) = 0$，$y(1) = 0$，$y(2) = T^2$，$y(3) = 3.5T^2$，$y(4) = 7T^2$，$\cdots$。输入序列 $x(0) = 0$，$x(1) = 0$，$x(2) = 2T^2$，$x(3) = 4.5T^2$，$x(4) = 8T^2$，$\cdots$。可见，输出响应与输入之间始终存在着偏差，如图5.4所示。

由上述分析可见，按某种典型输入设计的最小拍系统，当输入形式改变时，系统的性能变坏，输出响应不一定理想。这说明最小拍系统对输入信号的变化适应性较差。

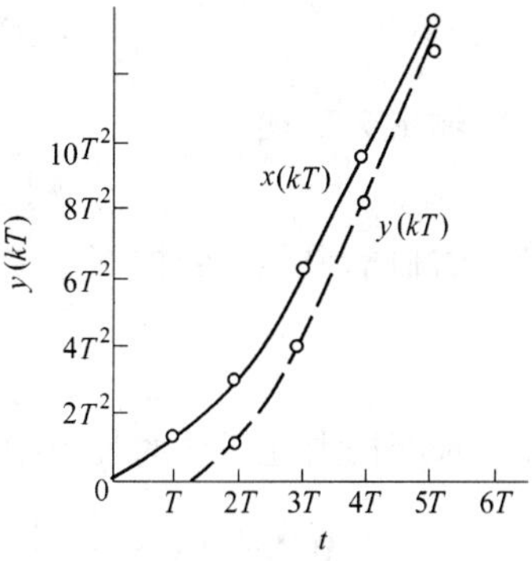

在前面讨论的最小拍系统 $D(z)$ 设计过程中，对被控对象 $W_1(S)$ 并未提出具体限制。实际上，只有当广义对象的脉冲传递函数 $W_1(z)$ 是稳定的，即在单位圆上或圆外没有零、极点，且不含有纯滞后环节 z^{-1} 时，所设计的最小拍系统才是正确的。

如果上述条件不能满足，应对上述设计原则作些相应的限制。由式(5.3)

图5.4 单位加速度输入时
的响应曲线

$$D(z) = \frac{1 - W_e(z)}{W_1(z)W_e(z)} = \frac{W_B(z)}{W_1(z)W_e(z)}$$

可导出系统闭环脉冲传递函数

$$W_B(z) = D(z)W_1(z)W_e(z) \tag{5.7}$$

为保证闭环系统稳定，其闭环脉冲传递函数 $W_B(z)$ 的极点应全部在单位圆内。若广义对象 $W_1(z)$ 中有极点存在，则应用 $D(z)$ 或 $W_e(z)$ 的相同零点来抵消。但用 $D(z)$ 来抵消 $W_1(z)$ 的零点是不可靠的，因为 $D(z)$ 中的参数由于计算上的误差或漂移会造成抵消不完全的情况，这将有可能引起系统的不稳定，所以，$W_1(z)$ 的不稳定极点通常由 $W_e(z)$ 来抵消。给 $W_e(z)$ 增加零点的后果是延迟了系统消除偏差的时间。$W_1(z)$ 中出现的单位圆上(或圆外)的零点，则既不能用 $W_e(z)$ 中的极点来抵消，因为 $W_e(z)$ 已选定为 z^{-1} 的多项式，没有极点，也不能用增加 $D(z)$ 中的极点来抵消，因为 $D(z)$ 不允许有不稳定极点，这样会导致数字控制器 $D(z)$ 的不稳定。而对于 $W_1(z)$ 中包括纯滞后环节 z^{-1} 的多次方时，也不能在 $D(z)$ 的分母上设置纯滞后环节来抵消 $W_1(z)$ 的纯滞后环节，因为经过通分之后，$D(z)$ 分子的 z 的阶次 m 将高于分母 z 的阶次 n，使计算机出现超前输出，这将造成 $D(z)$ 在物理上无法实现。因此，广义对象 $W_1(z)$ 中的单位圆外零点和 z^{-1} 因子，还必须包括在所设计的闭环脉冲传递函数 $W_B(z)$ 中，这将导致调整时间的延长。

综上所述，对闭环脉冲传递函数 $W_B(z)$ 和偏差传递函数 $W_e(z)$ 选择必须有一定的限制。

(1)数字控制器 $D(z)$ 在物理上应是可实现的有理多项式。

$$D(z) = \frac{b_0 + b_1 z^{-1} + b_2 z^{-2} + \cdots + b_m z^{-m}}{1 + a_1 z^{-1} + a_2 z^{-2} + \cdots + a_n z^{-n}} \tag{5.8}$$

上式中，$a_i(i = 1,2,3,\cdots,n)$ 和 $b_i(i = 1,2,3,\cdots,m)$ 为常系数，且 $n > m$。

(2)$W_1(z)$ 所有的极点都应由 $W_e(z)$ 的零点来抵消。

(3)$W_1(z)$ 中在单位圆上($z_i = 1$ 除外)或圆外的零点都应包含在 $W_B(z) = 1 - W_e(z)$ 中。

(4) $W_B(z) = 1 - W_e(z)$ 应为 z^{-1} 的展开式,且其方次应与 $W_e(z)$ 中分子的 z^{-1} 因子的方次相等。

例如,对不稳定对象 $W_1(z) = \dfrac{2.2z^{-1}}{1 + 1.2z^{-1}}$

(1)不按上述原则设计时:对单位阶跃 $W_B(z) = z^{-1}$

$$D(z) = \frac{z^{-1}}{\dfrac{2.2z^{-1}}{1 + 1.2z^{-1}}(1 - z^{-1})} = \frac{0.4545(1 + 1.2z^{-1})}{1 - z^{-1}}$$

输出 Z 变换

$$Y(z) = W_B(z)X(z) = z^{-1} + z^{-2} + \cdots$$

看似一个稳定的控制系统,但若对象产生漂移变为

$$W_1^*(z) = \frac{2.2z^{-1}}{1 + 1.3z^{-1}}$$

那么按上述设计的最小拍控制器的情况下,有

$$W_B^*(z) = \frac{W_1^*(z)D(z)}{1 + W_1^*(z)D(z)} = \frac{z^{-1}(1 + 1.2z^{-1})}{1 + 1.3z^{-1} - 0.1z^{-2}}$$

$$Y^*(z) = W_B^*(z)X(z)$$
$$= z^{-1} + 0.9z^{-2} + 1.13z^{-3} + 0.821z^{-4} + 1.246z^{-5} + \cdots$$

可知在参数变化后,闭环系统不再稳定。

(2)按上述原则设计时,设计 $W_e(z)$ 时应包括该极点。即

$$W_e(z) = (1 + 1.2z^{-1})(1 - z^{-1})$$

用 $W_B(z)$ 平衡上式

$$W_B(z) = az^{-1} + bz^{-2} = (a + bz^{-1})z^{-1}$$

则有 $a = -0.2, b = 1.2$。所以

$$D(z) = \frac{W_B(z)}{W_1(z)W_e(z)} = \frac{-0.2z^{-1} + 1.2z^{-2}}{\dfrac{2.2z^{-1}}{1 + 1.2z^{-1}}(1 + 1.2z^{-1})(1 - z^{-1})}$$

$$= -\frac{0.091(1 - 6z^{-1})}{1 - z^{-1}}$$

$$Y(z) = W_B(z)X(z) = -\frac{(0.2 - 1.2z^{-1})z^{-1}}{1 - z^{-1}}$$

$$= -0.2z^{-1} + z^{-2} + z^{-3} + \cdots$$

可知控制稳定。

对 $W_1^*(z)$,因

$$W_B^*(z) = -\frac{0.2z^{-1}(1 - 6z^{-1})}{1 + 0.1z^{-1} - 0.1z^{-2}}$$

所以

$$Y^*(z) = W_B^*(z)X(z) = \frac{0.2z^{-1}(1 - 6z^{-1})}{(1 + 0.1z^{-1} - 0.1z^{-2})(1 - z^{-1})}$$

$$= -0.2z^{-1} + 1.02z^{-2} + 0.878z^{-3} + 1.0142z^{-4} + 0.9864z^{-5} + 1.0028z^{-6} + \cdots$$

由此可得, $y(0)=0, y(1)=-0.2, y(2)=1.02, y(3)=0.878, y(4)=1.0142, y(5)=0.9864,\cdots$。可见在模型有误差时,控制仍能保持稳定,而这是首要的。

例 5.2　设计最小拍计算机控制系统,如图5.1所示。被控对象的传递函数

$$W_d(s)=\frac{10}{s(1+s)(1+0.1s)}$$

设采样周期 $T=0.5\text{s}$,试设计单位阶跃输入时的最小拍数字控制器 $D(z)$。

解: 当用零阶保持器沟通数字控制器与被控对象间联系时,该系统广义对象的脉冲传递函数

$$
\begin{aligned}
W_1(z) &= Z\left[\frac{1-\mathrm{e}^{-sT}}{s}\frac{10}{s(1+s)(1+0.1s)}\right] \\
&= Z\left[(1-\mathrm{e}^{-sT})(\frac{10}{s^2}-\frac{11}{s}+\frac{100/9}{1+s}-\frac{1/9}{10+s})\right] \\
&= \frac{1-z^{-1}}{9}\left[\frac{90Tz^{-1}}{(1-z^{-1})^2}-\frac{99}{1-Z^{-1}}+\frac{100}{1-\mathrm{e}^{-T}z^{-1}}-\frac{1}{1-\mathrm{e}^{-10T}z^{-1}}\right] \\
&= \frac{0.7385z^{-1}(1+1.4815z^{-1})(1+0.05355z^{-1})}{(1-z^{-1})(1-0.6065z^{-1})(1-0.0067z^{-1})}
\end{aligned}
$$

上式中包含有 z^{-1} 和单位圆外零点 $z=-1.4815$,为满足限制条件中③、④两条,要求闭环脉冲传递函数 $W_B(z)$ 中含有 $(1+1.4815z^{-1})$ 项及 z^{-1} 的因子。用 $W_e(z)$ 来平衡 z^{-1} 的幂次,故可得

$$
\begin{cases}
W_B(z)=1-W_e(z)=az^{-1}(1+1.4815z^{-1}) \\
W_e(z)=(1-z^{-1})(1+f_1z^{-1})
\end{cases}
$$

式中, a, f_1 为待定系数。

由上述方程组可得

$$(1-f_1)z^{-1}+f_1z^{-2}=az^{-1}+1.4815az^{-2}$$

比较等式两边的系数,可得

$$
\begin{cases}
1-f_1=a \\
f_1=1.4815a
\end{cases}
$$

由此可解得待定系数

$$a=0.403, f_1=0.597$$

代入方程组,则

$$
\begin{cases}
W_B(z)=0.403z^{-1}(1+1.4815z^{-1}) \\
W_e(z)=(1-z^{-1})(1+0.597z^{-1})
\end{cases}
$$

于是,由式(5.3)可求出数字控制器的脉冲传递函数

$$D(z)=\frac{W_B(z)}{W_1(z)W_e(z)}=\frac{0.5457(1-0.6065z^{-1})(1-0.0067z^{-1})}{(1+0.597z^{-1})(1+0.05355z^{-1})}$$

上述控制器在物理上是可以实现的。

离散系统经数字校正后,在单位阶跃作用下,系统输出响应的 Z 变换为

$$Y(z)=W_B(z)X(z)=0.403z^{-1}(1+1.4815z^{-1})\frac{1}{1-z^{-1}}=0.403z^{-1}+z^{-2}+z^{-3}+\cdots$$

由此可得, $y(0)=0, y(1)=0.403, y(2)=y(3)=\cdots=1$。

其输出响应特性曲线,如图 5.5 所示。由于闭环 Z 传递函数包含了单位圆外零点,所以系统的调节延长到两拍(1s)。

例 5.3 图 5.1 所示系统,被控对象为一积分环节加上纯滞后 e^{-2sT}。即 $W_d(s) = \dfrac{1}{s} e^{-2sT}$,试设计单位阶跃输入时的最小拍系统。

解: 先求广义对象的脉冲传递函数

$$W_1(z) = z[W_1(s)] = Z\left[\frac{1-e^{-sT}}{s}\frac{e^{-2sT}}{s}\right] = z\left[e^{-2sT}(1-e^{-sT})\frac{1}{s^2}\right]$$

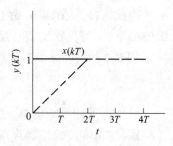

图 5.5 系统输出响应特性曲线

$$= z^{-2}(1-z^{-1})\frac{Tz^{-1}}{(1-z^{-1})^2} = \frac{Tz^{-3}}{1-z^{-1}}$$

再确定闭环脉冲传递函数和偏差脉冲传递函数。由于是单位阶跃输入,又由于 $W_d(z)$ 中包含有滞后环节 z^{-2},因此

$$W_B(z) = az^{-1}z^{-2}$$

$$W_e(z) = (1-z^{-1})(1+f_1z^{-1}+f_2z^{-2})$$

通过 $W_B(z) = 1 - W_e(z)$ 联立求解上两式,得

$$\begin{cases} 1-f_1 = 0 \\ f_1-f_2 = 0 \\ f_2 = a \end{cases}$$

解得

$$f_1 = 1, \quad f_2 = 1, \quad a = 1$$

因此数字控制器

$$D(z) = \frac{W_B(z)}{W_1(z)W_e(z)} = \frac{1/T}{1+z^{-1}+z^{-2}}$$

由于 $D(z)$ 分母 z 的阶次 n 等于分子 z 的阶次 m,所以 $D(z)$ 在物理上可以实现。

系统输出的 Z 变换为

$$Y(z) = W_B(z)X(z) = \frac{z^{-3}}{1-z^{-1}} = z^{-3} + z^{-4} + z^{-5} + \cdots$$

偏差的 Z 变换为

$$E(z) = X(z) - Y(z) = 1 + z^{-1} + z^{-2}$$

可见偏差存在 3 个采样周期,从第 4 个采样周期开始输出响应完全跟踪输入而进入稳态。偏差及输出波形如图 5.6 所示。由于有 2 个采样周期的纯滞后时间,所以系统的调整时间为 $3T$。

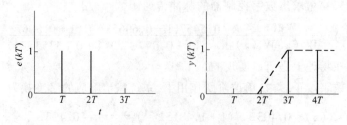

图 5.6 系统偏差及输出波形图

一般地说,尽管最小拍系统具有结构简单、设计方便和易用微机实现等优点,但也存在着一些缺点。如对输入信号类型的适应性较差,对系统参数变化很敏感,出现随机扰动时系统性能变坏,只能保证采样点偏差为零或保持恒定值,不能确保采样点之间的偏差为零或保持恒定值,以及受饱和特性限制,其采样频率不宜太高等等。

5.3 最小拍无纹波计算机控制系统的设计

在上一节讲的最小拍计算机控制系统设计中,系统对输入信号的变换适应能力较差,输出响应只保证采样点上的偏差为零。也就是说,在最小拍计算机控制系统中,系统的输出响应在采样点之间有纹波存在。输出纹波不仅会造成偏差,而且还会消耗执行机构驱动功率,增加机械磨损。

参照图 5.1 不难看出,产生纹波的原因是,在零阶保持器的输入端,也就是数字控制器的输出经采样开关后达不到相对稳定,即 $u(k)$ 值不稳定,因而使系统输出 $y(t)$ 在采样点之间产生波动。这样一个波动的控制量作用在广义对象上,系统输出必然产生纹波。如果输入偏差 $e(k)=0$,保持器的输入脉冲序列为一恒定值,那么输出量 $y(t)$ 就不会在非采样点间产生纹波。由此可知,最小拍无纹波系统除保证输出为最小拍外,还必须使 $Y(z)$ 稳定,两者要求系统的输出响应曲线是不同的。

最小拍无纹波数字控制器的设计则要求:系统在典型信号的作用下,经过尽可能小的节拍(一般为 1~3 个采样周期)后,系统应达到稳定状态,且采样点之间没有纹波。

5.3.1 单位阶跃输入最小拍无纹波系统的设计

已知单位阶跃输入的 Z 变换

$$X(z) = \frac{1}{1 - z^{-1}}$$

如果

$$D(z)W_e(z) = a_0 + a_1 z^{-1} + a_2 z^{-2} \tag{5.9}$$

则有

$$U(z) = D(z)W_e(z)X(z) = \frac{a_0 + a_1 z^{-1} + a_2 z^{-2}}{1 - z^{-1}}$$
$$= a_0 + (a_0 + a_1)z^{-1} + (a_0 + a_1 + a_2)z^{-2} + (a_0 + a_1 + a_2)z^{-3} + \cdots \tag{5.10}$$

由式(5.10)可得

$u(0) = a_0, u(1) = a_0 + a_1, u(2) = u(3) = u(4) = \cdots = a_0 + a_1 + a_2$。由此可见,从第 2 拍起,$u(k)$ 就稳定在 $a_0 + a_1 + a_2$ 上。当系统含有积分环节时,$a_0 + a_1 + a_2 = 0$。

5.3.2 单位速度输入最小拍无纹波系统的设计

单位速度输入 Z 的变换

$$X(z) = \frac{Tz^{-1}}{(1 - z^{-1})^2}$$

仍设

$$D(z)W_e(z) = a_0 + a_1 z^{-1} + a_2 z^{-2}$$

则

$$U(z) = D(z)W_e(z)X(z) = \frac{Tz^{-1}(a_0 + a_1 z^{-1} + a_2 z^{-2})}{(1 - z^{-1})^2}$$

$$= Ta_0 z^{-1} + T(2a_0 + a_1)z^{-2} + T(3a_0 + 2a_1 + a_2)z^{-3} +$$
$$T(4a_0 + 3a_1 + 2a_2)z^{-4} + \cdots \tag{5.11}$$

由式(5.11)可知

$$u(0) = 0$$
$$u(1) = Ta_0$$
$$u(2) = T(2a_0 + a_1)$$
$$u(3) = T(3a_0 + 2a_1 + a_2) = u(2) + T(a_0 + a_1 + a_2)$$
$$u(4) = T(4a_0 + 3a_1 + 2a_2) = u(3) + T(a_0 + a_1 + a_2)$$
$$\cdots$$

由此可见,当 $k \geq 3$, $u(k) = u(k-1) + T(a_0 + a_1 + a_2)$。

若系统中含有积分环节时, $a_0 + a_1 + a_2 = 0$,最小拍从第 2 拍起,即 $k \geq 2$ 时,

$$u(k) = u(k-1) = T(2a_0 + a_1)$$

如果系统中不包括积分环节,即 $a_0 + a_1 + a_2 \neq 0$,则最小拍从第 2 拍起, $u(k)$ 匀速变化。

最小拍无纹波计算机控制系统在单位速度输入情况下,各点波形如图 5.7 所示。

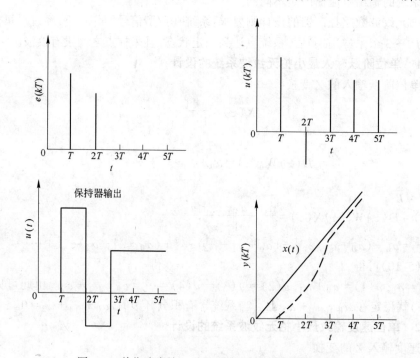

图 5.7 单位速度输入时最小拍无纹波系统各点波形

上面的分析取 $D(z)W_e(z)$ 为 3 次,是一个特例。依此类推,当取的项数较多时,用上述方法可以得到类似的结果,但调节时间相应加长。

5.3.3 最小拍无纹波系统设计举例

欲使 $u(kT)$ 为有限拍,应使 $D(z)W_e(z)$ 为 z^{-1} 的有限多项式,由式(5.3)可得

$$D(z)W_e(z) = \frac{1 - W_e(z)}{W_1(z)} = \frac{W_B(z)}{W_1(z)} \tag{5.12}$$

由上式可看出，$W_1(z)$ 的极点不会影响 $D(z)W_e(z)$ 成为 z^{-1} 的有限多项式，而 $W_1(z)$ 的零点倒是有可能使 $D(z)W_e(z)$ 成为 z^{-1} 的无限多项式，因此，要使 $W_B(z)$ 的零点包含 $W_1(z)$ 的全部非零零点，而在最小拍计算机控制系统中，则只要求 $W_B(z)$ 包括 $W_1(z)$ 的单位圆上($z_i = 1$ 除外)和单位圆外的零点。这是最小拍无纹波系统与最小拍有纹波系统设计之间的根本区别。

例 5.4 设图 5.1 所示系统被控对象 $W_d(s) = \dfrac{1}{s(2s+1)}$，采样周期 $T = 1\mathrm{s}$，试设计一单位阶跃输入时的最小拍无纹波控制器 $D(z)$。

解：广义对象的传递函数

$$W_1(s) = \frac{1 - \mathrm{e}^{-sT}}{s} \frac{1}{s(2s+1)} = \frac{1 - \mathrm{e}^{-sT}}{s^2(2s+1)}$$

经 Z 变换后，可得广义对象的脉冲传递函数

$$W_1(z) = Z[W_1(s)] = Z\left[\frac{1 - \mathrm{e}^{-sT}}{s^2(2s+1)}\right] = \frac{0.213z^{-1}(1 + 0.847z^{-1})}{(1 - z^{-1})(1 - 0.6065z^{-1})}$$

由上式可知，$W_1(z)$ 具有 z^{-1} 因子，零点 $z_1 = -0.847$。

根据前面分析，闭环脉冲传递函数 $W_B(z)$ 应包括 z^{-1} 因子和 $W_1(z)$ 的全部非零零点，所以有

$$W_B(z) = 1 - W_e(z) = az^{-1}(1 + 0.847z^{-1})$$

$W_e(z)$ 应由输入形式 $W_1(z)$ 的不稳定极点和 $W_B(z)$ 的阶次决定，所以

$$W_e(z) = (1 - z^{-1})(1 + f_1 z^{-1})$$

将上两式联立，得

$$(1 - f_1)z^{-1} + f_1 z^{-2} = az^{-1} + 0.847az^{-2}$$

比较等式两侧，得

$$a = 1 - f_1$$

$$f_1 = 0.847a$$

解方程组，可得

$$a = 0.541, f_1 = 0.459$$

所以

$$W_e(z) = (1 - z^{-1})(1 + 0.459z^{-1})$$

$$W_B(z) = 0.541z^{-1}(1 + 0.847z^{-1})$$

将上两式代入式(5.3)，可求出数字控制器的脉冲传递函数

$$D(z) = \frac{W_B(z)}{W_1(z)W_e(z)} = \frac{2.54(1 - 0.6065z^{-1})}{1 + 0.459z^{-1}}$$

为了检验以上所设计的 $D(z)$ 是否仍有纹波存在，来看一下 $U(z)$。由式(5.10)可知 $U(z) = D(z)W_e(z)X(z)$

$$= \frac{2.54(1 - 0.6065z^{-1})(1 - z^{-1})(1 + 0.459z^{-1})}{(1 + 0.459z^{-1})(1 - z^{-1})} = 2.54 - 1.54z^{-1}$$

由 Z 变换的定义，可知

$$u(0) = 2.54$$
$$u(1) = -1.54$$
$$u(2) = u(3) = u(4) = \cdots = 0$$

由此可见,系统经过 2 拍以后,即 $k \geqslant 2$, $u(k) = 0$。所以本系统设计是无纹波的。

输出量的 Z 变换为

$$Y(z) = W_B(z)X(z) = \frac{0.541z^{-1}(1 + 0.847z^{-1})}{(1 - z^{-1})} = 0.541z^{-1} + z^{-2} + z^{-3} + \cdots$$

由此可得出输出量系列值为

$$y(0) = 0$$
$$y(1) = 0.541$$
$$y(2) = y(3) = y(4) = \cdots = 1$$

根据上述分析,可画出本系统最小拍无纹波控制的特性曲线,如图 5.8 所示。

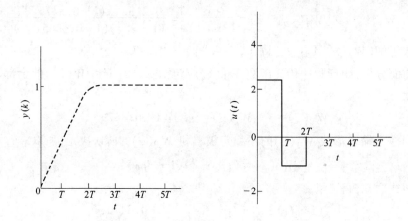

图 5.8 最小拍无纹波控制系统的特性

例 5.5 如图5.1所示,已知被控对象传递函数为 $W_d(s) = \dfrac{10}{s(1 + 0.1s)}$,采样周期 $T = 0.1s$。①试设计单位阶跃输入时的最小拍无纹波数字控制器 $D(z)$;②将按单位阶跃输入时的最小拍无纹波设计的数字控制器 $D(z)$,改为按单位速度输入时,分析其控制效果。

解:(1) 按单位阶跃输入设计

系统广义对象的脉冲传递函数为

$$W_1(z) = Z\left[\frac{1 - e^{-sT}}{s}\frac{10}{s(1 + 0.1s)}\right] = \frac{0.368z^{-1}(1 + 0.717z^{-1})}{(1 - z^{-1})(1 - 0.368z^{-1})}$$

因 $W_1(z)$ 有 z^{-1} 因子,零点 $z = -0.717$,极点 $z_1 = 1$, $z_2 = 0.368$。

闭环脉冲传递函数 $W_B(z)$ 应选定为包含 z^{-1} 因子和 $W_1(z)$ 的全部零点,所以

$$W_B(z) = az^{-1}(1 + 0.717z^{-1})$$

$W_e(z)$ 应由输入类型、$W_1(z)$ 的不稳定极点和 $W_B(z)$ 的阶次三者来决定。所以选择

$$W_e(z) = (1 - z^{-1})(1 + f_1z^{-1})$$

式中,$(1 - z^{-1})$ 项是由输入类型决定的,$(1 + f_1z^{-1})$ 项则是应由 $W_e(z)$ 与 $W_B(z)$ 的相同阶次决定。

因 $W_e(z) = 1 - W_B(z)$，将上述所得 $W_e(z)$ 和 $W_B(z)$ 值代入后，可得

$$(1 - z^{-1})(1 + f_1 z^{-1}) = 1 - az^{-1}(1 + 0.717z^{-1})$$

解此方程，得 $a = 0.5824$，$f_1 = 0.4176$。于是便可求出数字控制器的脉冲传递函数为

$$D(z) = \frac{1 - W_e(z)}{W_e(z)W_1(z)} = \frac{1.5826(1 - 0.368z^{-1})}{(1 + 0.4716z^{-1})}$$

用 $U(z)$ 可判断所设计的 $D(z)$ 是否是最小拍无纹波数字控制器系统。

$$U(z) = D(z)E(z) = D(z)W_e(z)X(z)$$
$$= \frac{1.5826(1 - z^{-1})(1 + 0.4716z^{-1})(1 - 0.368z^{-1})}{(1 + 0.4716z^{-1})(1 - z^{-1})^2}$$
$$= 1.5862 - 0.5824z^{-1}$$

由 Z 变换定义，知

$$\begin{cases} u(0) = 1.5827 \\ u(1) = -0.5824 \\ u(2) = u(3) = u(4) = \cdots = 0 \end{cases}$$

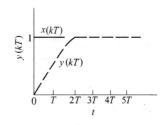

可见，系统经过 2 拍后，即 $k \geqslant 2$，$u(k) = 0$，其输出响应曲线无纹波地跟随输入信号，系统调节时间为 $t_s = 2T = 0.2\mathrm{s}$。系统输出响应曲线如图 5.9 所示。

(2) 按单位阶跃输入设计的 $D(z)$ 改为单位速度输入

$$U(z) = D(z)W_e(z)X(z)$$

图 5.9 按单位阶跃输入设计，输入为阶跃信号时

$$= \frac{1.5826(1 - 0.368z^{-1})(1 - z^{-1})(1 + 0.4716z^{-1}) \cdot \frac{Tz^{-1}}{(1 - z^{-1})^2}}{(1 + 0.4716z^{-1})}$$
$$= \frac{0.1528z^{-1} - 0.5823z^{-2}}{1 - z^{-1}}$$
$$= 0.1528z^{-1} + 0.0946z^{-2} + 0.0946z^{-3} + \cdots$$

由 z 变换定义，知

$$\begin{cases} u(0) = 0 \\ u(1) = -0.1528 \\ u(2) = u(3) = u(4) = \cdots = 0.0946 \end{cases}$$

可见，系统经过 2 个节拍后亦达到稳定，系统调节时间为 $t_s = 2T = 0.2\mathrm{s}$；但系统存在固定的稳定误差，因为

$$E(z) = W_e(z)X(z) = (1 - z^{-1})(1 + 0.4716z^{-1})\frac{Tz^{-1}}{(1 - z^{-1})^2}$$
$$= 0.1z^{-1} + 0.1418z^{-2} + 0.1418z^{-3} + 0.1418z^{-4} + \cdots$$

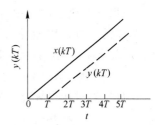

所得 $e(k)$ 序列的结果表明，系统经 2 个节拍后，$e(k)$ 亦达到稳定且无纹波，但存在固定的偏差 0.1418。系统输出响应曲线如图 5.10 所示。

例5.6 如图5.1所示，已知被控对象传递函数为 $W_d(s)$ $= \frac{10}{s(1 + 0.1s)}$，采样周期 $T = 0.1\mathrm{s}$。

图 5.10 按单位阶跃输入设计，输入为速度信号时

①试设计单位速度输入时的最小拍无纹波数字控制器$D(z)$；

②将按单位速度输入时的最小拍无纹波设计的数字控制器 $D(z)$，改为按单位阶跃输入时，分析其控制效果。

解：(1) 按单位速度输入设计

系统广义被控对象的脉冲传递函数为

$$W_1(z)=Z\left[\frac{1-e^{-sT}}{s}\frac{10}{s(1+0.1s)}\right]=\frac{0.368z^{-1}(1+0.717z^{-1})}{(1-z^{-1})(1-0.368z^{-1})}$$

选择

$$\begin{cases}W_B(z)=z^{-1}(1+0.717z^{-1})(a_0+a_1z^{-1})\\ W_e(z)=(1-z^{-1})^2(1+f_1z^{-1})\end{cases}$$

闭环脉冲传递函数 $W_B(z)$中含有 z^{-1}和 $z=1+0.717z^{-1}$是因为 $W_1(z)$中含有因子 z^{-1}和零点 $z=-0.717$, $W_e(z)$中$(1-z^{-1})^2$ 是由单位速度输入决定的。而 $W_B(z)$中的$(a_0+a_1z^{-1})$项和 $W_e(z)$中的$(1+f_1z^{-1})$项则是为了使 $W_e(z)$和 $W_B(z)$阶次相同，为了满足 $W_e(z)=1-W_B(z)$，将上述所得 $W_e(z)$和 $W_B(z)$值代入后，可得

$$1-(1-z^{-1})^2(1+f_1z^{-1})=z^{-1}(1+0.717z^{-1})(a_0+a_1z^{-1})$$

解此方程，得

$$a_0=1.408,\ a_1=-0.826,\ f_1=0.592$$

于是，便可求出数字控制器的脉冲传递函数为

$$D(z)=\frac{1-W_e(z)}{W_e(z)X(z)}=\frac{3.862(1-0.5864z^{-1})(1-0.368z^{-1})}{(1-z^{-1})(1+0.592z^{-1})}$$

用 $U(z)$可判断所设计的 $D(z)$，是否是最小拍无纹波数字控制器系统，由

$$\begin{aligned}U(z)&=D(z)W_e(z)X(z)\\&=\frac{3.826(1-0.5864z^{-1})(1-0.368z^{-1})}{(1+0.592z^{-1})(1-z^{-1})}(1-z^{-1})^2(1+0.592z^{-1})\frac{Tz^{-1}}{(1-z^{-1})^2}\\&=0.3826z^{-1}+0.0174z^{-2}+0.1z^{-3}+0.1z^{-4}+\cdots\end{aligned}$$

由 Z 变换定义，可知

$$\begin{cases}u(0)=0\\u(1)=0.3826\\u(2)=0.0174\\u(3)=u(4)=u(5)=\cdots=0.1\end{cases}$$

可见，系统经过 3 拍后，即 $k\geqslant 3$, $u(kT)=0.1$，其输出响应曲线无纹波地跟随输入信号。系统调节时间为 $t_s=3T=0.3s$，系统输出响应曲线如图 5.11 所示。

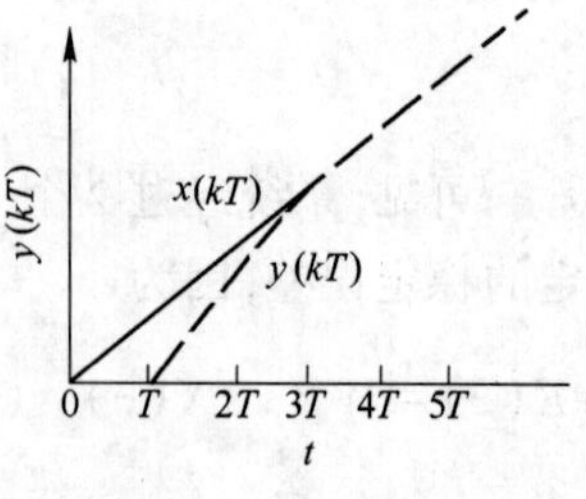

图 5.11 按单位速度输入设计，输入为速度信号时的响应曲线

(2) 按单位速度输入设计的 $D(z)$改为单位阶跃输入

$$\begin{aligned}U(z)&=D(z)W_e(z)X(z)\\&=\frac{3.826(1-0.5864z^{-1})(1-0.368z^{-1})}{(1+0.592z^{-1})(1-z^{-1})}\cdot(1-z^{-1})^2(1+0.592z^{-1})\cdot\frac{1}{(1-z^{-1})}\\&=3.826-3.652z^{-1}+0.8275z^{-2}\end{aligned}$$

由 Z 变换定义，可知

$$\begin{cases} u(0) = 3.826 \\ u(1) = -3.652 \\ u(2) = 0.8257 \\ u(3) = u(4) = u(5) = \cdots = 0 \end{cases}$$

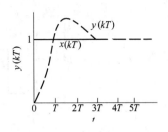

图 5.12 按单位速度输入设计，
输入为阶跃信号时的响应曲线

可见，系统经过 3 个节拍后亦达到稳定且无纹波，系统调
节时间为 $t_s = 3T = 0.3\text{s}$，但系统出现较大的超调量。系统输
出响应曲线如图 5.12 所示。

例 5.7 设 $W_d(s) = \dfrac{2.1}{s^2(s+1.252)}$，$T = 1\text{s}$，试求对于单
位阶跃输入的最小拍无纹波控制器。

解： 系统广义脉冲传递函数

$$W_1(z) = Z[W_0(s)W_d(s)]$$

$$= \frac{0.265z^{-1}(1+2.78z^{-1})(1+0.2z^{-1})}{(1-z^{-1})^2(1-0.286z^{-1})}$$

无不稳定极点，但有一单位圆外零点 $z = -2.78$ 及一单位圆内非零零点 $z = -0.2$。

为此，对单位阶跃输入，选择：

$$W_B(z) = (1+2.78z^{-1})(1+0.2z^{-1})az^{-1}$$

以 $W_e(z)$ 平衡：

$$W_e(z) = (1-z^{-1})^m F(z) = (1-z^{-1})(1+f_1z^{-1}+f_2z^{-2})$$

联立上两式得：

$$a = 0.22, \quad f_1 = 0.78, \quad f_2 = 0.1226$$

所以

$$D(z) = \frac{W_B(z)}{W_1(z)[1-W_B(z)]} = \frac{0.83(1-z^{-1})(1-0.286z^{-1})}{1+0.78z^{-1}+0.1226z^{-2}}$$

$$U(z) = \frac{W_B(z)}{W_1(z)}X(z)$$

$$= \frac{0.22z^{-1}(1+2.78z^{-1})(1+0.2z^{-1})}{\dfrac{0.265z^{-1}(1+2.78z^{-1})(1+0.2z^{-1})}{(1-z^{-1})^2(1-0.286z^{-1})}} \cdot \frac{1}{(1-z^{-1})}$$

$$= 0.83(1-z^{-1})(1-0.286z^{-1})$$

$$u(0) = 0.83, \quad u(1) = -1.0676, \quad u(2) = 0.2374, \quad u(3) = u(4) = \cdots = 0$$

$$Y(z) = W_B(z)X(z) = \frac{0.22z^{-1}(1+2.78z^{-1})(1+0.2z^{-1})}{1-z^{-1}}$$

$$= 0.22z^{-1} + 0.8754z^{-2} + z^{-3} + z^{-4} + \cdots$$

$$y(0) = 0, \quad y(1) = 0.22, \quad y(2) = 0.8754, \quad y(3) = y(4) = \cdots = 1$$

数字控制器输出与系统输出如图 5.13 所示。可见经过 3 拍，系统输出跟随输入，且无
纹波存在。

同样，最小拍无纹波系统也有一个对于其他输入函数的不适应性问题，解决的最好方法
是针对不同的输入类型分别设计，在线切换控制算法，如图 5.14 所示。

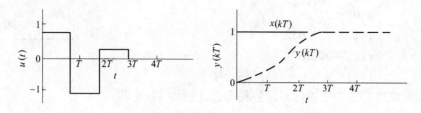

图 5.13 控制器输出与系统输出波形图

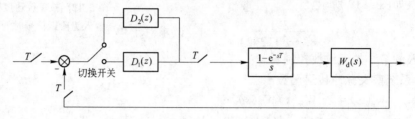

图 5.14 控制算法的切换

5.4 大林(Dahlin)算法

前面介绍的最小拍无纹波系统数字控制器的设计方法,只适合于某些计算机控制系统,对于系统输出的超调量有严格限制的控制系统,它并不理想。在一些实际工程中,经常遇到的却是一些纯滞后调节系统,它们的滞后时间比较长。对于这样的系统,人们更为感兴趣的是要求系统没有超调量或很少超调量,而调节时间则允许在较多的采样周期内结束,因此,超调是主要设计指标。对于这样的系统,用一般的计算机控制系统设计方法是不行的,用PID算法效果也欠佳。大林算法是针对工业生产过程中含有纯滞后的控制对象的控制算法,它具有良好的效果。

5.4.1 大林算法的 $D(z)$ 基本形式

设被控对象为带有纯滞后的一阶惯性环节或二阶惯性环节,其传递函数为

$$W_d(s) = \frac{Ke^{-\tau s}}{T_1 s + 1}, \tau = NT \tag{5.13}$$

$$W_d(s) = \frac{Ke^{-\tau s}}{(T_1 s + 1)(T_2 s + 1)}, \tau = NT \tag{5.14}$$

式中, T_1 和 T_2 为对象的时间常数; τ 为对象纯延迟时间,为了简化,设其为采样周期的整数倍,即 N 为正整数。

大林算法的设计目标是设计一个合适的数字控制器,使整个闭环系统的传递函数相当于一个带有纯滞后的一阶惯性环节,即

$$W_B(s) = \frac{e^{-\tau s}}{T_0 s + 1}, \tau = NT \tag{5.15}$$

通常认为对象与一个零阶保持器相串联, $W_B(s)$ 相对应的整个闭环系统的脉冲传递函数是

$$W_B(z) = \frac{Y(z)}{X(z)} = Z\left[\frac{1 - e^{-sT}}{s} \frac{e^{-NsT}}{T_0 s + 1}\right] = \frac{z^{-N-1}(1 - e^{-T/T_0})}{1 - e^{-T/T_0}z^{-1}} \tag{5.16}$$

将式(5.16)代入式(5.3),可得

$$D(z) = \frac{W_B(z)}{W_1(z)[1 - W_B(z)]}$$

$$= \frac{1}{W_1(z)} \frac{z^{-N-1}(1 - e^{-T/T_0})}{[1 - e^{-T/T_0}z^{-1} - (1 - e^{-T/T_0})z^{-N-1}]} \quad (5.17)$$

$D(z)$就是要设计的数字控制器,它可由计算机程序来实现。由上式可知,它与被控对象有关。下面分别对一阶或二阶纯滞后环节进行讨论。

5.4.1.1 一阶惯性环节大林算法的 $D(z)$ 基本形式

当被控对象是带有纯滞后的一阶惯性环节时,由式(5.13)可知

$$W_d(s) = \frac{Ke^{-\tau s}}{T_1 s + 1}$$

其脉冲传递函数为

$$\begin{aligned}
W_1(z) &= Z\left[\frac{1 - e^{-sT}}{s} \frac{Ke^{-NsT}}{T_1 s + 1}\right] \\
&= Z\left[\frac{Ke^{-NsT}}{s(T_1 s + 1)}\right] - Z\left[\frac{Ke^{(-N-1)sT}}{s(T_1 s + 1)}\right] \\
&= Kz^{-N}Z\left[\frac{1}{s} - \frac{T_1}{T_1 s + 1}\right] - Kz^{-N-1}Z\left[\frac{1}{s} - \frac{T_1}{T_1 s + 1}\right] \\
&= Kz^{-N}\left[\frac{1}{1 - z^{-1}} - \frac{1}{1 - e^{-T/T_1}z^{-1}}\right] - Kz^{-N-1}\left[\frac{1}{1 - z^{-1}} - \frac{1}{1 - e^{-T/T_1}z^{-1}}\right] \\
&= K(1 - z^{-1})z^{-N}\left[\frac{1}{1 - z^{-1}} - \frac{1}{1 - e^{-T/T_1}z^{-1}}\right] \\
&= Kz^{-N-1}\frac{1 - e^{-T/T_1}}{1 - e^{-T/T_1}z^{-1}} \quad (5.18)
\end{aligned}$$

把式(5.18)代入式(5.17),可得

$$D(z) = \frac{(1 - e^{-T/T_1}z^{-1})(1 - e^{-T/T_0})}{K(1 - e^{-T/T_1})[1 - e^{-T/T_0}z^{-1} - (1 - e^{-T/T_0})z^{-N-1}]} \quad (5.19)$$

式中　　T ——采样周期;

　　　　T_1——被控对象的时间常数;

　　　　T_0——闭环系统的时间常数。

5.4.1.2 二阶惯性环节大林算法的 $D(z)$ 基本形式

当被控对象为带有纯滞后的二阶惯性环节时,由式(5.14)可知

$$W_d(s) = \frac{Ke^{-\tau s}}{(T_1 s + 1)(T_2 s + 1)}$$

其脉冲传递函数为

$$\begin{aligned}
W_1(z) &= Z\left[\frac{1 - e^{-sT}}{s} \cdot \frac{Ke^{-NsT}}{(T_1 s + 1)(T_2 s + 1)}\right] \\
&= K(1 - z^{-1})z^{-N}Z\left[\frac{1}{s(T_1 s + 1)(T_2 s + 1)}\right] \\
&= K(1 - z^{-1})z^{-N}\left[\frac{1}{1 - z^{-1}} + \frac{T_1}{(T_2 - T_1)(1 - e^{-T/T_1}z^{-1})} - \frac{T_2}{(T_2 - T_1)(1 - e^{-T/T_2}z^{-1})}\right] \\
&= \frac{K(C_1 + C_2 z^{-1})z^{-N-1}}{(1 - e^{-T/T_1}z^{-1})(1 - e^{-T/T_2}z^{-1})} \quad (5.20)
\end{aligned}$$

其中

$$C_1 = 1 + \frac{1}{T_2 - T_1}(T_1 e^{-T/T_1} - T_2 e^{-T/T_2}) \tag{5.21}$$

$$C_2 = e^{-T(1/T_1 + 1/T_2)} + \frac{1}{T_2 - T_1}(T_1 e^{-T/T_1} - T_2 e^{-T/T_2}) \tag{5.22}$$

将式(5.20)代入式(5.17)即可求出数字控制器的模型:

$$D(z) = \frac{(1 - e^{-T/T_0})(1 - e^{-T/T_1}z^{-1})(1 - e^{-T/T_2}z^{-1})}{K(C_1 + C_2 z^{-1})[1 - e^{-T/T_0}z^{-1} - (1 - e^{-T/T_0})z^{-N-1}]} \tag{5.23}$$

5.4.2 振铃现象及其消除方法

纯滞后惯性系统,因允许它存在适当的超调量,当系统参数设置不合适或不匹配时,可能使数字控制器的输出接近1/2采样频率的大幅度上下摆动的序列,这种现象称为振铃现象。它对系统的输出几乎是无影响的,然而,由于振铃现象的存在,会使执行机构因磨损而造成损坏,在存在耦合的多回路控制系统中,还会破坏稳定性。因此,必须弄清振铃产生的原因,并设法消除它。

衡量振铃现象的强烈程度的量是振铃幅度 RA(Ringing Amplitude)。它的定义是:控制器在单位阶跃输入作用下,第 0 次输出幅度与第 1 次输出幅度之差值。

几种典型的脉冲传递函数在阶跃作用下的振铃现象,如表 5.2 所示。

表 5.2　几种典型的脉冲传递函数的振铃现象

$D(z)$	输出 $y(kT)$	RA	输 出 序 列 图
$\dfrac{1}{1 + z^{-1}}$	1 0 1 0 1	1	
$\dfrac{1}{1 + 0.5z^{-1}}$	1.0 0.5 0.75 0.625 0.6875	0.5	
$\dfrac{1}{(1 + 0.5z^{-1})(1 - 0.2z^{-1})}$	1.0 0.7 0.89 0.803 0.848	0.3	
$\dfrac{1 - 0.5z^{-1}}{(1 + 0.5z^{-1})(1 - 0.2z^{-1})}$	1.0 0.2 0.5 0.37 0.46	0.8	

设数字控制器脉冲传递函数的一般形式为

$$D(z) = Kz^{-N}\frac{1 + a_1 z^{-1} + a_2 z^{-2} + \cdots}{1 + b_1 z^{-1} + b_2 z^{-2} + \cdots} = Kz^{-N}Q(z) \qquad (5.24)$$

其中

$$Q(z) = \frac{1 + a_1 z^{-1} + a_2 z^{-2} + \cdots}{1 + b_1 z^{-1} + b_2 z^{-2} + \cdots} \qquad (5.25)$$

控制器输出幅度的变化取决于 $Q(z)$, 当不考虑 Kz^{-N}(它只是输出序列延时)时, 则 $Q(z)$ 在阶跃脉冲作用下的输出为

$$\begin{aligned} \frac{Q(z)}{1 - z^{-1}} &= \frac{1 + a_1 z^{-1} + a_2 z^{-2} + \cdots}{(1 + b_1 z^{-1} + b_2 z^{-2} + \cdots)(1 - z^{-1})} \\ &= \frac{1 + a_1 z^{-1} + a_2 z^{-2} + \cdots}{1 + (b_1 - 1)z^{-1} + (b_2 - b_1)z^{-2} + \cdots} \\ &= 1 + (a_1 - b_1 + 1)z^{-1} + \cdots \end{aligned} \qquad (5.26)$$

故可求出振铃幅度

$$RA = 1 - (a_1 - b_1 + 1) = b_1 - a_1 \qquad (5.27)$$

振铃现象的产生, 系 $Q(z)$ 中 $z = -1$ 附近有极点所致。极点在 $z = -1$ 时, 振铃现象最严重(见表 5.2 中第 1 种情况), 离 $z = -1$ 越远, 振铃现象就越弱(见表 5.2 中第 2 种情况)。表 5.2 还表明, 在单位圆内右半平面有零点时, 会加剧振铃现象(见表 5.2 中第 4 种情况); 而在左半平面有极点时, 则会减轻振铃现象(见表 5.2 中第 3 种情况)。

大林提出一种消除振铃现象的方法, 即先找出造成振铃现象的极点的因子, 令其中 $z = 1$, 这样便消除了这个极点, 根据中值定理, 这样处理不会影响输出的稳态值。用这样的方法来设计和处理纯滞后惯性数字控制系统。下面来分析一阶(或二阶)滞后环节的数字控制器 $D(z)$ 的振铃现象及其消除方法。

5.4.2.1 被控对象为一阶惯性环节

此时数字控制器 $D(z)$ 的形式如式(5.19), 将其化成一般形式, 则

$$\begin{aligned} D(z) &= \frac{(1 - e^{-T/T_0})(1 - e^{-T/T_1}z^{-1})}{K(1 - e^{-T/T_1})[1 - e^{-T/T_0}z^{-1} - (1 - e^{-T/T_0})z^{-N-1}]} \\ &= \frac{1 - e^{-T/T_0}}{K(1 - e^{-T/T_1})} \cdot \frac{1 - e^{-T/T_1}z^{-1}}{1 - e^{-T/T_0}z^{-1} - (1 - e^{-T/T_0})z^{-N-1}} \end{aligned}$$

由此可求出振铃幅值为

$$RA = (-e^{-T/T_0}) - (-e^{-T/T_1}) = e^{-T/T_1} - e^{-T/T_0} \qquad (5.28)$$

如果选 $T_0 \geqslant T_1$, 则 $RA \leqslant 0$, 无振铃现象; 如果选 $T_0 < T_1$, 则有振铃现象。由此可见, 当系统的时间常数大于或等于被控对象的时间常数时, 即可消除振铃现象。

将式(5.19)的分母进行分解, 可得

$$D(z) = \frac{(1 - e^{-T/T_0})(1 - e^{-T/T_1}z^{-1})}{K(1 - e^{-T/T_1})(1 - z^{-1})[1 + (1 - e^{-T/T_0})(z^{-1} + z^{-2} + \cdots + z^{-N})]} \qquad (5.29)$$

在 $z = 1$ 处的极点并不引起振铃现象, 可能引起振铃现象的是因子 $(1 + (1 - e^{-T/T_0})(z^{-1} + z^{-2} + \cdots + z^{-N}))$。

当 $N = 0$ 时, 此因子不存在, 无振铃可能。

当 $N=1$ 时,有一个极点在 $z=-(1-e^{-T/T_0})$。当 $T_0\ll T$ 时,$z\to-1$,即 $T_0\ll T$ 时将产生严重的振铃现象。

当 $N=2$ 时,极点为

$$z=-\frac{1}{2}(1-e^{-T/T_0})\pm\frac{1}{2}j\sqrt{4(1-e^{-T/T_0})-(1-e^{-T/T_0})^2},$$

$$|z|=\sqrt{1-e^{-T/T_0}}$$

当 $T_0\ll T$ 时,则有 $z\to-\frac{1}{2}\pm j\frac{\sqrt{3}}{2}$,$|z|\to1$,将有严重的振铃现象。

以 $N=2$ 为例,且 $T_0\ll T$ 消除振铃现象后,则修改后的 $D(z)$ 为

$$D(z)=\frac{(1-e^{-T/T_0})(1-e^{-T/T_1}z^{-1})}{K(1-e^{-T/T_1})(3-2e^{-T/T_0})(1-z^{-1})} \tag{5.30}$$

5.4.2.2 被控对象为二阶惯性环节

此时,$D(z)$ 为式(5.23)的形式,有一个极点是 $z=-\frac{C_2}{C_1}$,在 $T_0\to0$ 时,$\lim\limits_{\tau\to0}\left[-\frac{C_2}{C_1}\right]=-1$,即在 $z=-1$ 处有极点,系统将出现强烈的振铃现象,此时振铃现象的幅度为

$$RA=\frac{C_2}{C_1}-e^{-T/T_0}+e^{-T/T_1}+e^{-T/T_2} \tag{5.31}$$

当 $T\to0$ 时,$\lim\limits_{\tau\to0}RA=2$。按前述方法消除这个极点,则

$$D(z)=\frac{(1-e^{-T/T_0})(1-e^{-T/T_1}z^{-1})(1-e^{-T/T_2}z^{-1})}{K(1-e^{-T/T_1})(1-e^{-T/T_2})[1-e^{-T/T_0}z^{-1}-(1-e^{-T/T_0})z^{-N-1}]} \tag{5.32}$$

5.4.3 大林算法的设计步骤

具有纯滞后系统中直接设计数字控制器所考虑的主要性能是控制系统不允许产生超调并要求系统稳定,系统设计中一个值得注意的问题是振铃现象。下面是考虑振铃现象影响时设计数字控制器的一般步骤。

(1)根据系统的性能,确定闭环系统的参数 T_0,给出振铃幅度 RA 的指标;

(2)由振铃幅度 RA 与采样周期 T 的关系,解出给定振铃幅度下对应的采样周期,如果 T 有多解,则选择较大的采样周期;

(3)确定纯滞后时间 τ 与采样周期 T 之比 (τ/T) 的最大整数 N;

(4)求广义对象的脉冲传递函数 $W_1(z)$ 及闭环系统的脉冲传递函数 $W_B(z)$;

(5)求数字控制器的脉冲传递函数 $D(z)$;

(6)编制计算机程序实现。

例5.8 已知某控制系统被控对象的传递函数为 $W_d(s)=\dfrac{e^{-s}}{s+1}$,试用大林算法设计数字控制器 $D(z)$。设采样周期为 $T=0.5s$,并讨论该系统是否会发生振铃现象,如果有振铃现象出现,如何消除。

解:根据题意可知,$T_1=1$,$K=1$,$N=\tau/T=2$。

连同零阶保持器在内的系统广义被控对象的传递函数

$$W_1(s)=\frac{1-e^{-sT}}{s}W_d(s)=\frac{(1-e^{-0.5s})e^{-s}}{s(s+1)}$$

代入式(5.17),则可求出广义对象的数字脉冲传递函数

$$W_1(z) = Kz^{-N-1}\frac{1-e^{-T/T_1}}{1-e^{-T/T_1}z^{-1}} = z^{-3}\frac{1-e^{-0.5}}{1-e^{-0.5}z^{-1}} = \frac{0.3935z^{-3}}{1-0.6065z^{-1}}$$

大林算法的设计目标就是设计一个数字控制器,使整个闭环系统的脉冲传递函数相当于一个带有纯滞后的一阶惯性环节,若 $T_0 = 0.1\text{s}$,则由式(5.17)可得

$$D(z) = \frac{z^{-N-1}(1-e^{-T/T_0})}{[1-e^{-T/T_0}z^{-1}-(1-e^{-T/T_0})z^{-N-1}]} \cdot \frac{1}{W_1(z)}$$

$$= \frac{z^{-3}(1-e^{-5})}{1-e^{-5}z^{-1}-(1-e^{-5})z^{-3}} \cdot \frac{1-0.6065z^{-1}}{0.3935z^{-3}}$$

$$= \frac{2.524(1-0.6065z^{-1})}{(1-z^{-1})(1+0.9933z^{-1}+0.9933z^{-2})}$$

由上式可知,$D(z)$ 有 3 个极点:$z_1 = 1$,$z_2 = -0.4967+0.864\text{j}$,$z_3 = -0.4967-0.864\text{j}$。根据前面的结论,$z=1$ 处的极点不会引起振铃现象,所以,本例中引起振铃现象的极点为

$$|z_2| = |z_3| = \sqrt{1-e^{-T/T_0}} = \sqrt{1-e^{-5}} \approx 0.9966 \approx 1$$

依据前边的讨论,要想消除振铃现象,应去掉分母中的因子 $(1+0.9933z^{-1}+0.9933z^{-2})$,即令 $z=1$,代入上式即可消除振铃现象。此时

$$D(z) = \frac{2.524(1-0.6065z^{-1})}{(1-z^{-1})(1+0.9933+0.9933)} = \frac{0.8451(1-0.6065z^{-1})}{1-z^{-1}}$$

5.5 数字控制器 $D(z)$ 的实现方法

在前面几节中,已讲述了各种数字控制器 $D(z)$ 的设计方法,但 $D(z)$ 求出后设计任务并未了结,重要的任务是在控制系统中如何实现。实现 $D(z)$ 的方法有硬件电路实现、软件实现两种。从 $D(z)$ 算式的复杂性和控制系统的灵活性出发,采用计算机软件的方法去实现更适宜。

5.5.1 直接程序设计法

数字控制器 $D(z)$ 通常可表示为

$$D(z) = \frac{U(z)}{E(z)} = \frac{a_0 + a_1z^{-1} + a_2z^{-2} + \cdots + a_mz^{-m}}{1 + b_1z^{-1} + b_2z^{-2} + \cdots + b_nz^{-n}}$$

$$= \frac{\sum_{i=0}^{m} a_iz^{-i}}{1 + \sum_{j=1}^{n} b_jz^{-j}} \qquad (m \leqslant n) \tag{5.33}$$

式中,$U(z)$ 和 $E(z)$ 分别为数字控制器输出序列和输入序列的 Z 变换。

从式(5.33)中可求出

$$U(z) = \sum_{j=0}^{m} a_jE(z)z^{-j} - \sum_{j=1}^{n} b_jU(z)z^{-j} \tag{5.34}$$

为使计算机实现方便,把式(5.34)进行 Z 反变换,写成差分方程的形式。

$$u(k) = \sum_{j=0}^{m} a_je(k-j) - \sum_{j=1}^{n} b_ju(k-j) \tag{5.35}$$

上式可以很方便地用软件程序来实现。由式(5.35)可看出,每计算一次 $u(k)$,要进行 $(m+n)$ 次加法运算,$(m+n+1)$ 次乘法运算,$(m+n)$ 次数据传递。因为在本次采样周期

输出的计算值 $u(k)$，在下一个采样周期就变成 $u(k-1)$ 了，同理 $e(k)$ 将变成 $e(k-1)$，所以其余的 $e(k-j)$ 和 $u(k-j)$ 也都要递推一次，变成 $e(k-j-1)$ 和 $u(k-j-1)$，以便下一个采样周期使用。

例 5.9 已知数字控制器脉冲传递函数 $D(z)$ 为

$$D(z) = \frac{z^2 + 2z + 1}{z^2 + 5z + 6}$$

试用直接程序设计法写出实现 $D(z)$ 的表达式，求出 $D(z)$ 的差分方程后，画出相应的程序流程图。

解：根据直接程序设计法知：对给定的数字控制器的 $D(z)$ 的分子、分母都乘以 z^{-n}，其中 n 为分母最高次幂，便可求出以 $z^{-n}, z^{-n-1}, \cdots, z^{-1}$ 为变量的 $D(z)$ 的有理式表达式。本例 $n=2$，即

$$D(z) = \frac{(z^2 + 2z + 1)z^{-2}}{(z^2 + 5z + 6)z^{-2}} = \frac{1 + 2z^{-1} + z^{-2}}{1 + 5z^{-1} + 6z^{-2}}$$

对 $D(z)$ 进行交叉相乘、移项，便可写出用直接程序法实现 $D(z)$ 的表达式：

$$U(z) = E(z) + 2E(z)z^{-1} + E(z)z^{-2} - 5U(z)z^{-1} - 6U(z)z^{-2}$$

根据上式所得结果知：

$$n = m, a_0 = 1, a_1 = 2, a_2 = 1, b_1 = -5, b_2 = -6$$

再进行逆 Z 变换，便可求得数字控制器的差分方程为

$$u(k) = e(k) + 2e(k-1) + e(k-2) - 5u(k-1) - 6u(k-2)$$

根据所得差分方程，可画出其程序流程图，以利于编制控制程序。

5.5.2 串行程序设计法

也叫迭代程序设计法。如果数字控制器的脉冲传递函数 $D(z)$ 中的零点、极点均已知时，$D(z)$ 可以写成如下形式：

$$D(z) = \frac{U(z)}{E(z)} = \frac{K(z + z_1)(z + z_2)\cdots(z + z_m)}{(z + p_1)(z + p_2)\cdots(z + p_n)} \quad m \leqslant n \tag{5.36}$$

令

$$\left.\begin{array}{l} D_1(z) = \dfrac{U_1(z)}{E(z)} = \dfrac{z + z_1}{z + p_1} \\[2mm] D_2(z) = \dfrac{U_2(z)}{U_1(z)} = \dfrac{z + z_2}{z + p_2} \\[1mm] \vdots \\[1mm] D_m(z) = \dfrac{U_m(z)}{U_{m-1}(z)} = \dfrac{z + z_m}{z + p_m} \\[2mm] D_{m+1}(z) = \dfrac{U_{m+1}(z)}{U_m(z)} = \dfrac{1}{z + p_{m+1}} \\[1mm] \vdots \\[1mm] D_n(z) = \dfrac{U(z)}{U_{n-1}(z)} = \dfrac{K}{z + p_n} \end{array}\right\} \tag{5.37}$$

则

$$D(z) = D_1(z)D_2(z)\cdots D_n(z) \tag{5.38}$$

即 $D(z)$ 可看成是由 $D_1(z),D_2(z),\cdots,D_n(z)$ 串联而成。

为计算 $u(k)$，可先求出 $u_1(k)$，再算出 $u_2(k),u_3(k),\cdots$，最后算出 $u(k)$。

现在先计算 $u_1(k)$：

$$\frac{U_1(z)}{E(z)}=D_1(z)=\frac{z+z_1}{z+p_1}=\frac{1+z_1z^{-1}}{1+p_1z^{-1}} \tag{5.39}$$

交叉相乘得

$$(1+p_1z^{-1})U_1(z)=(1+z_1z^{-1})E(z)$$

进行 Z 反变换得

$$u_1(k)+p_1u_1(k-1)=e(k)+z_1e(k-1)$$

因此可得

$$u_1(k)=e(k)+z_1e(k-1)-p_1u_1(k-1)$$

依此类推，可得到 n 个迭代表达式

$$\left.\begin{aligned}
u_1(k)&=e(k)+z_1e(k-1)-p_1u_1(k-1)\\
u_2(k)&=u_1(k)+z_2u_1(k-1)-p_2u_2(k-1)\\
&\ \ \vdots\\
u_m(k)&=u_{m-1}(k-1)+z_mu_{m-1}(k-1)-p_mu_m(k-1)\\
u_{m+1}(k)&=u_m(k-1)-p_{m+1}u_{m+1}(k-1)\\
&\ \ \vdots\\
u(k)&=Ku_{n-1}(k-1)-p_nu(k-1)
\end{aligned}\right\} \tag{5.40}$$

用式(5.40)计算 $u(k)$ 的方法称做串行程序设计法。此程序每算出一次 $u(k)$ 需进行 $(m+n)$ 次加减法，$(m+n+1)$ 次乘法和 n 次数据传送。它只需传送 $u_1(k),\cdots,u_{n-1}(k)$ 和 $u(k)$ 共 n 个数据。

例 5.10 设数字控制器 $D(z)=\dfrac{z^2+3z-4}{z^2+5z+6}$，试用串行程序设计法写出 $D(z)$ 的迭代表达式。

解：首先将分子分母分解因式

$$D(z)=\frac{z^2+3z-4}{z^2+5z+6}=\frac{(z+4)(z-1)}{(z+2)(z+3)}$$

令

$$D_1(z)=\frac{U_1(z)}{E(z)}=\frac{z+4}{z+2}=\frac{1+4z^{-1}}{1+2z^{-1}}$$

$$D_2(z)=\frac{U(z)}{U_1(z)}=\frac{z-1}{z+3}=\frac{1-z^{-1}}{1+3z^{-1}}$$

将 $D_1(z)$、$D_2(z)$ 下标分别进行交叉相乘及 z 反变换，得

$$u_1(k)=e(k)+4e(k-1)-2u_1(k-1)$$

$$u(k)=u_1(k)-u_1(k-1)-3u(k-1)$$

5.5.3 并行程序设计法

若 $D(z)$ 可以写成部分分式的形式

$$D(z) = \frac{U(z)}{E(z)} = \frac{k_1 z^{-1}}{1 + p_1 z^{-1}} + \frac{k_2 z^{-1}}{1 + p_2 z^{-1}} + \cdots + \frac{k_n z^{-1}}{1 + p_n z^{-1}} \qquad (5.41)$$

令

$$\left.\begin{aligned}
D_1(z) &= \frac{U_1(z)}{E(z)} = \frac{k_1 z^{-1}}{1 + p_1 z^{-1}} \\
D_2(z) &= \frac{U_2(z)}{E(z)} = \frac{k_2 z^{-1}}{1 + p_2 z^{-1}} \\
&\vdots \\
D_n(z) &= \frac{U_n(z)}{E(z)} = \frac{k_n z^{-1}}{1 + p_n z^{-1}}
\end{aligned}\right\} \qquad (5.42)$$

因此可得

$$D(z) = D_1(z) + D_2(z) + \cdots + D_n(z) \qquad (5.43)$$

与前面类似,也可得出几个计算公式:

$$\left.\begin{aligned}
u_1(k) &= k_1 e(k-1) - p_1 u_1(k-1) \\
u_2(k) &= k_2 e(k-1) - p_2 u_2(k-1) \\
&\vdots \\
u_n(k) &= k_n e(k-1) - p_n u_n(k-1)
\end{aligned}\right\} \qquad (5.44)$$

求出 $u_1(k), u_2(k), \cdots, u_n(k)$ 以后,便可算出

$$u(k) = u_1(k) + u_2(k) + \cdots + u_n(k) \qquad (5.45)$$

按式(5.44)和式(5.45)编写成计算机程序计算 $u(k)$ 的方法,叫并行程序设计法。这种方法每计算一次 $u(k)$,就要进行 $(2n-1)$ 次加减法,$2n$ 次乘法和 $(n+1)$ 次数据传送。

例5.11 设 $D(z) = \dfrac{3 + 3.6 z^{-1} + 0.6 z^{-2}}{1 + 0.1 z^{-1} - 0.2 z^{-2}}$,试用并行程序设计法写出实现 $D(z)$ 的表达式。

解:首先将 $D(z)$ 写成部分分式的形式

$$D(z) = \frac{3 + 3.6 z^{-1} + 0.6 z^{-2}}{1 + 0.1 z^{-1} - 0.2 z^{-2}} = \frac{0.6 z^{-2} - 0.3 z^{-1} - 3}{1 + 0.1 z^{-1} - 0.2 z^{-2}} + \frac{6 + 3.9 z^{-1}}{1 + 0.1 z^{-1} - 0.2 z^{-2}}$$

$$= -3 + \frac{6 + 3.9 z^{-1}}{(1 + 0.5 z^{-1})(1 - 0.4 z^{-1})} = -3 - \frac{1}{1 + 0.5 z^{-1}} + \frac{7}{1 - 0.4 z^{-1}} = \frac{U(z)}{E(z)}$$

令

$$D_1(z) = \frac{1}{1 + 0.5 z^{-1}} = \frac{U_1(z)}{E(z)}$$

$$D_2(z) = \frac{1}{1 - 0.4 z^{-1}} = \frac{U_2(z)}{E(z)}$$

则

$$U_1(z) = E(z) - 0.5 U_1(z) z^{-1}$$

$$U_2(z) = E(z) + 0.4 U_2(z) z^{-1}$$

所以

$$D(z) = -3 - D_1(z) + 7 D_2(z)$$

将上面式子进行 Z 的反变换,即可求出 $D(z)$ 的差分方程:

$$u(k) = -u_1(k) + 7u_2(k) - 3e(k)$$
$$= -[e(k) - 0.5u_1(k-1)] + 7[e(k) + 0.4u_2(k-1)] - 3e(k)$$

所以

$$u(k) = 0.5u_1(k-1) + 2.8u_2(k-1) + 3e(k)$$

以上 3 种求数字控制器 $D(z)$ 输出差分方程的方法各有所长。就计算效率而言,串行程序设计法为最佳。直接程序设计法独特的优点是,式(5.35)中除 $j=0$ 时涉及 $e(k)$ 的一项外,其余各项都可在采集 $e(k)$ 之前全部计算出来,因而可大大减少计算机延时,提高系统的动态性能。另一方面,串行法和并行法在设计高阶数字控制器时,可以简化程序设计,只要设计出一阶或二阶的 $D(z)$ 子程序,通过反复调用子程序,即可实现 $D(z)$。这样设计的程序占用内存少,容易读,且调试方便。

但必须指出,在串行和并行法程序设计中,需要将高阶函数分解成一阶或二阶的环节。这样的分解并不是在任何情况下都可以进行的。当 $E(z)$ 的零点或极点已知时,很容易分解,但有时却要花费大量时间,有时甚至是不可能的。此时若采用直接程序设计法,则优越性更大。

6 基于状态空间模型的极点配置设计方法

离散系统中极点在 Z 平面上的分布与系统特性有着密切的关系,合理地配置极点在 Z 平面上的位置就能获得满意的系统特性。改变系统极点的位置有很多方法。在古典控制理论中,主要是通过串、并联校正来实现;在现代控制理论中,除了有系统的输出反馈之外,还有状态变量的反馈。最佳控制规律正是通过状态变量的反馈来实现的。本章要解决的问题是:按照系统动态特性要求,通过状态变量反馈,合理地安排零、极点位置,以满足系统的动态性能。

6.1 状态变量反馈和极点配置的基本概念

我们知道,系统的输出量是系统状态变量的函数,因此,不仅可以通过反馈输出量,而且可以通过反馈状态变量来改善系统的性能。现以线性系统为例说明状态变量反馈的作用。

设有一线性连续系统,其状态和输出方程为

$$\dot{X} = AX + BU \tag{6.1}$$

$$Y = CX \tag{6.2}$$

图 6.1 中虚线包围的部分是该系统的方框图,常称其为对象或被控对象。

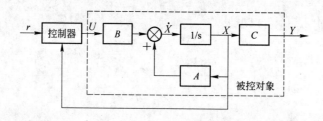

图 6.1 系统的状态变量反馈

系统的状态变量反馈是通过控制器来实现的。控制器的输出一般为

$$U = f(xr)$$

式中,r 称为参考输入量。对于状态变量反馈的特定情况,控制器的输出为

$$U = K(r + HX) \tag{6.3}$$

式中,H 为反馈系数矩阵。若对象中包含有 n 个状态变量,则

$$H = [h_1\, h_2 \cdots h_{n-1}\, h_n] \tag{6.4}$$

此时,线性状态变量反馈系统图 6.1 可以改画成图 6.2a,b 所示的方框图。

从图 6.2 可以看出,这是一个带有状态变量反馈的闭环控制系统。如果控制变量为

$$U = Hy + r \tag{6.5}$$

式中,Hy 为输出反馈,则系统变成只带有输出反馈的闭环控制系统。

将式(6.3)代入式(6.1)、式(6.2)得

$$\dot{X} = (A + BH)X + Br$$

$$Y = CX \tag{6.6}$$

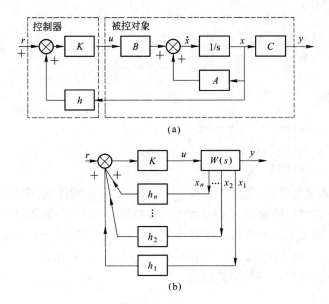

图 6.2　带有状态反馈的闭环系统

状态反馈的结果是使系统(A,B,C)变成了系统$(A+BH,B,C)$。

系统(A,B,C)的极点为特征方程 $\det(sI-A)=0$ 的根,即为 A 的特征值。如果这个系统不能满足预期的性能指标,那么我们可以通过调整系统的极点,使系统满足必要的性能指标。设 $\lambda_1,\lambda_2,\cdots,\lambda_n$ 为满足要求的一组极点,则可以通过适当地选取状态反馈矩阵 H 使其成为$(A+BH)$阵的特征值,使其满足特征方程 $\det[sI-(A+BH)]=0$。这样,$\lambda_1,\lambda_2,\cdots,\lambda_n$ 一组极点就变成了状态反馈系统$(A+BH,B,C)$的一组极点。从而能够满足性能指标的系统$(A+BH,B,C)$便设计出来了,这就是状态反馈和极点配置的基本概念。

系统(A,B,C)任意配置极点的条件是系统(A,B,C)完全可控。这里所指的"任意"是有条件的。由于所讨论系统的特征方程系数为实数,所以当需要配置复数极点时,必须是共轭成对出现的。

关于极点配置问题还要说明一点:如果完全可控的系统(A,B,C)是不稳定的,则通过状态反馈一定能使反馈后的闭环系统$(A+BH,B,C)$达到稳定,这只要选择$(A+BH)$的特征值为负数即可。

例 6.1　某系统开环传递函数为

$$W_{\mathrm{K}}(s)=\frac{K}{s(s+8)}$$

如果要求系统的超调量 $\sigma\%=4\%$,试用输出反馈和状态反馈两种办法设计系统,并分析系统的性能。

解:设输出反馈系统的结构如图 6.3 所示。系统的闭环传递函数为

$$W_{\mathrm{B}}(s)=\frac{K}{s^2+8s+K}$$

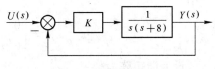

图 6.3　例 6.1 题图

这是一个二阶系统,根据要求的 $\sigma\%=4\%$,可求出 $\xi=0.7$,于是可得

$$2\xi\omega_n = 8, \omega_n = 4\sqrt{2}, K = \omega_n^2 = 32$$

因此,系统的闭环传递函数为

$$W_B(s) = \frac{32}{s^2 + 8s + 32}$$

系统的性能指标:

稳态位置误差 $\quad e(\infty) = \dfrac{1}{1 + K_P} = 0$

稳态速度误差 $\quad e(\infty) = \dfrac{1}{K_v} = \dfrac{1}{4} = 0.25\left[= \dfrac{2\xi}{\omega_n}\right]$

如上述指标不能满足要求,需要增加快速性,减少稳态速度误差,则对图 6.3 所示系统只能靠增大 K 值来达到。然而随 K 值的增加,ω_n 将增大,ξ 将下降,因此超调量增加,系统的稳定性下降,不能满足系统的要求。这就看出只有输出反馈时系统的局限性。

现对上述系统进行状态反馈,则情况会有很大变化,比如在保持 $\xi = 0.7$ 的情况下,使 ω_n 增大到 $\omega_n = 35\sqrt{2}$,这时闭环传递函数为

$$W_B(s) = \frac{2450}{s^2 + 70s + 2450} \tag{6.7}$$

适当选取开环系统的状态变量 x_1 和 x_2,如图 6.4 所示。于是 $\dot{x}_1 = u, \dot{x}_2 = x_1 - 8x_2, y = x_2$ 写成状态方程和输出方程的形式为

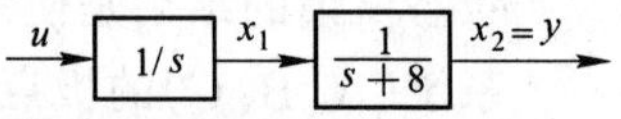

图 6.4 例 6.1 题解图 1

$$\dot{X} = AX + Bu, \ Y = CX \tag{6.8}$$

式中

$$A = \begin{bmatrix} 0 & 0 \\ 1 & -8 \end{bmatrix}, B = \begin{bmatrix} 1 \\ 0 \end{bmatrix}, C = \begin{bmatrix} 0 & 1 \end{bmatrix}$$

因为 $\det[sI - A] = \det\left\{\begin{bmatrix} s & 0 \\ 0 & s \end{bmatrix} - \begin{bmatrix} 0 & 0 \\ 1 & -8 \end{bmatrix}\right\} = \det(s^2 + 8s) = 0$

所以 $\quad \lambda_1 = 0, \lambda_2 = -8$

显然,上述状态方程式为可观测标准型。为了配置极点,实现状态反馈,需将其化成可控标准型。为此,首先判断其可控性,可控阵为

$$Q_C = [B, AB] = \begin{bmatrix} 1 & 0 \\ 0 & 1 \end{bmatrix}$$

式中 Q_C 满秩,故可控,并可化为可控标准型。根据可控与可观的对偶原理,则上述矩阵的可控标准型为

$$\dot{X} = AX + Bu, \ Y = CX \tag{6.9}$$

式中

$$A = \begin{bmatrix} 0 & 1 \\ 0 & -8 \end{bmatrix}, B = \begin{bmatrix} 0 \\ 1 \end{bmatrix}, C = \begin{bmatrix} 1 & 0 \end{bmatrix}$$

设反馈矩阵为

$$H = \begin{bmatrix} h_0 & h_1 \end{bmatrix}$$

在进行状态反馈的同时需调整放大系数,为此可在系统输入端串联一放大环节 K,如

图 6.5 所示。

由状态方程的频域解法知,图 6.5 的闭环传递函数为

$$W_B(s) = \frac{Y(s)}{U(s)} = KC\varphi(s)B + D \tag{6.10}$$

式中

$$\varphi(s) = [sI - (A + BH)]^{-1}, D = 0$$

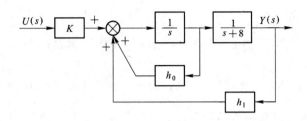

图 6.5 例 6.1 题解图 2

$A = \begin{bmatrix} 0 & 1 \\ 0 & -8 \end{bmatrix}$, $C = [1 \quad 0]$, $B = \begin{bmatrix} 0 \\ 1 \end{bmatrix}$, $H = [h_0, h_1]$, 因为

$$W_B(s) = K[1 \quad 0] \left\{ \begin{bmatrix} s & 0 \\ 0 & s \end{bmatrix} - \left(\begin{bmatrix} 0 & 1 \\ 0 & -8 \end{bmatrix} + \begin{bmatrix} 0 \\ 1 \end{bmatrix} [h_0 \quad h_1] \right) \right\}^{-1} \begin{bmatrix} 0 \\ 1 \end{bmatrix}$$

$$= \frac{K}{s^2 + (8 - h_1)s - h_0} \tag{6.11}$$

将此式同式(6.7)相比,得

$$K = 2450, h_1 = -62, h_0 = -2450$$

由此可求出系统的性能指标:

稳态位置误差 $e(\infty) = 0$

稳态速度误差 $e(\infty) = \dfrac{1}{K_v} = \dfrac{2\xi}{\omega_n} = \dfrac{1}{35} = 0.028$

与输出反馈相比可以看出,在保持超调量不变的前提下,快速性与稳态速度误差均改善了约 10 倍。

6.2 离散状态方程的建立与可控可观性

6.2.1 由连续状态方程建立离散状态方程

略去量化效应,计算机系统即为采样系统。如果将连续的控制对象连同它前面的零阶保持器一起离散化,则采样系统即可简化为纯粹的离散系统,为此本节讨论连续控制对象模型的离散化问题。

我们知道,连续状态方程是一阶矩阵微分方程组,而离散状态方程是一阶矩阵差分方程组。所以只要将连续部分的一阶矩阵微分方程离散化,就可得到离散状态方程。

连续状态方程表达式为

$$\dot{X}(t) = AX(t) + Bu(t), Y(t) = CX(t) \tag{6.12}$$

求解上式状态方程,可将上式两边均乘以 e^{-At},得

$$e^{-At}\dot{X}(t) = e^{-At}AX(t) + e^{-At}Bu(t)$$

因为
$$e^{-At}[\dot{X}(t) - AX(t)] = \frac{d}{dt}[e^{-At}X(t)]$$

所以
$$\frac{d}{dt}[e^{-At}X(t)] = e^{-At}Bu(t)$$

将上式由 t_0 至 t 积分,得

$$e^{-At}X(t) - e^{-At_0}X(t_0) = \int_{t_0}^{t} e^{-A\tau}Bu(\tau)d\tau$$

将上式左乘 e^{At},得

$$X(t) - e^{+A(t-t_0)}X(t_0) = \int_{t_0}^{t} e^{A(t-\tau)}Bu(\tau)d\tau$$

$$X(t) = e^{+A(t-t_0)}X(t_0) + \int_{t_0}^{t} e^{A(t-\tau)}Bu(\tau)d\tau \qquad (6.13)$$

因为采样系统被控对象前有零阶保持器,所以 $u(t)$ 是阶梯输入,在两个采样点之间,即 $kT \leqslant t < (k+1)T$ 时,$u(t) = u(kT)$,如积分时间取 $kT \leqslant t < (k+1)T$,则 $t_0 = kT$,$t = (k+1)T$,$X(t_0) = X(kT)$,$X(t) = X(k+1)T$(为方便以下略去 T)。于是式(6.13)变为

$$X(k+1) = e^{AT}X(k) + \int_{k}^{k+1} e^{A(k+1-\tau)}Bu(k)d\tau \qquad (6.14)$$

做变量变换,令

$$t = (k+1-\tau), \tau = (k+1) - t, \text{当 } \tau = kT, t = T, \text{当 } \tau = (k+1)T, t = 0$$

于是式(6.14)变为

$$X(k+1) = e^{AT}X(k) + \int_{k}^{k+1} e^{At}Bu(k)dt$$

或写成

$$X(k+1) = e^{AT}X(k) + \int_{0}^{T} e^{At}Bdtu(k) \qquad (6.15)$$

当 T 等于常数时,上式中 $X(k)$ 和 $u(k)$ 前面的量均为常数,相应地把它记为

$$F = e^{AT}, \quad G = \int_{0}^{T} e^{At}dtB$$

所以

$$X(k+1) = FX(k) + Gu(k)$$

输出方程很容易离散化为

$$Y(k) = CX(k) \qquad (6.16)$$

式(6.15)和式(6.16)是连续模型的等效离散状态方程,由于连续的控制对象前面有零阶保持器,因而离散化方程的解是原方程在采样时刻的准确解,不是近似解。可见离散化的关键在于求解矩阵指数及其积分的计算。矩阵指数及其积分的计算可参考有关文献。

例6.2 设连续系统的被控对象传递函数为

$$W(s) = \frac{10}{s(s+1)}$$

采样周期 $T = 0.1s$,试求其离散状态方程。

解: 由传递函数可直接求出对应的连续系统状态方程为

$$\dot{X} = AX + Bu$$

$$Y = CX$$

式中

$$A = \begin{bmatrix} 0 & 1 \\ 0 & -1 \end{bmatrix}, B = \begin{bmatrix} 0 \\ 10 \end{bmatrix}, C = \begin{bmatrix} 1 & 0 \end{bmatrix}$$

此例中,因为系统是二阶的,所以矩阵指数可以求得

$$F = e^{AT} = L^{-1}[sI - A]^{-1}_{T=0.1} = L^{-1} \frac{\begin{bmatrix} s+1 & 1 \\ 0 & s \end{bmatrix}}{s(s+1)}$$

$$= L^{-1} \begin{bmatrix} \dfrac{1}{s} & \dfrac{1}{s(s+1)} \\ 0 & \dfrac{1}{s+1} \end{bmatrix} = \begin{bmatrix} 1 & 1-e^{-t} \\ 0 & e^{-t} \end{bmatrix}_{T=0.1} = \begin{bmatrix} 1 & 0.0952 \\ 0 & 0.905 \end{bmatrix}$$

$$\int_0^T e^{At} dt = \int_0^T \begin{bmatrix} 1 & 1-e^{-t} \\ 0 & e^{-t} \end{bmatrix} dt = \begin{bmatrix} T & T-1+e^{-T} \\ 0 & 1-e^{-T} \end{bmatrix}_{T=0.1} = \begin{bmatrix} 0.1 & 0.00484 \\ 0 & 0.0952 \end{bmatrix}$$

所以

$$G = \left[\int_0^T e^{At} dt\right] \cdot B = \begin{bmatrix} 0.1 & 0.00484 \\ 0 & 0.0952 \end{bmatrix} \begin{bmatrix} 0 \\ 10 \end{bmatrix} = \begin{bmatrix} 0.0484 \\ 0.952 \end{bmatrix}$$

离散系统状态方程为

$$X(k+1) = \begin{bmatrix} 1 & 0.0952 \\ 0 & 0.905 \end{bmatrix} X(k) + \begin{bmatrix} 0.0484 \\ 0.952 \end{bmatrix} u(k)$$

$$Y(k) = \begin{bmatrix} 1 & 0 \end{bmatrix} X(k)$$

6.2.2 由脉冲传递函数建立离散状态方程

一个线性离散系统可以用脉冲传送函数来表征。当一个系统的脉冲传递函数知道时,便可建立该系统的离散状态空间表达式。方法如下:

设线性离散系统的脉冲传递函数(分子的阶次为 m, $m = n - 1$)

$$\frac{Y(z)}{U(z)} = \frac{b_1 z^{-1} + b_2 z^{-2} + \cdots + b_m z^{-m}}{1 + a_1 z^{-1} + a_2 z^{-2} + \cdots + a_n z^{-n}} \quad n > m \tag{6.17}$$

分子的阶次 m 等于分母阶次 n 时,化为 b_0 加上上式。令

$$\frac{Y(z)}{b_1 z^{-1} + b_2 z^{-2} + \cdots + b_m z^{-m}} = \frac{U(z)}{1 + a_1 z^{-1} + a_2 z^{-2} + \cdots + a_n z^{-n}} = \theta(z)$$

则

$$Y(z) = b_1 z^{-1}\theta(z) + b_2 z^{-2}\theta(z) + \cdots + b_m z^{-m}\theta(z) \tag{6.18}$$

$$U(z) = \theta(z) + a_1 z^{-1}\theta(z) + \cdots + a_n z^{-n}\theta(z) \tag{6.19}$$

由式(6.19)得 $\quad \theta(z) = U(z) - a_1 z^{-1}\theta(z) - \cdots - a_n z^{-n}\theta(z) \tag{6.20}$

由式(6.18)、式(6.20)可画出状态变量图,如图 6.6 所示。

由图 6.6 选状态变量

$$\begin{cases} X_1(z) = z^{-1}\theta(z) \\ X_2(z) = z^{-2}\theta(z) = z^{-1}X_1(z) \\ \vdots \\ X_n(z) = z^{-n}\theta(z) = z^{-1}X_{n-1}(z) \end{cases} \tag{6.21}$$

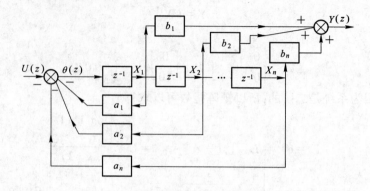

图6.6 由脉冲传递函数建立的状态变量图

对式(6.21)做 Z 反变换,得

$$zX_2(z) = X_1(z),则\ X_2(k+1) = X_1(k)$$

$$\begin{cases} X_2(k+1) = X_1(k) \\ X_3(k+1) = X_2(k) \\ \vdots \\ X_n(k+1) = X_{n-1}(k) \end{cases} \tag{6.22}$$

由式(6.21)可得

$$X_1(k+1) = \theta(k) \tag{6.23}$$

而由式(6.20)可得

$$\theta(z) = U(z) - a_1 z^{-1}\theta(z) - \cdots - a_n z^{-n}\theta(z)$$

$$\theta(k) = u(k) - a_1 X_1(k) - \cdots - a_n X_n(k) \tag{6.24}$$

将式(6.24)代入式(6.23),可得

$$X_1(k+1) = u(k) - a_1 X_1(k) - \cdots - a_n X_n(k) \tag{6.25}$$

将式(6.21)代入式(6.18),可得输出方程

$$Y(z) = b_1 X_1(z) + b_2 X_2(z) + \cdots + b_n X_n(z)$$

反变换: $\quad Y(k) = b_1 X_1(k) + b_2 X_2(k) + \cdots + b_n X_n(k) \tag{6.26}$

由式(6.25),式(6.22),式(6.26)可得状态空间表达式

$$X(k+1) = FX(k) + Gu(k)$$

$$Y(k) = CX(k) + Du(k) \tag{6.27}$$

其中 $\quad F = \begin{bmatrix} -a_1 & -a_2 & \cdots & -a_{n-1} & -a_n \\ 1 & 0 & \cdots & 0 & 0 \\ 0 & 1 & \cdots & \cdots & 0 \\ \vdots & & & & \\ 0 & \cdots & \cdots & 1 & 0 \end{bmatrix} \quad G = \begin{bmatrix} 1 \\ 0 \\ \vdots \\ 0 \end{bmatrix}$

$$C = [b_1 \quad b_2 \cdots b_{n-1} \quad b_n] \ D = b_0, 若\ m < n, 则\ b_0 = 0$$

例6.3 设线性离散系统的脉冲传递函数为

$$\frac{Y(z)}{U(z)} = \frac{2z^2 + 5z + 1}{z^2 + 3z + 2}$$

试求系统的离散状态空间表达式

解： $\dfrac{Y(z)}{U(z)} = \dfrac{-z-3}{z^2+3z+2} + 2 = \dfrac{-z^{-1}-3z^{-2}}{1+3z^{-1}+2z^{-2}} + 2$

上式与式(6.17)比较得

$$b_1 = -1, b_2 = -3$$
$$a_1 = 3, a_2 = 2$$
$$b_0 = 2$$

代入式(6.27)，所得离散状态空间表达式为

$$X(k+1) = FX(k) + Gu(k)$$
$$Y(k) = CX(k) + Du(k)$$

其中

$$F = \begin{bmatrix} -3 & -2 \\ 1 & 0 \end{bmatrix} \qquad G = \begin{bmatrix} 1 \\ 0 \end{bmatrix}$$
$$C = \begin{bmatrix} -1 & -3 \end{bmatrix} \qquad D = b_0 = 2$$

状态变量的选择不是惟一的，对于同一个线性离散系统，可以选择不同的状态变量。但是状态变量的个数是相同的，都等于系统的阶数。

6.2.3 离散系统的能控性和能观性

6.2.3.1 离散系统的能控性

能控性是指控制作用对被控系统影响的可能性。如果在一个有限的时间间隔里，可以用一个无约束的控制向量，使得系统由初始状态 $X(t_0)$ 转移到终点状态 $X(t_f)$，那么系统就称做在时间 t_0 是能控的。

离散状态方程为：

$$X(k+1) = FX(k) + Gu(k)$$

式中 $X(k)$ ——状态向量 n 维；

  $u(k)$ ——控制向量 m 维；

  F ——状态转移矩阵，$n \times n$ 维，是非奇异矩阵；

  G ——输入矩阵，$n \times m$ 维。

因为 $u(k)$ 是一维标量，$u(k)$ 在 $KT \leqslant t < (k+1)T$ 时是一个常数。$u(k)$ 是阶梯信号，使得状态 $X(k)$ 由任意初始状态开始，经过 NT 进入 $X(NT)$，那么由上式所确定的离散系统就是能控的。如果每一个状态都是能控的，称做状态完全能控。

能控的充要条件是

$$\text{rank}\begin{bmatrix} G & FG & F^2G & \cdots & F^{n-1}G \end{bmatrix} = n \tag{6.28}$$

系统矩阵的秩应为系统的阶数。

如果上式成立，那么就能够在有限拍时间内使系统的状态从 $X(0)$ 转移到 $X(NT)$，就称系统是完全能控的。

例6.4 设二阶系统如下图所示，采样周期 $T=1\text{s}$。试判断系统的能控性，连续系统可控，离散系统当 T 不同时，可能不可控。

解： 二阶系统的状态空间表达式为

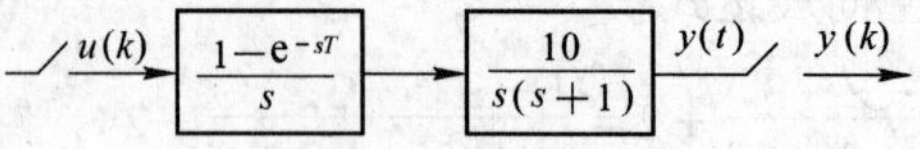

图 6.7 例 6.4 图

$$\begin{bmatrix} X_1(k+1) \\ X_2(k+1) \end{bmatrix} = \begin{bmatrix} 1 & 0.0952 \\ 0 & 0.905 \end{bmatrix} \begin{bmatrix} X_1(k) \\ X_2(k) \end{bmatrix} + \begin{bmatrix} 0.0484 \\ 0.952 \end{bmatrix} u(k)$$

$$Y(k) = \begin{bmatrix} 1 & 0 \end{bmatrix} \begin{bmatrix} X_1(k) \\ X_2(k) \end{bmatrix}$$

先求 FG
$$FG = \begin{bmatrix} 1 & 0.0952 \\ 0 & 0.905 \end{bmatrix} \begin{bmatrix} 0.0484 \\ 0.952 \end{bmatrix} = \begin{bmatrix} 0.0484 + 0.0952 \times 0.952 \\ 0.905 \times 0.952 \end{bmatrix} = \begin{bmatrix} 0.139 \\ 0.862 \end{bmatrix}$$

$$\text{rank}\begin{bmatrix} G & FG \end{bmatrix} = \begin{bmatrix} 0.0484 & 0.139 \\ 0.952 & 0.862 \end{bmatrix} = 2$$

在控制向量不受约束的条件下,系统是完全能控的。

6.2.3.2 离散系统的能观性

能观性反映了由系统的量测确定系统状态的可能性。如果系统的状态可通过在一个有限拍时间内,由输出量的观测值确定,那么就称系统在这个有限拍时间是能观测的。

系统的极点配置需要全状态变量反馈,但是否能测量和重构全部状态,就要判断系统的可观测性。也就是在有限拍数内,分析系统测量和重构所有状态的可能性。

设离散系统的状态空间表达式为

$$X(k+1) = FX(k) + Gu(k)$$
$$Y(k) = CX(k)$$

式中,$Y(k)$ 是 p 维输出向量;C 是 $p \times n$ 维输出矩阵;$u(k)$ 是给定函数。其完全能观测的充要条件是

$$\text{rank}\begin{bmatrix} C \\ CF \\ CF^{n-1} \end{bmatrix} = n \tag{6.29}$$

推导能观测条件如下:

所讨论系统是定常的,不失一般性,可设观测是从 0 步开始,要确定的是 0 步的状态,$X_1(0), X_2(0), \cdots, X_n(0)$。

既然 $U(k)$ 是给定的,它是否存在不影响系统的可观测性,可以设它等于零。这样,根据上面的方程,可得

$$Y(0) = CX(0)$$
$$Y(1) = CX(1)$$

因为
$$X(1) = FX(0)$$
所以
$$Y(1) = CFX(0)$$
$$Y(2) = CX(2)$$
$$= CFX(1)$$
$$= CF^2 X(0)$$
$$\vdots$$

$$Y(n-1) = CF^{n-1}X(0)$$

根据矩阵乘法规则,可将上面几式写成一个矩阵代数方程:

$$\begin{bmatrix} Y(0) \\ Y(1) \\ \vdots \\ Y(n-1) \end{bmatrix} = \begin{bmatrix} C \\ CF \\ \vdots \\ CF^{n-1} \end{bmatrix} X(0)$$

写成初始值 $X(0)$ 的表达式

$$X(0) = \begin{bmatrix} C \\ CF \\ \vdots \\ CF^{n-1} \end{bmatrix}^{-1} \begin{bmatrix} Y(0) \\ Y(1) \\ \vdots \\ Y(n-1) \end{bmatrix}$$

离散系统完全能观测是根据 $Y(0), Y(1), \cdots, Y(n-1)$,由上式可以确定 $X_1(0)$,$X_2(0), \cdots, X_n(0)$,为了确定这几个未知数,需要 $Y(KT)$ 的组值,因此时间序列从 0 到 $(nT - T)$ 为了求得 $X_1(0), X_2(0), \cdots, X_n(0)$ 的一组惟一解,矩阵

$$\begin{bmatrix} C \\ CF \\ \vdots \\ CF^{n-1} \end{bmatrix}$$

中应该找出几个线性无关的方程,也就是上式矩阵的秩应为 n,即得系统能观测矩阵为

$$\text{rank} \begin{bmatrix} C \\ CF \\ \vdots \\ CF^{n-1} \end{bmatrix} = n$$

例 6.5 确定由方程

$$X(k+1) = \begin{bmatrix} 1 & 0 & -1 \\ 0 & -2 & 1 \\ 3 & 0 & 2 \end{bmatrix} X(k) + \begin{bmatrix} 2 \\ -1 \\ 1 \end{bmatrix} u(k), \quad Y(k) = \begin{bmatrix} 0 & 0 & 1 \\ 1 & 0 & 0 \end{bmatrix} X(k)$$

所描述的系统是否能观测。

解:系统能观测矩阵为

$$\begin{bmatrix} C \\ CF \\ CF^2 \end{bmatrix} = \begin{bmatrix} 0 & 0 & 1 \\ 1 & 0 & 0 \\ 3 & 0 & 2 \\ 1 & 0 & -1 \\ 9 & 0 & 1 \\ -2 & 0 & -3 \end{bmatrix}$$

因为能找出线性相关的行列,所以它的秩小于 3,所以系统不能观测。原因是 $y(k)$ 不符合定义 p 维输出向量,应是列或行向量。

例 6.6 在上例中,若 $Y(k) = [0 \quad 1 \quad 0]X(k)$,系统能否观测。

解: $\begin{bmatrix} C \\ CF \\ CF^2 \end{bmatrix} = \begin{bmatrix} 0 & 1 & 0 \\ 0 & -2 & 1 \\ 3 & 4 & 0 \end{bmatrix}$ 的秩为 3,系统能观测。

将上两例比较可发现,同一个系统,观测数据少,反而能观测;观测数据多,反而不能观测。这表明,通过观测输出来确定系统内部的状态变量时,选择观测量,即正确地确定观测矩阵具有十分重要的意义。

6.3 全部状态可观测时按极点配置设计系统

6.3.1 全部状态可测时用极点配置设计系统方法一

图 6.8 示出了离散化后计算机系统的典型结构。并设各反馈的状态变量是可测的,本节对此系统进行分析。

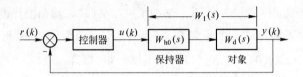

图 6.8 离散系统的典型结构

在自动控制理论中,系统的动态性能完全取决于系统闭环传递函数的零、极点,而与输入无关。输入信号仅影响系统的稳态性能。为此,现只研究输入信号为零的情况,这样,图 6.8 可改画成图 6.9。

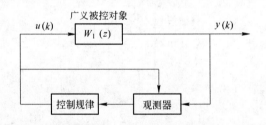

图 6.9 输入为零时的离散系统典型结构

按极点配置设计系统通常有两部分,一部分是状态观测器,它根据所测量到的输出量重构出全部状态 $\hat{X}(k)$;另一部分是控制器,它直接反馈重构的全部状态。本节讨论的系统认为全部状态都是可测的。

设控制对象的离散状态方程为

$$\begin{cases} X(k+1) = FX(k) + Gu(k) \\ Y(k) = CX(k) \end{cases} \tag{6.30}$$

式中,$X \in R^n$, $u \in R^m$。控制规律属于线性状态反馈,即

$$u(k) = -LX(k) \tag{6.31}$$

所以,要解决的问题是设计反馈控制规律 L,使闭环系统具有所需的极点配置。

将式(6.31)代入式(6.30),得闭环系统的状态方程为

$$X(k+1) = (F - GL)X(k) \tag{6.32}$$

显然,闭环系统的特征方程为

$$|zI - F + GL| = 0 \tag{6.33}$$

设所需要的闭环系统的极点为 $\beta_i(i = 1, 2, 3, \cdots, n)$,则闭环系统的特征方程为

$$\alpha_c(z) = (z - \beta_1)(z - \beta_2)\cdots(z - \beta_n)$$
$$= z^n + \alpha_1 z^{n-1} + \cdots + \alpha_n = 0 \tag{6.34}$$

对比式(6.33)和式(6.34)不难得到,为了获得所需要的极点配置,反馈控制应满足如下方程

$$|zI - F + GL| = \alpha_c(z) \tag{6.35}$$

若将上式左边的行列式展开,并比较两边 z 的同次幂的系数,则可得 n 个代数方程(两边均为首一多项式,即 z^n 的系数均为1)。对于单输入的情况,L 中未知元素的个数与方程的个数相等,因此,一般情况下可以获得 L 的惟一解。下面只讨论单输入的情况。

同连续系统类似,对于任意的极点配置,L 具有惟一解的充要条件是控制对象完全可控,即

$$\text{rank}[G \quad FG \quad \cdots \quad F^{n-1}G] = n \tag{6.36}$$

这个结论的物理意义是很明显的,只有当系统的所有状态都是能控的,才能通过适当的状态反馈,使闭环系统的极点位置放在 Z 平面上任一点。

按极点配置设计系统的关键,在于如何根据系统的性能指标求出系统闭环传递函数的极点,以及如何根据式(6.35)求出 L 来。

由于工程技术人员对 S 平面中的极点分布与系统的性能指标之间关系比较熟悉,因此,可首先根据性能指标的要求给定 S 平面的极点,然后再根据 $z_i = e^{s_i T}$ 的关系,求出 Z 平面上确定的极点分布。当然也可直接按第三章的内容直接在 Z 平面上确定极点的位置。

求取 L 的最直接办法是求解式(6.35)。这个方法很简单,但仅适于低阶系统,对高阶系统需借助计算机求解。

例6.7 被控对象的方框图如图6.10所示,要求动态指标相当于连续系统中 $\xi = 0.5$,$\omega_n = 3.6$ 的二阶系统,设采样周期 $T = 0.1\text{s}$,试用极点配置法设计控制规律。

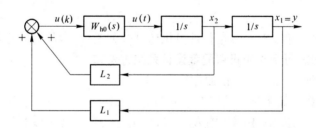

图 6.10 例 6.7 图

解: 首先求传递函数,写出控制对象的连续状态方程为

$$\dot{X}(t) = AX(t) + Bu(t)$$

其中
$$A = \begin{bmatrix} 0 & 1 \\ 0 & 0 \end{bmatrix}, B = \begin{bmatrix} 0 \\ 1 \end{bmatrix}, X = \begin{bmatrix} x_1 \\ x_2 \end{bmatrix}$$

将连续状态方程连同其前面的零阶保持器一起化成等效的离散状态方程为

$$X(k+1) = FX(k) + Gu(k)$$

求取系数 F 和 G,有

$$F = e^{AT} = L^{-1}[sI - A]^{-1} = L^{-1}\begin{bmatrix} \dfrac{1}{s} & \dfrac{1}{s^2} \\ 0 & \dfrac{1}{s} \end{bmatrix} = \begin{bmatrix} 1 & t \\ 0 & 1 \end{bmatrix}_{t=T=0.1} = \begin{bmatrix} 1 & 0.1 \\ 0 & 1 \end{bmatrix}$$

$$G = \int_0^T e^{At}B\,\mathrm{d}t = \begin{bmatrix} T & \dfrac{1}{2}T^2 \\ 0 & T \end{bmatrix}_{T=0.1} \quad B = \begin{bmatrix} 0.005 \\ 0.1 \end{bmatrix}$$

根据系统动态性能的要求,求出 S 平面上两个极点为

$$s_{1,2} = -\xi\omega_n \pm j\omega_n\sqrt{1-\xi^2} = -1.8 \pm j3.12$$

利用 $z = e^{sT}$ 的关系,可求出 Z 平面上的两个极点为

$$z_{1,2} = 0.835 e^{\pm j17.9°}$$

于是求得所要求的闭环系统动态方程为

$$\alpha_c = (z - z_1)(z - z_2) = z^2 - 1.6z + 0.7 \tag{6.37}$$

状态反馈控制规律为

$$L = \begin{bmatrix} L_1 & L_2 \end{bmatrix}$$

闭环系统特征方程式为

$$\begin{aligned}
\alpha_c(z) = |zI - F + GL| &= \left| \begin{bmatrix} z & 0 \\ 0 & z \end{bmatrix} - \begin{bmatrix} 1 & 0.1 \\ 0 & 1 \end{bmatrix} + \begin{bmatrix} 0.005 \\ 0.1 \end{bmatrix}\begin{bmatrix} L_1 & L_2 \end{bmatrix} \right| \\
&= z^2 - z + 0.005L_1 z - z + 1 - 0.005L_1 + 0.1zL_2 - 0.1L_2 \\
&\quad + 0.1 \times 0.005 L_1 L_2 + 0.01 L_1 - 0.005 L_1 L_2 \\
&= z^2 + (-2 + 0.005L_1 + 0.1L_2)z + 0.005L_1 - 0.1L_2 + 1
\end{aligned} \tag{6.38}$$

将式(6.38)同式(6.37)系数比较后得

$$0.1L_2 + 0.005L_1 - 2 = -1.6, \quad 0.005L_1 - 0.1L_2 + 1 = 0.7$$

由此联立方程解出

$$L_1 = 10, \quad L_2 = 3.5$$

求出反馈参数后,可以对系统进行计算机仿真。如指标不好,可以重新设计。

6.3.2   全部状态可测时用极点配置设计系统方法二

下面再介绍一种求反馈矩阵 L 的方法。

设单输入输出数字控制系统的状态方程为

$$X(k+1) = FX(k) + Gu(k), \quad u(k) = -LX(k) \tag{6.39}$$

由此式可得

$$X(k+2) = F^2 X(k) + Gu(k+1) + FGu(k)$$
$$\vdots \tag{6.40}$$

$$X(k+n) = F^n X(k) + Q\begin{bmatrix} u(k+n-1) \\ u(k+n-2) \\ \vdots \\ u(k) \end{bmatrix}$$

式中,Q 是能控性矩阵$[G \quad FG \quad \cdots \quad F^{n-1}G]$。

因为系统是能够控制的,初始状态 $X(k)$ 可以在 n 步内达终值状态 $X(k+n)$。所需的
输入变量可由式(6.40)求出

$$\begin{bmatrix} u(k+n-1) \\ u(k+n-2) \\ \vdots \\ u(k) \end{bmatrix} = Q^{-1}[X(k+n) - F^n X(k)] \tag{6.41}$$

为从上式求出 $u(k)$,只需求出等式左边的最后一行

$$u(k) = e'_n Q^{-1}[X(k+n) - F^n X(k)] \tag{6.42}$$

式中

$$e_n' = [0 \quad 0 \quad \cdots \quad 0 \quad 1] \tag{6.43}$$

又因为

$$X(k+1) = (F-GL)X(k)$$

所以式(6.42)可以写成

$$u(k) = e_n' Q^{-1}(\varphi^n - F^n) X(k) \tag{6.44}$$

式中

$$\varphi = F - GL \tag{6.45}$$

有状态反馈的闭环系统的特征方程具有下述形式

$$z^n + a_{n-1} z^{n-1} + \cdots + a_1 z + a_0 = 0 \tag{6.46}$$

利用凯利-哈密顿定理,矩阵 φ 满足

$$\varphi^n + a_{n-1} \varphi^{n-1} + \cdots + a_1 \varphi + a_0 I = 0 \tag{6.47}$$

因此式(6.44)成为

$$u(k) = -e_n' Q^{-1}(F^n + a_{n-1} F^{n-1} + \cdots + a_1 F + a_0 I) X(k) \tag{6.48}$$

例 6.8　设 $n=2$,则有

$$e_n' = [0 \quad 1], Q^{-1} = [G \quad FG]^{-1}$$

又令

$$G = \begin{bmatrix} g_1 \\ g_2 \end{bmatrix}, F = \begin{bmatrix} f_{11} & f_{12} \\ f_{21} & f_{22} \end{bmatrix}, L = [l_1 \quad l_2]$$

所以有

$$FG = \begin{bmatrix} f_{11} & f_{12} \\ f_{21} & f_{22} \end{bmatrix} \begin{bmatrix} g_1 \\ g_2 \end{bmatrix} = \begin{bmatrix} f_{11}g_1 + f_{12}g_2 \\ f_{21}g_1 + f_{22}g_2 \end{bmatrix}$$

$$Q = \begin{bmatrix} g_1 & f_{11}g_1 + f_{12}g_2 \\ g_2 & f_{21}g_1 + f_{22}g_2 \end{bmatrix}$$

$$Q^{-1} = \begin{bmatrix} f_{21}g_1 + f_{22}g_2 & -(f_{11}g_1 + f_{12}g_2) \\ -g_2 & g_1 \end{bmatrix} \Big/ |Q|$$

$$Q^{-1}G = \begin{bmatrix} f_{21}g_1 + f_{22}g_2 & -(f_{11}g_1 + f_{12}g_2) \\ -g_2 & g_1 \end{bmatrix} \begin{bmatrix} g_1 \\ g_2 \end{bmatrix} \Big/ |Q|$$

$$= \begin{bmatrix} g_1(f_{21}g_1 + f_{22}g_2) - g_2(f_{11}g_1 + f_{12}g_2) \\ -g_2g_1 + g_1g_2 \end{bmatrix} \Big/ |Q| = \begin{bmatrix} m \\ 0 \end{bmatrix} \Big/ |Q|$$

所以
$$e'_n Q^{-1} G = \begin{bmatrix} 0 & 1 \end{bmatrix} \begin{bmatrix} m \\ 0 \end{bmatrix} / |Q| = 0$$

故
$$e_n' Q^{-1} GL = 0$$

由此可得
$$e_n' Q^{-1} \varphi = e_n' Q^{-1}(F - GL) = e_n' Q^{-1} F$$
$$e_n' Q^{-1} \varphi^2 = e_n' Q^{-1} F(F - GL) = e_n' Q^{-1} F^2$$
$$\vdots \tag{6.49}$$
$$e_n' Q^{-1} \varphi^{n-1} = e_n' Q^{-1} F^{n-2}(F - GL) = e_n' Q^{-1} F^{n-1}$$

代入式(6.48)得
$$u(k) = -e_n' Q^{-1} \alpha_c F X(k) \tag{6.50}$$

式中
$$\alpha_c(F) = F^n + a_{n-1} F^{n-1} + \cdots + a_1 F + a_0 I$$

待求的反馈矩阵
$$L = e_n' Q^{-1} \alpha_c F \tag{6.51}$$

由上式可见，只有$[F \quad G]$是能控的，才可以用反馈矩阵任意配置极点。

例6.9 设 $F = \begin{bmatrix} 1 & -1 \\ 0 & 1 \end{bmatrix}$, $G = \begin{bmatrix} 1 \\ 1 \end{bmatrix}$, 求控制规律。

解：
$$Q^{-1} = \begin{bmatrix} G & FG \end{bmatrix}^{-1} = \begin{bmatrix} 1 & 0 \\ -1 & 1 \end{bmatrix}$$

$$\alpha_c(F) = F^2 - F + 0.24I = \begin{bmatrix} 0.24 & -1 \\ 0 & 0.24 \end{bmatrix}$$

$$L = e_n' Q^{-1} \alpha_c(F) = \begin{bmatrix} 0 & 1 \end{bmatrix} \begin{bmatrix} 1 & 0 \\ -1 & 1 \end{bmatrix} \begin{bmatrix} 0.24 & -1 \\ 0 & 0.24 \end{bmatrix} = \begin{bmatrix} -0.24 & 1.24 \end{bmatrix}$$

6.4 按极点配置设计观测器

上节讨论按极点配置设计观测器时，假设所有的状态都可直接用于反馈，这在实际上常常是办不到的。因为状态变量不一定是系统的真实物理量，它与系统的输入量，输出量等外部变量是不同的。一般情况下不能直接测量系统的全部状态变量。因此在状态反馈时首先根据系统能够测量到的变量去构造一组状态变量 $\hat{X}(k)$，并使该状态变量 $\hat{X}(k)$ 逼近真实状态 $X(k)$，记 $\hat{X}(k)$ 为实际状态变量 $X(k)$ 的重构或估计。其次再令 $u(k) = -L\hat{X}(k)$ 进行状态反馈。这种根据输出、输入量重构系统状态的算法称为观测器。本节将讨论几种常用的观测器。

6.4.1 预报观测器(全阶观测器,观测器的阶数等于状态的个数)

假设对象的状态差分方程为
$$X(k+1) = FX(k) + Gu(k), \quad Y(k) = CX(k) \tag{6.52}$$
式中，$Y(k)$ 是可以测量的，因此 $F, G, C, u(k)$ 和 $Y(k)$ 都认为是已知的。观测器的设计问题可以用图 6.11 来描述。

从图 6.11 看出，观测器的状态方程既和对象的输入有关，也和对象的输出有关。对观测器状态方程的研究可以采用不同的方法,现用传递函数的方法来进行。研究观测器的准则是应使观测器的状态等于系统的状态。按此准则研究如下:

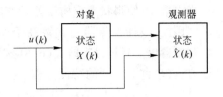

图 6.11 状态观测器的示意图

首先,取式(6.70)的 Z 变换,在零初始条件下有:

$$zX(z) = FX(z) + GU(z), \quad Y(z) = CX(z) \tag{6.53}$$

或写成

$$X(z) = (zI - F)^{-1}GU(z), \quad Y(z) = CX(z) \tag{6.54}$$

现设观测器的状态方程为

$$\hat{X}(k+1) = P\hat{X}(k) + KY(k) + HU(z) \tag{6.55}$$

取 Z 变换得

$$z\hat{X}(z) = P\hat{X}(z) + KY(z) + HU(z)$$

$$z\hat{X}(z) - P\hat{X}(z) = KY(z) + HU(z) \tag{6.56}$$

$$\hat{X}(z) = (zI - P)^{-1}[KY(z) + HU(z)]$$

其次,将式(6.54)代入上式,得

$$\hat{X}(z) = (zI - P)^{-1}[KCX(z) + HU(z)]$$

$$= (zI - P)^{-1}[KC(zI - F)^{-1}G + H]U(z) \tag{6.57}$$

根据实际观测器准则:$\hat{X}(z) = X(z)$,观测器的状态变量应为

$$\hat{X}(z) = (zI - F)^{-1}GU(z)$$

从式(6.56)和式(6.57)得

$$(zI - F)^{-1}G = (zI - P)^{-1}KC(zI - F)^{-1}G + (zI - P)^{-1}H$$

或

$$[I - (zI - P)^{-1}KC](zI - F)^{-1}G = (zI - P)^{-1}H \tag{6.58}$$

设 $I = (zI - P)^{-1}(zI - P)$ 代入上式,得

$$[(zI - P) - KC](zI - F)^{-1}G = H$$

此式又可以表示成

$$(zI - F)^{-1}G = [zI - (P + KC)]^{-1}H \tag{6.59}$$

这里选 $G = H$,则 $F = P + KC$,即 $P = F - KC$,从式(6.55)得

$$\hat{X}(k+1) = (F - KC)\hat{X}(k) + Ky(k) + Gu(k)$$

$$= F\hat{X}(k) + Gu(k) + K[y(k) - C\hat{X}(k)] \tag{6.60}$$

上式中只有 K 是待定系数。由此式可画出图 6.12。

现在来研究状态估计器的误差问题,从而求出待定系数 K。定义误差 $e(k)$ 为

$$e(k+1) = X(k+1) - \hat{X}(k+1)$$

$$= [FX(k) + Gu(k)] - \{F\hat{X}(k) + K[CX(k) - C\hat{X}(k)] + Gu(k)\}$$

$$= F[X(k) - \hat{X}(k)] - KC[X(k) - \hat{X}(k)] \tag{6.61}$$

$$= [F - KC]e(k)$$

由式(6.61)可见,状态重构误差的动态特性取决于矩阵$[F - KC]$,只要适当地选择矩阵 K,便可获得要求的状态重构性能。即使原来的 F 矩阵具有不稳定的特征根,也能通过

适当选取 K 使得状态重构误差具有满意的性能。

因此,设计观测器的关键在于如何合理地选取观测器增益矩阵 K,据式(6.61)得重构误差特征方程(也称观测器的特征方程)为

$$|zI - F + KC| = 0 \qquad (6.62)$$

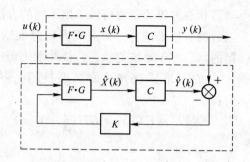

图 6.12　预报观测器

因为重构状态 $\hat{X}(k)$ 跟随实际状态 $X(k)$ 的性能,取决于式(6.62)的根在 Z 平面上的分布,所以按状态重构性能的要求给出观测器特征方程的根。设根为 $\beta_i(i = 1, 2, \cdots, n)$,则特征方程为

$$\alpha_e(z) = (z - \beta_1)(z - \beta_2)\cdots(z - \beta_n) = z^n + \alpha_1 z^{n-1} + \cdots + \alpha_n = 0 \qquad (6.63)$$

令式(6.62)与式(6.63)相等,即

$$|zI - F + KC| = \alpha_e(z) \qquad (6.64)$$

则可求出所要求的 K 矩阵。

另外,可以证明对任意指定的极点,K 具有惟一解的充要条件是系统完全能观,即

$$\text{rank} \begin{bmatrix} C \\ CF \\ \vdots \\ CF^{n-1} \end{bmatrix} = n \qquad (6.65)$$

这个结论的物理意义是很明显的,只有当系统完全能观时,才能通过适当选择矩阵 K,利用输出量来调整各个状态重构跟随实际状态的响应性能。

例 6.10　现仍以例 6.7 的数据说明观测器的设计步骤。已经求得离散状态方程为

$$X(k+1) = FX(k) + Gu(k), \quad Y(k) = CX(k)$$

式中

$$F = \begin{bmatrix} 1 & 0.1 \\ 0 & 1 \end{bmatrix} \quad G = \begin{bmatrix} 0.005 \\ 0.1 \end{bmatrix} \quad C = [1 \quad 0]$$

从而可以求出观测器方程为

$$\hat{X}(k+1) = F\hat{X}(k) + Gu(k) + K[Y(k) - C\hat{X}(k)]$$

假设要求重构的状态能以最快的速度跟随实际的状态,可将观测器特征方程的两个根设置在原点,即令

$$\alpha_e(z) = z^2$$

从而根据式(6.64)得

$$|zI - F + KC| = \left| \begin{bmatrix} z & 0 \\ 0 & z \end{bmatrix} - \begin{bmatrix} 1 & 0.1 \\ 0 & 1 \end{bmatrix} + \begin{bmatrix} k_1 \\ k_2 \end{bmatrix} [1 \quad 0] \right| = \left| \begin{matrix} z - 1 + k_1 & -0.1 \\ k_2 & z - 1 \end{matrix} \right|$$

$$= z^2 + (k_1 - 2)z + (1 - k_1 + 0.1k_2) = \alpha_e(z) = z^2$$

通过比较系数,可以求得观测器矩阵为

$$K = \begin{bmatrix} k_1 \\ k_2 \end{bmatrix} = \begin{bmatrix} 2 \\ 10 \end{bmatrix}$$

6.4.2　降阶观测器

前面讨论的观测器都是由输出量重构出全部状态,观测器的阶数等于状态的个数,因此

属于全阶观测器。如果所能测量的输出量只是其中的一部分，那么自然会想到，对于这部分能量测的状态便没有必要再对它进行重构，因而只需要根据能量测的部分状态重构出其余不能测量的状态，即只需要用降阶观测器就能完成这个任务。

但是，如果在测量的部分状态中包含有较严重的噪声，那么，直接反馈这些带噪声的状态其效果未必好，这时仍可采用全阶观测器重构出全部状态，包括那些可以测量的状态。由于观测器起到了滤波的效果，因此重构的状态将受到较小的干扰。

下面讨论如何构造降阶观测器。为此需要将原来的状态变量分解成两部分，即令

$$X(k) = \begin{bmatrix} X_a(k) \\ X_b(k) \end{bmatrix} \tag{6.66}$$

式中，$X_a(k)$ 表示能够测量部分状态，即输出量 $Y(k)$；$X_b(k)$ 表示重构状态，据此原状态方程可以改写为

$$\begin{bmatrix} X_a(k+1) \\ X_b(k+1) \end{bmatrix} = \begin{bmatrix} F_{aa} & F_{ab} \\ F_{ba} & F_{bb} \end{bmatrix} \begin{bmatrix} X_a(k) \\ X_b(k) \end{bmatrix} + \begin{bmatrix} G_a \\ G_b \end{bmatrix} u(k) \tag{6.67}$$

$$Y(k) = \begin{bmatrix} 1 & 0 \end{bmatrix} \begin{bmatrix} X_a(k) \\ X_b(k) \end{bmatrix} \tag{6.68}$$

将式(6.67)展开，得

$$X_a(k+1) = F_{aa}X_a(k) + F_{ab}X_b(k) + G_a u(k) \tag{6.69}$$

$$X_b(k+1) = F_{ba}X_a(k) + F_{bb}X_b(k) + G_b u(k) \tag{6.70}$$

在式(6.69)中将已知项移到左边，则有

$$X_a(k+1) - F_{aa}X_a(k) - G_a u(k) = F_{ab}X_b(k) \tag{6.71}$$

在方程式(6.70)中，把 $F_{ba}X_a(k) + G_b u(k)$ 作为已知的输入项。

我们把全阶观测器同降阶观测器作一比较，得到

$$X(k+1) = FX(k) + Gu(k) \tag{6.72}$$

$$X_b(k+1) = F_{bb}X_b(k) + [F_{ba}X_a(k) + G_b u(k)] \tag{6.73}$$

$$Y(k) = CX(k) \tag{6.74}$$

$$X_a(k+1) - F_{aa}X_a(k) - G_a u(k) = F_{ab}X_b(k) \tag{6.75}$$

通过式(6.72)～式(6.75)的比较，得出降阶观测器与全阶观测器的对应关系：

$$X(k) \text{——} X_b(k)$$

$$F \text{——} F_{bb}$$

$$Gu(k) \text{——} F_{ba}X_a(k) + G_b u(k)$$

$$Y(k) \text{——} X_a(k+1) - F_{aa}X_a(k) - G_a u(k)$$

$$C \text{——} F_{ab}$$

如果把这些相应的量代入下式

$$\hat{X}(k+1) = (F - KC)\hat{X}(k) + KY(k) + Gu(k) \tag{6.76}$$

得到方程

$$\hat{X}_b(k+1) = (F_{bb} - KF_{ab})\hat{X}_b(k) + K[X_a(k+1) - F_{aa}X_a(k) - G_a u(k)] + [F_{ba}X_a(k) + G_b u(k)] \tag{6.77}$$

由于 $Y(k) = X_a(k)$,故可将式(6.77)改写为

$$\hat{X}_b(k+1) = (F_{bb} - KF_{ab})\hat{X}_b(k) + KY(k+1) +$$

$$(F_{ba} - KF_{aa})Y(k) + (G_b - KG_a)u(k) \tag{6.78}$$

由此式得降阶观测器特征方程为

$$|zI - F_{bb} + KF_{ab}| = 0 \tag{6.79}$$

若给定降阶观测器的极点 $\alpha_e(z)$,并只考虑单输出的情况,则可由下式求出增益矩阵 K,即

$$|zI - F_{bb} + KF_{ab}| = \alpha_e(z) = 0 \tag{6.80}$$

K 具有惟一解的条件是系统完全能观。

例 6.11 现仍以例6.10的系统为对象,要求设计降阶观测器,假定 X_1 是可观测的状态,X_2 是需要估计的状态,同时仍假定将观测器的极点放置在原点,即 $\alpha_e(z) = z$。

前面已经求得

$$F = \begin{bmatrix} 1 & 0.1 \\ 0 & 1 \end{bmatrix} = \begin{bmatrix} F_{aa} & F_{ab} \\ F_{ba} & F_{bb} \end{bmatrix}$$

根据式(6.80)可得

$$|zI - F_{bb} + KF_{ab}| = z - 1 + 0.1K = \alpha_e(z) = z$$

从而求得 $K = 10$。

6.5 控制器的设计

以上分别讨论了按极点配置设计控制规律和设计观测器,而实际的控制器是由这两部分组成的,如图6.12所示。在全部状态均能观测时,控制量 $u(k) = -LX(k)$,而有些状态不能观测时,反馈的是状态变量的估计值 $\hat{X}(k)$,即 $u(k) = -L\hat{X}(k)$。在这种情况下,实际的闭环系统具有 $2n$ 个极点(控制对象 n 阶,观测器 n 阶),而不是只有控制对象的 n 个极点。下面要研究的问题是在增加了观测器极点后如何保证系统的性能指标。

首先,写出各环节的状态方程:

控制对象状态方程为

$$X(k+1) = FX(k) + Gu(k), \quad Y(k) = CX(k) \tag{6.81}$$

观测器状态方程为

$$\hat{X}(k+1) = F\hat{X}(k) + Gu(k) + K[Y(k) - C\hat{X}(k)] \tag{6.82}$$

控制规律

$$u(k) = -L\hat{X}(k) \tag{6.83}$$

为了求得闭环系统的极点,首先需求出系统的状态方程。为此令闭环系统的状态方程为

$$z(k) = \begin{bmatrix} X(k) \\ \hat{X}(k) \end{bmatrix} \tag{6.84}$$

由式(6.81)~式(6.83),得

$$X(k+1) = FX(k) - GL\hat{X}(k) \tag{6.85}$$

$$\hat{X}(k+1) = F\hat{X}(k) - GL\hat{X}(k) + K[CX(k) - C\hat{X}(k)]$$

$$= KCX(k) + (F - GL - KC)\hat{X}(k) \tag{6.86}$$

结合式(6.85)和式(6.86),可得闭环系统的状态方程为

$$z(k+1) = \overline{F}z(k) \tag{6.87}$$

式中

$$\overline{F} = \begin{bmatrix} F & -GL \\ KC & F - GL - KC \end{bmatrix} \tag{6.88}$$

从而求得闭环系统的状态方程为

$$
\begin{aligned}
\alpha(z) = |zI - \overline{F}| &= \begin{vmatrix} zI - F & GL \\ -KC & zI - F + GL + KC \end{vmatrix} \\
&= \begin{vmatrix} zI - F + GL & GL \\ zI - F + GL & zI - F + GL + KC \end{vmatrix} \\
&= \begin{vmatrix} zI - F + GL & GL \\ 0 & zI - F + KC \end{vmatrix} \\
&= (zI - F + GL)(zI - F + KC) \\
&= \alpha_c(z)\alpha_e(z) \\
&\quad |zI - F + GL| = \alpha_c(z) \\
&\quad |zI - F + KC| = \alpha_e(z)
\end{aligned}
\tag{6.89}
$$

由此可见,闭环系统的 $2n$ 个极点由两部分组成,一部分是没有观测器时,按性能指标设计系统时的极点(简称控制极点),另一部分是设计观测器时的极点(简称观测器极点)。这就是所谓的分离性原理。利用此原理,可将控制器的设计分开进行。

因为控制极点是按性能指标设计的,所以闭环系统的性能应主要取决于控制极点,亦即控制极点应是闭环系统的主导极点。观测器极点的引入通常将使系统性能变差,为了减小观测器极点对系统的影响,应使观测器所决定的状态重构的跟随速度远远大于由控制极点所决定的系统响应速度。极限情况下,可将观测器极点均放置在原点。这时状态重构具有最快的响应速度。

最后归纳出调节系统按极点配置设计控制器的步骤如下:

(1)按系统性能指标要求给出 n 个闭环系统的控制极点;

(2)按此极点配置设计 L;

(3)给出观测器的极点,选择观测器的类型计算出增益 K。

最后,用计算机对控制器加以实现。

6.6 随动系统的设计

前面讨论了输入量为零条件下控制器的设计问题。这个问题相当于具有某一初始状态的系统按着某一规律变化到零的情况,有时称这类系统为调节器类型控制系统。然而在很多控制系统中,系统的输出量需要跟随输入量的变化,这就是我们常说的随动系统。在此系统中,要求输出量 $Y(k)$ 能够快速跟随变化着的输入量 $r(k)$,并且有满意的跟踪响应性能。此系统示于图 6.13。

控制对象方程仍为

$$X(k+1) = FX(k) + Gu(k), \quad Y(k) = CX(k) \tag{6.90}$$

控制器的设计分两步进行,首先用前面讲述的极点配置的设计方法设计出观测器和控制规律,以保证系统具有满意的稳定性和调节性能。然后,在控制器内以适当的方式引入参考输入,以使系统具有快速的跟踪性能和较高的稳定精度。按照这个想法,图6.13所示系统应具有如下形式

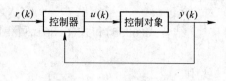

图 6.13 随动系统

$$\hat{X}(k+1) = (F - GL - KC)\hat{X}(k) + KY(k) + Mr(k)$$
$$u(k) = -L\hat{X}(k) + Nr(k) \tag{6.91}$$

式中,L 为按极点配置设计的控制规律;K 为按极点配置设计的观测器的增益矩阵。

它们的设计前面已经讨论过。余下的问题是如何引入参考输入,即怎样确定 M 和 N 的问题。这里仍假设系统为单输入单输出系统,即 $r(k),u(k),y(k)$ 的维数均为 1,$X(k)$ 的维数为 n。因此所求系数矩阵 M 为 $n \times 1$ 列向量,N 为标量。参考输入的引入可有不同的形式,下面只介绍其中一种,即合理地选择 M 和 N,以使得控制器方程中只用到参考输入与输出之间的误差量 $e(k) = r(k) - y(k)$。这在工业过程控制中是常见的。

对于这种参考输入引入方式,由于要求控制器方程只出现误差项,因而根据公式(6.91),必有

$$N = 0 \qquad M = -K \tag{6.92}$$

控制器的方程变为

$$\hat{X}(k+1) = (F - GL - KC)\hat{X}(k) + Ke(k)$$
$$u(k) = -L\hat{X}(k) \tag{6.93}$$

于是图 6.13 变为图 6.14。

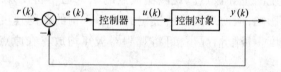

图 6.14 误差控制系统

第 4 章中讨论工程设计方法时,只是考虑了如图 6.14 所示的仅用误差进行控制的系统。由式(6.92)可以看出,系数矩阵 M 和 N 是完全确定的。

7 递阶和分布式计算机控制系统

国家自然科学基金委员会在 1994 年发布的《自然科学学科发展战略调研报告——自动化科学与技术》中指出:随着科学技术进步,工业生产更加社会化,生产过程向更大规模、更复杂的方向发展,自动化系统中信息处理和控制决策功能的分散化和多级递阶系统结构的形成已成为不可避免的趋势。

递阶和分布式计算机控制系统研究的内容,包括系统功能分解和结构设计,技术实现手段和控制原理及方法等方面。我们将着重对前几项进行探讨,以期了解并适当掌握递阶和分布式计算机控制系统的设计方法。

7.1 递阶和分布式计算机控制系统的层次结构

20 世纪 80 年代后期,欧共体 ESPRIT 提出了计算机集成制造开放系统体系结构(MIM-OSA),包含了组织和人的因素,作为国际标准化的预标准而成为最受瞩目的一个。普渡企业参考体系结构(Purdue Enterprise Reference Architecture, PERA)是实施流程企业计算机集成制造系统的体系结构,如图 7.1 所示。它由过程控制、过程优化、生产调度、企业管理和经营决策 5 个层次组成,这显然将生产过程控制和管理明显分开,忽视了生产过程中的物流、成本、产品质量及设备的在线控制与管理。因而实现计算机集成制造系统的结构复杂、层次多,不便形成平台技术,难于推广,也难以适用于扁平化企业管理模式。

1990 年,美国 AMR(Advance Manufacturing Research)提出的制造行业的三层 BPS/MES/PCS 结构,已经成功地在半导体、液晶制造、石油化工、药品、食品、纺织、机械电子、造纸、钢铁等行业中应用,取得了显著的经济效益。据美国 MESA 1996 年调查统计结果,在采用 MES 技术后,效果显著,生产周期缩短率为35%,数据输入时间缩短率为 36%,在制品削减率为 32%,文书工作削减率为 67%,交货期缩短率为 22%,不合格产品减低率为22%,文书丢失较少率为 55%。

图 7.1 Purdue 模型

随着信息技术和现代管理技术的发展,企业管理已开始从金字塔模式向扁平化模式转换,适合扁平化管理模式的 CIMS(Contemporary Integrate Manufacturing System)成为工业自动化技术的研究热点。

采用 BPS/MES/PCS 三层结构的 CIMS 将流程工业综合自动化系统分为以设备综合控制为核心的过程控制系统(PCS)、以财务分析/决策为核心的经营计划系统(BPS)和以优化管理、优化运行为核心的制造执行系统(MES),如图 7.2 所示。MES 使生产过程中难以处理的具有生产与管理双重性质的信息问题得到了解决。BPS、MES、PCS 都有各自的特点:最下层的控制系统聚焦于生产过程的设备,以秒为单位监控生产设备的运行状况,控制整个生产过程。中间层的制造执行系统着眼于整个生产过程管理,考虑生产过程的整体平衡,注重生产过程的运行管理,注重产品和批次,以分钟、小时为单位跟踪产品的制造过程。最上层的经营计划系统以产品的生产和销售为处理对象,聚焦于订货、交货期、成本、和顾客的关系等,以月、周、日为单位。在流程工业现代化集成制造系统中,MES 起着将生产过程控制中产生的信息、从生产过程管理中产生的信息和从经营活动中产生的信息进行转换、加工、传递的作用,是生产过程控制与管理信息集成的重要桥梁和纽带。MES 要完成生产计划的调度和统计、生产过程成本控制、产品质量控制与管理、物质控制与管理、设备安全控制与管理、生产数据采集与处理等功能。

BPS 系统包括:企业资源计划、供应链管理、售后服务管理、产品与工艺设计等功能。其中企业资源计划包括财务管理、人力资源管理、生产计划管理等;供应链管理包括原材料采购、供应管理、库存管理;售后服务管理包括合同管理、销售管理、客户关系管理等。

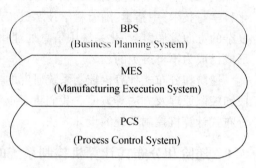

图 7.2　BPS/MES/PCS 三层体系结构

MES 尤为重视运行管理。流程工业 MES 的功能包括:生产过程资源配置管理、质量管理、设备维护管理、生产调度、物流管理、生产成本管理和生产过程管理等子系统。资源配置管理子系统实现计划和分配下列资源符合生产调度的目标,资源包括机器设备、工具、原材料、其他设备和相关文件资料,例如生产时所需要的文件等。资源配置管理子系统提供详细的资源情况,保证设备运行前的良好状态,提供实时运行情况。质量管理子系统实现对采集的生产信息实时分析,确保对生产质量的正确控制,发现问题及时采取措施、及时处理,实现对在制品的跟踪和产品的质量检测分析。设备维修管理子系统跟踪设备和工具的运行状态,对设备和工具定期计划性和预防性的维护操作指导,保存历史事故和故障信息,提供故障诊断库,对异常故障提供报警和处理。生产调度子系统根据产品的不同优先权、品质、特征等特点,对生产进行计划与调度,实现基于过程模型的模拟优化和实时调度。物流管理子系统对从原材料到成品的整个物流过程进行监控、建立物料平衡的过程模型,实现对物流过程的控制。生产成本控制子系统对生产全过程进行成本预报、分析,对动态生产成本进行核算与跟踪,实现生产过程成本的关联价值评估与控制,从而保证价值流的优化。生产过程管理子系统实现生产过程监控、数据的采集与统计,进行基于系统数据库的实时生产效率分析,并为 MES 提供基于知识和信息的支持,实现生产数据、检测数据和控制参数在 MES 层和 PCS 层间的正确传送。

流程工业现代集成制造系统的集成技术是以知识链为依托的,通过 MES 的承上启下的作用,将 BPS、PCS 通过网络和数据库系统来实现经营决策与管理、生产过程运行管理和生产过程控制的信息集成。

流程工业生产过程的底层自动化对于提高产品质量和提高生产率具有至关重要的作用,所以一般企业都要先解决基础自动化问题。因此,流程企业具有较好的底层自动化基础。

PCS 一般包括基础自动化系统和过程自动化系统。利用基础自动化装置与系统,如:PLC、DCS 或现场总线控制系统,对生产设备实现自动控制,对生产过程进行实时监控,采用先进的控制技术,如鲁棒约束多变量预测控制技术、多变量 APC 技术、智能解耦控制技术以及优化过程控制技术等,对过程控制系统进行优化设定,实现生产过程控制的优化。

对于计算机控制系统的网络层次模型有着多种不同提法,但基本结构都相似。采用现场总线工业控制系统组成的计算机控制系统的网络层次模型代表着未来的发展方向。如罗克韦尔公司在工业自动化方面采用了由 EtherNet(信息层)、ConrolNet(控制层)、DeviceNet(设备层)组成的三级计算机通信网络结构并形成了具有优异通信性能的罗克韦尔网络结构(Rockewll Net Architecture, RNA)。在 RNA 体系中,系统信息层应用 IEEE 802.3 的 CS-MA/CD 快速以太网连接,采用 TCP/IP 标准协议,用于整个系统计划管理、监视控制、统计质量控制、远程设备维护、生产流程以及物料跟踪。自动化和控制层采用 ControlNet、DH485 等网络,实现对实时 I/O 的控制以及控制器间的互锁、报文传送。设备层则采用 DeviceNet,用于底层设备的低成本、高效率信息集成。RNA 体系层次结构图如图 7.3 所示。

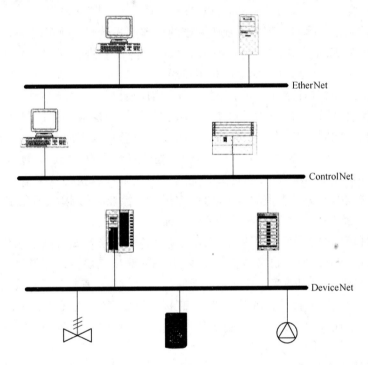

图 7.3 RNA 体系层次结构图

7.2 现场总线及其现场总线控制系统

现场总线是 20 世纪 80 年代末、90 年代初发展形成的,用于过程自动化、制造自动化、楼宇自动化、家庭自动化等领域的现场智能设备互联的通信网络。

按照国际电工委员会标准 IEC61158 的定义:"安装在制造和过程区域的现场装置与控制室内的自动控制装置之间的数字式、串行、多点通信的数据总线称为现场总线。"一般认为,"现场总线是一种全数字化、双向、多站的通信系统,是用于工业控制的计算机系统的工业总线。"它是用于生产自动化最底层的现场设备以及现场仪表的互联网络,是现场通信网络和控制系统的集成。现场总线作为当今自动化领域技术发展的热点之一,被誉为自动化领域的计算机局域网。它的出现,标志着自动化系统步入一个新的时代开端,将对该领域产生前所未有的冲击和影响。现场总线将当今网络通信与管理的概念带入控制领域,代表了今后自动化控制体系结构发展的一种方向。

工业过程控制的发展大体分为气动仪表控制—电动仪表控制—计算机集中控制—集散控制系统(DCS)等几个阶段,电动仪表控制以 DDZ Ⅲ 型仪表为主,基本上是简单闭环控制,其最大特点是危险性完全分散在各单回路上,最大弱点是难于实现复杂控制、先进控制及优化控制。为此,上世纪 60 年代出现了计算机集中控制,可以实现复杂控制、先进控制及优化控制,但是具有危险性集中,未能继承 DDZ Ⅲ 型系统的危险性完全分散的特点。70 年代出现了 DCS 系统,综合了前两种优点,既实现了复杂的控制,又把危险性分散在各控制器上,但还不能彻底分散,并且不能完全开放。80 年代初提出既能继承 DCS 全部功能,并使系统完全开放,又能实现危险性彻底分散到各回路中去(与 DDZ Ⅲ 型系统一样)的系统——现场总线控制系统(Field Bus Control System, FCS)。

现场总线控制系统是指以现场总线为基础的全数字式微机控制系统。工业控制现场总线是以 ISO 的 OSI 参考模型为基本框架的,并根据实际需要进行简化了的体系结构系统,它一般包括物理层、数据链路层、应用层和用户层。

物理层向上连接数据链路层,向下连接介质。物理层规定了传输介质(双绞线、无线和光纤)、传输速率、传输距离、信号类型等。在发送期间,物理层编码并调制来自数据链路层的数据流。在接收期间,它用来自媒介的合适的控制信息将收到的数据信息解调和解码并送给链路层;数据链路层负责执行总线通信规则,处理差错检测、仲裁、调度等。应用层为最终用户的应用提供一个简单接口,它定义了如何读、写、解释和执行一条信息或命令。用户层实际上是一些数据或信息查询的应用软件,它规定了标准的功能块、对象字典和设备描述等一些应用程序,给用户一个直观简单的使用界面。

工业控制现场总线系统由于采用了智能现场设备——嵌入式微机智能化硬件系统,能够把原先 DCS 系统中处于控制室的控制模块、各输入输出模块置入现场设备,加上现场设备具有通讯能力,现场的测量变送仪表可以与阀门等执行机构直接传送信号,因而控制系统功能能够不依赖控制室的计算机或控制仪表,直接在现场完成,实现了彻底的分散控制。由工业控制现场总线连接起来的现场控制设备可以采用全新的控制算法和软件设计,使其各个节点终端具有智能控制的能力。

7.2.1 现场总线的特点

作为工厂数字通信网络的基础,现场总线沟通了生产过程现场级控制设备之间及其与更高控制管理层次之间的联系,这项以智能传感器、控制、计算机和数据通信为主要内容的综合技术已受到世界范围的关注而成为自动化技术发展的热点,并将导致自动化系统结构与设备的深刻变革。

现场总线在实际应用中有如下特点:

(1)现场总线使得智能变送器中安装的微处理器能够直接与数字控制系统通信,而不需要 I/O 转换,节约了费用;

(2)现场总线可以取代每个传感器到控制器的单独布线,大大减少了连线费用;

(3)现场总线可以将一些先进功能,如线性化、工程量转换以及报警处理等赋予现场仪表,提高了现场仪表的精度和可靠性;

(4)现场总线提高了控制精度,这意味着应用数字信号所受到的限制将主要来自于传感器的精度;

(5)现场总线可提高控制装置与传感器、执行器之间的双向通信,方便了操作员与被控

设备之间的交互;

(6) 现场总线使得专门根据现场总线开发的现场仪表的使用成为可能,并将最终取代单变量模拟仪表,减少了仪表的购置、安装与维护费用;

(7) 现场总线的开放性将使用户有可能对各仪表厂商的产品任意进行选择并组成系统,而不必考虑接口是否匹配等问题。

7.2.2 分散条件下的多智能体系统

多智能体系统是由多个可计算的智能体组成的集合,其中每个智能体是一个物理的或抽象的实体(如通信网络中的一个节点),能作用于自身和环境,并与其他智能体通信。多智能体技术是人工智能技术的一次质的飞跃:首先,通过工业控制现场总线连接起来的智能体之间的通信,可以开发新的规划或求解方法,用以处理不完全、不确定的知识;其次,通过智能体之间的协作,不仅改善了每个智能体的基本能力,而且可从智能体的交互中进一步理解社会行为;最后,可以用模块化风格来组织系统。多智能体技术具有自主性、分布性、协调性,并具有自组织能力、学习能力和推理能力。采用多智能体系统解决实际应用问题,具有很强的鲁棒性和可靠性,并具有较高的问题求解效率。多智能体技术突破了目前知识工程领域的一个限制,即仅仅在系统中集中使用专家知识加以决策,因而可以用分散、协同的决策方式来完成大的、复杂系统的作业任务。多智能体技术在表达实际系统时,通过各智能体间的通信、合作、互解、协调、调度、管理及控制来表达系统的结构、功能及行为特性。由于在同一个多智能体系统中各智能体可以异构,因此多智能体技术对于复杂系统具有无可比拟的表达力,它为各种实际系统提供了一种统一的模型,从而为各种实际系统的研究提供了一种统一的框架,其应用领域十分广阔,具有潜在的巨大市场。目前广泛应用于智能机器人、交通控制、柔性制造、协调专家系统、分布式预测监控及诊断、分布式智能决策等领域。

现代机电系统的自动化水平日益提高,系统规模及复杂性也在迅速增加,如何提高这类系统工作的可靠性和工作效率是迫切需要解决的问题。传统的方法是建立一个针对生产过程及设备的诊断系统,这种诊断系统通常是和生产控制和监视系统互为独立的,造成这种状况的原因有几个:一方面,企业内的不恰当的部门划分;另一方面,诊断系统通常对某些关键设备的诊断和维护在很多情况下是离线诊断,造成了生产控制与监视系统的割裂。另外,传统的控制系统如 DCS、PLC 处理的信息与监控和诊断系统并不完全一致,再加上其封闭性强的弱点,一些重要的监控和诊断信息就无法从 DCS、PLC 等系统中读取和共享,造成了控制设备对于监控和诊断的利用率较低。而事实上,控制系统与监控和诊断系统存在着内在的集成要求,监控和诊断系统必须能够对底层被控设备状况和控制设备状况进行实时的监控,并反馈控制系统做出相应的调节。随着综合自动化的发展,需要实现整个生产过程的信息集成,即把企业经营决策、管理、计划、调度、过程优化、故障诊断、现场控制紧密联系在一起,为及时发现和预见系统可能出现的异常和故障,必须把控制、监控和诊断系统融为一体,它一方面要能够维持正常状况下系统的控制行为,另一方面要能够辨识异常工况并做出决策行为,以保证系统运行的可持续状态和避免可能的危害。这对控制系统与监控、诊断系统的集成提出了更高的要求。FCS 的出现和发展为多智能体系统提供了良好的生长土壤。

7.2.3 适合工业环境恶劣条件下的现场总线网络

计算机测控系统工作在工业环境恶劣条件下时,数据通信是在多机互联条件下微机间交换信息的重要途径。在设计通信网络时,必须根据需要选择通信总线标准,并考虑传输介质等问题以适应强电磁干扰、高粉尘以及剧烈的温度变化等恶劣条件。

7.2.3.1 通用串行总线通信标准

工业环境恶劣条件下常用微机串行通信总线标准有两大类：

- RS-232C；
- RS-449，RS-422，RS-423 及 RS-485。

RS-232C 标准适合于点对点（双机间）的通信，而其他标准适合于多机通信。采用标准通信总线后，能很方便地把各种计算机、外部设备、测量仪器有机地连接起来，构成一个测量、控制系统。为保证高可靠性的通信要求，在选择通信总线标准时，须注意以下两点：

（1）通信速率和通信距离。

通常的串行通信总线标准的电气特性都能满足可靠传输时的最大通信速率和传送距离指标。但这两个指标之间具有相关性，适当地降低通信速率，可以提高通信距离。反之亦然。例如，采用 RS-232C 标准进行单向数据传输时，最大数据传输速率为 20kbps，最大数据传送距离为 15m。改用 RS-422/RS-485 标准时，最大传输速率可达 10Mbps，最大传送距离为 300m，适当降低数据传输速率，传送距离可达到 1200m。

（2）抗干扰能力。

通常选择的通信总线，在保证不超过其使用范围时都有一定的抗干扰能力，以保证可靠的信号传输。但在一些工业测控系统中，通信环境往往十分恶劣，因此在通信介质选择、通信总线标准选择时要充分注意其抗干扰能力，并采取必要的抗干扰措施。例如在长距离传输时，使用 RS-422/RS-485 总线、现场总线，能有效地抑制共模信号和差模信号干扰。

EIA RS-232C 是美国电子工业协会正式公布的串行总线标准，也是目前最常用的串行接口标准，用来实现计算机与计算机之间、计算机与外设之间的数据通信。RS-232C 串行接口总线适用于设备之间的通信距离不大于 15m，传输速率最大为 20kb/s。RS-232C 虽然应用很广，但因其推出较早，在现代网络通信中已暴露出明显的缺点，如数据传输速率慢、通信距离短、未规定标准的连接器、接口处各信号间容易产生相互串扰等。

RS-485 标准是一种多发送器、接收器的电路标准，它扩展了 RS-422 的性能，允许在一对双绞线上用一个发送器驱动多达 255 个负载设备。电路结构是在平衡连接电缆两端有终端电阻，在平衡电缆上挂发送器、接收器、组合收发器。RS-485 标准没有规定在何时控制发送器发送或接收器接收数据的规则。RS-485 对电缆的要求比 RS-422 更严格。

7.2.3.2 现场总线与通用串行总线的区别

PC 与智能设备间的通讯可借助 RS-232、RS-485、以太网等方式，这主要取决于设备的接口规范。但 RS-232、RS-485 只能代表通讯的物理介质层和链路层，如果要实现数据的双向访问，就必须自己编写通讯应用程序，但这种程序多数都不能符合 ISO/OSI 的规范，只能实现较单一的功能，适用于单一设备类型，程序不具备通用性。在 RS-232 或 RS-485 设备联成的设备网中，如果同一网络中的设备数量超过 2 台就必须使用 RS-485 网络。如果 RS-485 网的设备间要想互通信息，一般只有通过"主（Master）"设备中转才能实现，这个主设备通常是 PC，而这种设备网中也通常只允许存在一个主设备，其余全部是从（Slave）设备。现场总线技术是以 ISO/OSI 模型为基础的，具有完整的软件支持系统，能够解决总线控制、冲突检测、链路维护等问题。现场总线设备自动成网，无主/从设备之分或允许多主存在，在同一个层次上不同厂家的产品可以互换，设备之间具有互操作性。

现场总线是将自动化最底层的现场控制器和现场智能仪表设备互联来实现实时控制的通信网络,它遵循 ISO 的 OSI 开放系统互联参考模型的全部或部分通信协议。FCS 是用开放的现场总线控制通信网络将自动化最底层的现场控制器和现场智能仪表设备相互连接起来的实时网络控制系统。

目前较为流行的现场总线有多种,例如 FF 总线、Profibus 总线、CAN 总线以及 LonWorks 总线等。

7.2.4 嵌入式微机控制系统硬件系统结构

嵌入式微机控制系统是以应用为中心,以计算机技术为基础,软件、硬件可裁剪,适应于应用系统对功能、可靠性、成本、体积、功耗严格要求的专用计算机系统。现场总线控制系统的每个智能节点都是嵌入式微机控制系统。

对嵌入式微机控制系统硬件系统进行规划设计通常应遵循以下原则:

(1)系统的实用性。项目的目标必须与控制系统的关键问题相结合,要和受控设备的核心问题相挂钩。

(2)系统的开放性。应用设计应该满足企业现实的各生产、管理环节的需求,同时还应考虑企业未来发展的可能需求,即系统要具备开放性和可扩展性,便于系统今后的升级、扩充和先进技术的采用。

(3)系统的简单性。建设初期,在企业整个技术水平和管理水平都可能还不适应,相应的企业其他信息资源、管理环境都不完善的情况下,要从作一些简单的应用开始,复杂的应用可能不易实现。

(4)系统的可扩充性。设立恰当的阶段性目标,明确需要解决的主要问题。制定出切实可行的计划,建立一个系统的框架,实现一些基本的功能,然后在这个基本系统的基础上不断发展。

遵循上述原则,在进行硬件设计时首先要考虑的是系统的可靠性,而影响测控系统可靠、安全运行的主要因素是来自系统内部和外部的各种电气干扰,以及系统结构设计、元器件选择、安装、制造工艺和外部环境条件等。因此,系统能否长期稳定、可靠地运行很大程度上与系统的初始设计有关。系统的开放性主要体现在系统标准接口的采用上,如所设计的控制系统采用国际流行的标准总线技术为接口将具备很好的系统可扩展性。系统的简单性和系统的可扩充性可以用模块化的积木式硬件设计来体现,每个模块完成一定的功能,模块之间通过总线来连接,实现因需装配、自由组合,有利于系统快速维修和升级换代。一个微机嵌入式硬件系统的结构至少包括 3 部分:外部接口部分(通信模块)、主控部分(MCU 模块)和 I/O 通道部分(A/D、D/A、数字 I/O 模块),如图 7.4 所示。

图 7.4 嵌入式微机硬件系统的基本模块结构

7.2.5 实时响应的控制软件及操作系统

在微机测控系统中,软件的重要性与硬件设置同样重要。编制的软件必须符合以下要求:

（1）实时性。系统要及时响应外部事件的发生，并及时给出处理结果，在工程应用软件设计中，采用汇编语言要比高级语言更具有实时性。

（2）可测试性。系统软件的可测试性具有两方面的含义：其一是指比较容易地制定出测试准则，并根据这些准则对软件进行测定；其二是软件设计完成后，首先在模拟环境下运行，经过静态分析和动态仿真运行，证明准确无误后才可投入实际运行。

（3）准确性。系统中有时要进行大量运算，算法的正确性与精确性问题对控制结果有直接影响，因此在算法选择、位数选择方面要满足要求。

（4）可靠性。系统软件要具有自适应性，在严重干扰条件下系统能可靠运行。

（5）易理解性、易维护性。软件系统要容易阅读和理解，容易发现和纠正错误，容易修改和补充。要采用模块化程序结构设计方案，使设计流程清晰明了，同时还要尽量减少循环嵌套、调用嵌套以及中断嵌套的次数，以防止堆栈操作中的失误。

早期的嵌入式测控系统应用程序都是在没有操作系统支持的裸机上用汇编语言和 C 语言来开发，这也正是目前我国大多数嵌入式测控系统的开发工作模式。为了能够有效利用高档单片机的处理能力，现代的嵌入式产品开发大多选用实时操作系统(Real Time Operation System, RTOS)作为软件的核心。这样，不仅能够把系统软件和应用软件分开处理，还可以极大地简化系统的开发过程，提高可靠性，并缩短产品上市的时间。嵌入式实时操作系统，如 iRMX、VxWorks、WindowsCE、Linux 及 Nucleus 等，其核心是具备快速任务切换、中断支持、抢占式和时间片轮转调度等的实时特征。例如 Nucleus 是美国 ATI 公司的产品，是为实时嵌入式测控应用而设计的一个抢先式多任务操作系统，其 95% 的代码由 ANSI C 语言写成，因此结构性和可移植性非常好。Nucleus 操作系统的设计采用了面向对象的方法，整个软件由多个功能明确的组件构成，因此结构清晰，便于裁减和重复使用。

Nucleus 操作系统还拥有大量的外围模块，如 TCP/IP 网络协议栈（包括各种应用层的协议）、多种风格的图形系统(Windows 和 Mac 风格)、基于 RAM/Flash 存储器的文件系统以及一个功能可定制的 Internet 浏览器。以上模块提供给用户的都是源代码，并且免付产品版税，因此对于测控系统应用程序的开发，可以极大地降低成本，加快软件开发速度，提高产品竞争力。

7.3 常用工业现场总线技术

7.3.1 由 DCS 到 FCS 的演变

集散控制系统(DCS)在上世纪 80、90 年代占主导应用地位。其核心思想是集中管理、分散控制，即管理与控制相分离，上位机用于集中监视管理功能，若干台下位机分散下放到现场实现分布式控制，各上、下位机之间用控制网络互联以实现相互之间的信息传递。因此，这种分布式的控制系统体系结构有力地克服了集中式数字控制系统中对控制器处理能力和可靠性要求高的缺陷。在集散控制系统中，分布式控制思想的实现正是得益于网络技术的发展和应用，遗憾的是，不同的 DCS 厂家为达到垄断经营的目的而对其控制通信网络采用各自专用的封闭形式，不同厂家的 DCS 系统之间以及 DCS 与上层 Intranet、Internet 信息网络之间难以实现网络互联和信息共享，因此，集散控制系统从该角度而言实质是一种封闭专用的、不具备可互操作性的分布式控制系统且 DCS 造价昂贵。在这种情况下，用户对网络控制系统提出了开放化和降低成本的迫切要求。

现场总线控制系统(FCS)正是顺应上述潮流而诞生,它用现场总线这一开放的,具有可互操作的网络将现场各控制器及仪表、传感器等设备互联,构成现场总线控制系统,同时控制功能彻底下放到现场,在功能分散的同时也化解了系统的风险,降低了安装成本和维护费用。实际上现场总线控制系统就是以现场总线技术为核心,以基于现场总线的智能 I/O、智能传感器、智能仪表为控制主体,以计算机为监控指挥中心的系统编程、组态、维护、监控等功能为一体的工作平台。因此,FCS 实质是一种开放的、具有可互操作性的、彻底分散的分布式微机控制系统,它有望成为 21 世纪工业控制系统的主流产品。

采用传统的控制方法,对现场信号需要进行点对点的连接,并且 I/O 端子与 PLC 在一起,被放在控制柜中,而不是放在现场。这就需要铺设大量的信号输送电缆,不仅费料而且费时。而采用现场总线技术后,接线非常合理,所有的 I/O 模块均放在工业现场,并且所有信号通过分布式智能 I/O 模块在现场即被转换成标准数字信号。它只需要一根电缆就可把所有的现场子站连接起来,进而把现场信号非常简捷地传送到控制设备上。

现场总线除具有一对 N 结构、互换性、互操作性、控制功能分散、互联网络、维护方便等优点外,还具有如下特点:

(1) 网络体系结构简单,其结构模型一般仅有 4 层。这种简化的体系结构具有设计灵活、执行直观、价格低廉、性能良好等优点,同时还保证了通信的速度。

(2) 综合自动化功能把现场智能设备分别作为一个网络节点,通过现场总线来实现各节点之间、节点与管理层之间的信息传递与沟通,易于实现各种复杂的综合自动化功能。

(3) 容错能力强。现场总线通过使用检错、自校验、监督定时、屏蔽逻辑等故障检测方法,大大提高了系统的容错能力。

(4) 提高了系统的抗干扰能力和测控精度。现场智能设备可以就近处理信号并采用数字通信方式与主控系统交换信息,不仅具有较强的抗干扰能力,而且其精度和可靠性也得到了很大的提高。

现场总线将各控制器节点分散下放到现场,构成一种彻底的分布式控制系统体系结构,网络拓扑结构任意,可为总线形、星形、环形等,通信介质不受限制,可用双绞线、光纤、无线等各种形式。FCS 形成的控制网络很容易与 Intranet 网和 Internet 网互联,构成一个完整的企业网络。

7.3.2 常用工业现场总线技术介绍

目前世界上已开发出了 40 多种现场总线,较为流行的有十几种,这里介绍其中几种常用的国际标准化组织确认的现场总线标准。

7.3.2.1 FF 总线

FF(Foundation Field bus 现场基金会总线)由美国仪器协会(ISA)1994 年推出,代表公司有 Honeywell 和 Fisher – Rosemount,主要应用于石油化工、连续工业过程控制中的仪表。FF 的特色是其通信协议在 ISO 的 OSI 物理层、数据链路层和应用层 3 层之上附加了用户层,通过对象字典 OD(Object Dictionary)和设备描述语言 DDL(Device Description Language)实现可互操作性。基金会现场总线分低速 H1 和高速 H2 两种通信速率。H1 的传输速率为 3125kbps,通信距离可达 1900m(可加中继器延长),可支持总线供电,支持本质安全防爆环境。H2 的传输速率为 1Mpbs 和 2.5Mpbs 两种,其通信距离分别为 750m 和 500m。物理传输介质可支持双绞线、光缆和无线发射,协议符合 IEC1158 – 2 标准。其物理媒介的传输信号采用曼彻斯特编码，每位发送数据的中心位置或是正跳变，或是负跳变。正跳变代表"0"，负跳变代表"1"，从而使串行数据位流中具有足够的定位信息，以保持发送双方的时间同步。接收方既可根据跳变的极性来判断数据的"1"、"0"状态，也可根据数据的中心位置精确定位。

目前基于 FF 的现场总线产品有美国 Smar 公司生产的压力温度变送器，Honeywell & Rockwell 推出的 ProcessLogix 系统，Fisher - Rosemount 推出的 PlantWeb 等。

7.3.2.2 Profibus 总线

Profibus(Process Field bus)是德国西门子公司于 1987 年推出的，主要应用于 PLC 工作范畴。产品有 3 类：FMS 用于主站之间的通信；DP 用于制造行业从站之间的通信；PA 用于过程行业从站之间的通信。由于 Profibus 开发生产的现场总线产品开发时间是在 10 年前，限于当时计算机网络水平，大多建立在 IT 网络标准基础上，随着应用领域不断扩大和用户要求越来越高，现场总线的产品只能在原有 IT 协议框架上进行局部的修改和补充，以致在控制系统内增加了很多的转换单元(如各种耦合器)，这为该产品今后的进一步发展带来了一定的局限性。

Profibus 支持主 - 从系统、单纯主站系统、多主多从站混合系统等几种传输方式。主站具有对总线的控制权，可主动发送信息。对于多主站系统来说，主站之间采用令牌方式传递信息，得到令牌的站点可在一个事先规定的时间内拥有总线控制权，可事先规定好令牌在各主站中循环一周的最长时间。按 Profibus 的通信规范，令牌在主站之间按地址编号顺序，沿上行方向进行传递。主站在得到控制权时，可以按主 - 从方式，向从站发送或索取信息，实现点对点通信。主站可采取对所有站点广播(不要求应答)，或有选择地向一组站点广播。

Profibus 的传输速率为 9.6kbps～12Mbps，当采用双绞线时，最大传输距离在 9.6kbps 时为 1200m，12Mbps 时为 100m，可用中继器延长至 10km。系统最多可挂接 127 个站点。

7.3.2.3 LonWorks 总线

LonWorks(Local Operating Network 局部操作网络)由美国 Echelon 公司于 1991 年推出，主要应用于楼宇自动化、工业自动化和电力行业等领域。LonWorks 的通信协议 LonTalk 采用了 ISO 的 OSI 全部 7 层协议，介质访问方式为 P - PCSMA(预测 P - 坚持载波监听多路复用)，采用网络逻辑地址寻址方式，优先权机制保证了通信的实时性，安全机制采用证实方式，因此能构建大型网络控制系统。LonWorks 技术所采用的 LonTalk 协议被封装在称之为 Neuron 的芯片中并得以实现。集成芯片中有 3 个 8 位 CPU，第 1 个用于完成开放互联模型中第 1～2 层的功能，称为媒体访问控制处理器，实现介质访问的控制与处理；第 2 个用于完成第 3～6 层的功能，称为网络处理器，进行网络变量处理的寻址、处理、背景诊断、函数路径选择、软件计时、网络管理并负责网络通信控制、收发数据包等；第 3 个是应用处理器，执行操作系统服务与用户代码。芯片中还具有存储信息缓冲区，以实现 CPU 之间的信息传递，并作为网络缓冲区和应用缓冲区。Echelon 公司推出的 Neuron 神经元芯片实质为网络型微控制器，该芯片强大的网络通信处理功能配以面向对象的网络通信方式，大大降低了开发人员在构造应用网络通信方面所需花费的时间和费用，从而可将精力集中在所擅长的应用层进行控制策略的编制方面。

基于 LonWorks 的总线产品有美国 Action 公司的 Flexnet 和 Flexlink 等。

7.3.2.4 CAN 总线

CAN(Controller Area Network 控制局域网络)由德国 Bosch 等公司于 1993 年推出,应用于汽车监控、开关量控制、制造业等。通信介质访问方式为非破坏性位仲裁方式,适用于实时性要求很高的小型网络,且开发工具廉价。Motorala、Intel、Philips 均生产独立的 CAN 芯片和带有 CAN 接口的与 80C51 相兼容的芯片。CAN 协议也是建立在国际标准组织的开放系统互联模型基础上的,不过其模型结构只有 3 层,即只取了 OSI 底层的物理层、数据链路层和顶上层的应用层。其信号传输介质为双绞线,通信速率最高可达 1Mbps(40m),直接传输距离最远可达 10km(5Kbps),可挂接设备最多可达 110 个。

CAN 型总线产品有 AB 公司的 DeviceNet 系列设备、中国台湾研华的 ADAM 数据采集、控制产品等。

几种常用的现场总线性能对照表如表 7.1 所示。

表 7.1 几种常用的现场总线性能对照表

特 性	现场总线类型			
	FF	Profibus	LonWorks	CAN
OSI 网络层次	1, 2, 3, 7	1, 2, 7	1~7	1, 2, 7
通讯介质	双绞线、电缆、光纤、无线等	双绞线、光纤	双绞线、电缆、光纤、无线等	双绞线、光纤
介质访问方式	令牌,主从	令牌,主从	P-坚持 CSMA	位仲裁
最大通讯速率	2.5Mbps	12Mbps	1.25Mbps	1Mbps
最大节点数	32	128	64	110
本安性	是	是	是	是

7.4 计算机通信基础知识

7.4.1 数据的同步与异步传输

数字信号的传输是将存储在端口或设备中的数字数据通过通信介质传送到另一端口或设备中。

要求长距离传输数字数据的场合都采用串行传输方式,即数据流以串行方式在一条信道上传输。在数据传输线上,每一次只传送 1 位数字数据,并且 1 位接 1 位地传送。很显然,在同样的时钟频率下,串行传输的数据速率要比并行传输慢很多倍。但串行通信的收、发双方只需要有一条传输信道,易于实现,费用较低,而且可使用现有的电话网等资源进行通信,因此,它适用于长距离的、低成本的传输。

由于计算机内部传输和处理的都是并行数据,在进行串行传输之前,必须将并行数据转换成串行数据,在数据接收端要将串行数据转换成并行数据。

串行传输的方式包含同步传输和异步传输两种传输方式。

7.4.1.1 同步传输

同步传输是一种以报文和分组为单位进行传输的方式。由于一个报文可包含许多字符,因此可大大减少用于同步的信息量,提高传输速率。目前在计算机网络中大多采用此种传输方式。

同步传输要求通信双方以相同的速率进行,而且要准确协调。它通过共享一个时钟或定时脉冲源,以保证发送方和接收方准确同步。

同步传输的特点是允许连续发送一个字符序列,每个字符数据位数相同,没有起始位和停止位,因此,在进行长字符序列传送时效率高。

在传输数字信号时,接收端必须有与数据位脉冲具有相同频率的时钟脉冲来逐位读入数据。为了正确读入数据,时钟脉冲的上跳沿必须作用在数据位脉冲稳定之后,通常是数据位脉冲的中间时刻,也就是说对时钟脉冲的相位也有要求。这种在接收端使数据位与时钟脉冲在频率和相位上保持一致的特性被称之为同步,实现这种同步的技术被称之为同步方式。

7.4.1.2 异步传输

异步通信不要求通信双方同步,通信收发方可采用各自的时钟源,通信双方都遵循异步通信协议。异步通信以一个字符作为数据传输单位,发送方传送字符的时间间隔不确定。每个字符传输都以起始位开始,以停止位结束。通信双方所约定的通信字符的数据位数、奇偶校验方法、停止位数必须相同。异步通信字符间的发送时间是异步的,也就是说,后一个字符与前一个字符的发送时间无关,字符之间的时间间隔是任意的,因此称为异步传输方式。由于异步通信传输的数据以字符为单位,为了进行字符同步,每个字符的第一位前加 1 位起始位(逻辑"0"),字符的最后一位后加上 1、1.5 或 2 位的终止位(逻辑"1")。异步通信传输简单便宜,但每个字符有 2~3 位的额外开销。异步通信传输效率比同步通信方式低,但所需的设备成本也低,被大量用于近距离、点对点的通信应用中。

7.4.2 数据的编码与调制技术

7.4.2.1 数据的编码

模拟数据和数字数据都可以用模拟信号或数字信号的形式在通信信道上传输。除了模拟数据以模拟信号传输外,其他通信方式都需要对数据进行编码。

通常数字信号用两种不同的电压电平的脉冲序列来表示,如是正逻辑表达的话,高电平为"1",低电平为"0"。这种编码方式称不归 0 制(NRZ, non-return-to-zero)数字编码。

NRZ 数字信号传输的最大问题是没有同步信号,在接收方不能区分每个数据位,也就不能正确接收数据,如增加同步时钟脉冲,就要增加额外的传输线。

脉冲序列含有直流分量,特别是有连续多个"1"或"0"信号时,直流分量会累积。这样就不可能采用变压器耦合方式来隔离通信设备和通信线路,以保护通信设备的安全。因此,在同步数据传输时,通常不采用这种 NRZ 制数字编码信号。

在实际传输数字信号时,可以采用曼彻斯特编码和差分曼彻斯特编码。

这两种编码的每位数据位的中心都有一个跳变,可以起到位同步信号的作用。

在曼彻斯特编码中,还以这个跳变的方向来判断这位数据是"1"还是"0"。通常,从高电平跳到低电平为"1",从低电平跳到高电平为"0"。

而在差分曼彻斯特编码中,是以每位数据位的开始是否有跳变来表示这位数据是"1"还是"0"。通常,无跳变表示"1",有跳变表示"0"。也可用当前数据位的前半周期的电平与前一数据位的后半周期的电平进行比较,如一致为"1",反相则为"0"。

这两种编码都带有数据位的同步信息,又称为自同步编码。同时,这两种编码的每位数据位都有跳变,整个脉冲序列的直流分量比较均衡,可以采用变压器耦合方式进行电路隔离。

采用曼彻斯特编码和差分曼彻斯特编码在数据波形上携带了时钟脉冲信息,即在每个数据位中间都有一个电平跳变。在接收端利用这个跳变来产生接收同步时钟脉冲。由于数据和时钟同时在一条线路上传输,不会出现失步情况,可以用较高的传输速率来传输数据。

7.4.2.2 数据的调制与传输

计算机的通信是要求传送数字信号,而在进行远程数据通信时,通信线路往往是借用现存的公用电话网,但是,电话网是为传输 300~3400Hz 之间的音频信号而设计的,这对二进制数据的传输不适合。为此,在发送时,需要将二进制信号调制成相应的音频信号,以适合在电话网上传输。在接收时,需要对音频信号进行调解,还原成数字信号。因此,在发送端使用调制器(Modulator)把数字信号转换为模拟信号(该模拟信号携带了数据信号,称为载波信号),模拟信号经通信线传送到接收方,接收方再以解调器(Demodulator)把模拟信号变为数字信号。大多数情况下,将调制器和解调器置于一个装置中,称为"调制解调器"(Modem)。

7.4.3 网络拓扑结构与传输介质

7.4.3.1 拓扑结构

网络拓扑是指网络形状,或者是它在物理上的连通性。网络的拓扑结构主要有星形拓扑、总线拓扑、环形拓扑、树形拓扑、混合拓扑以及网形拓扑等,如图 7.5 所示。树形拓扑、混合拓扑以及网形拓扑等其他类型拓扑结构的网络都是以星形拓扑、总线拓扑、环形拓扑 3 种拓扑结构为基础的。

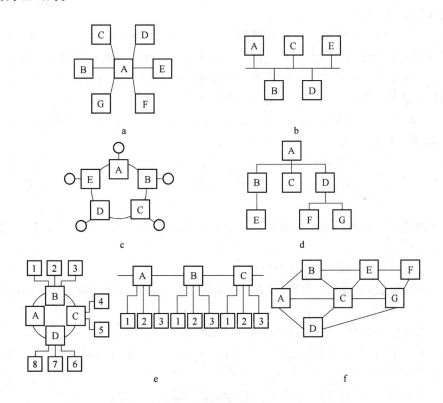

图 7.5 各种网络拓扑

a—星形拓扑;b—总线拓扑;c—环形拓扑;d—树形拓扑;e—混合拓扑;f—网形拓扑

拓扑结构的选择往往与传输媒体的选择及媒体访问控制方法的确定紧密相关。在选择网络拓扑结构时,应考虑的因素有下列几点:

- 可靠性;
- 费用;
- 灵活性;
- 响应时间和数据吞吐量。

7.4.3.2 传输介质

传输介质又称为传输媒体是通信网络中发送方和接收方之间的物理通路,计算机网络中采用的传输媒体分有线和无线两大类。有线传输媒体包括:

(1) 双绞线。由螺旋状的扭在一起的两根绝缘导线组成。双绞线一般分为非屏蔽双绞线(UTP)和屏蔽双绞线(STP)。计算机网络中最常用的是第五类或超五类非屏蔽双绞线。

(2) 同轴电缆。由轴线导体和绕在同一轴线上的外包导体所组成。同轴电缆被广泛用于早期的计算机局域网中。为保持同轴电缆的正确电气特性,电缆必须接地,同时两头要有端头连接器(网络匹配电阻)用来削弱信号反射作用。

(3) 光纤。由能传导光波的石英玻璃纤维外加保护层构成。光纤具有宽带、数据传输率高、抗干扰能力强、传输距离远等优点。按使用的波长区域的不同又可分为单模与多模光纤两种形式。

无线传输媒体包括:

(1) 红外通信和激光通信。有很强的方向性,是沿直线传播的。红外通信和激光通信是要把传输的信号分别转换为红外光信号和激光信号后才能直接在空间沿直线传播。

(2) 射频通信。采用无线电射频做通信媒介,无方向性,传输距离受到发送设备、发送功率及接收设备接收灵敏度等的影响。无线电射频通信抗干扰性能较差。

(3) 微波通信。载波频率为 2GHz 至 40GHz 之间,频率高,可同时传送大量信息。由于微波是沿直线传播的,故在地面的传播距离有限。

(4) 卫星通信。利用地球同步卫星作为中继来转发微波信号的一种特殊微波通信形式。卫星通信可以克服地面微波通信距离的限制,三个同步卫星可以覆盖地球上全部通信区域。

传输媒体的特性对网络数据通信的质量有很大影响,在实际应用中应加以注意,这些特征是:

(1) 物理特性:说明传输媒体的特性;

(2) 传输特性:包括是使用模拟信号传输还是使用数字信号传输、调制技术、传输容量及传输频率范围等;

(3) 连通性:采用点到点连接还是多点连接;

(4) 地理范围:在不用中间设备并将失真限制在允许范围内的情况下,整个网络所允许的最大距离;

(5) 抗干扰性:防止噪声、电磁干扰对传输数据影响的能力;

(6) 相对价格:包括元件、安装和维护等价格。

计算机局域网中使用的传输方式有基带和宽带两种方式。基带传输用于数字信号传输,常用的传输媒体有双绞线、光纤或同轴电缆。宽带传输用于无线电频率范围内的模拟信号的传输,常用同轴电缆等。

7.4.4 点到点通信与广播式通信

点到点通信是指网络中不同计算机间数据与信息的交换,即一个信道线路对应一对结点连接,其他计算机不能"接收"该信息。

广播式通信是同一网络中的多个结点共享一个通信信道,一个结点广播信息,其他结点必须接收信息。

7.4.5 数据帧及其同步

数据链路层的协议数据单元通常称为帧,它具有固定格式,并且包含了协议规定的各种规则。帧必须有明确的界线,只有在接收到的位流中能判断出一个帧开始和结束,才能完整地接收一个帧并对它进行后续处理。完整地接收一个帧的过程称为帧同步。帧的组织结构必须设计成使接收方法能够明确的从物理层收到的比特流中对其进行识别,即能从比特流中区分出帧的起始与终止,这就是帧同步要解决的问题。

常用的帧同步方法有:

(1) 字节计数法。这种帧同步方法以一个特殊字符表征一帧的起始,并以一个专门字段来标明帧内的字节数。接受方可以通过对该特殊字符的识别从比特流中区分出帧的起始,并从专门字段中获知该帧中随后跟随的数据字节数,从而可确定出帧的终止位置。

(2) 数据字符填充的首尾定界符法。该法用一些特定的字符来定界一帧的起始与终止,为了不使数据信息位中出现的与特定字符相同的字符被误判为帧的首尾定界符,可以在这种数据字符前填充一个特定的转义控制字符(如 DLE)以示区别,从而达到数据的透明性。

(3) 比特填充的首尾定界符法。以一组特定的比特数值(如 01111110)来标志一帧的起始与终止。为了不使信息位中出现的与该特定模式相同的比特串被误判为帧的首尾标志,当信息位中连续出现 5 个"1"时,发送方自动在其后插入一个"0"以有别于帧的起始与终止标志,而接受方每收到连续 5 个"1",则自动删去其后所跟的"0",以此恢复原始信息,实现数据传输的透明性。比特填充很容易由硬件来实现,性能优于字符填充方法。

7.4.6 差错控制与编码

7.4.6.1 差错控制

通信系统必须具备发现(即检测)差错的能力,并采取措施加以纠正,使差错控制在系统所能允许的尽可能小的范围内。

接收方通过对与接收数据在一起的发送方计算的差错编码(如奇偶校验码、CRC 码等)的检查,可以判定一帧数据在传输过程中是否发生了差错。一旦发现差错,一般可以采用反馈重发的方法来加以纠正。即要求接收方收到一帧并处理后,向发送方反馈一个接收是否正确的反馈信息,使发送方据此做出是否需要重新发送该数据帧的决定。发送方仅仅当收到接收方以正确接收的反馈信号后才能认为该数据帧已经正确发送完毕,否则需要重发直至得到正确的反馈为止。

由于同一帧数据可能被重复发送多次,这就可能引起接收方多次收到同一帧数据并存在着将其递交给网络上层的危险。为了防止发生这种情况,可以采用对发送的帧进行编号的方法,即赋予每帧一个序号,从而使接收方能由该序号来区分是新发送来的帧,还是已经接受但又重发来的帧,以此来确定要不要将接收到的帧递交给网络上层处理。数据链路层通过使用计数器和序号来保证每帧最终仅能被正确地递交给网络上层一次。

7.4.6.2 差错控制编码

差错控制编码是指数据信息位在向信道发送之前,先按照某种关系附加上一定的冗余位,构成一个特定数据帧后再发送,这个过程称为差错控制编码过程。通信接收端收到该特定数据帧后,检查信息位与附加冗余位之间的特定关系,以检查传输过程中是否有差错发生,这个过程称为差错检验过程。

常用的差错控制编码有:

(1) 奇偶校验码 一种通过增加冗余位使得码字中"1"的个数为奇数(称为奇校验)或为偶数(称为偶校验)的编码方法,它是一种检错编码。

(2) 循环冗余校验码(CRC码) 在发送端编码和接收端校验时,都可以利用事先约定的生成多项式 $G(X)$ 来得到,K 位要发送的信息位可对应于一个 $(k-1)$ 次多项式 $K(X)$,r 位冗余位则对应于一个 $(r-1)$ 次多项式 $R(X)$,由 r 位冗余位组成的 $n=k+r$ 位码字则对应于一个 $(n-1)$ 次多项式 $T(X)=X_r \cdot K(X)+R(X)$。它是一种检错编码。

(3) 海明码 它是利用为 k 位信息位增加 r 位冗余位,构成一个 $n=k+r$ 位的码字,然后用 r 个监督关系式产生的 r 个校正因子来区分有无错误并可在码字中的 n 个不同位置指出其一位错的方法。海明码是一种可以纠正一位差错的纠正编码。

在双工通信中,多采用检错编码。在单工通信中,使用纠正编码较适宜。

7.5 控制局域网络——CAN 总线

CAN 总线属于工业现场总线的范畴。它与一般的通信总线相比,其数据通信具有突出的可靠性、实时性和灵活性。由于其良好的性能及独特的设计,CAN 总线开始被用于汽车的电子系统通信,世界上一些著名的汽车制造厂商,如 BENZ(奔驰)、BMW(宝马)、PORSCHE(保时捷)、ROLLS－ROYCE(劳斯莱斯)和 JAGUAR(美洲豹)等,都采用 CAN 总线来实现汽车内部控制系统与各检测和执行机构间的数据通信。实验发现,汽车工作时,电磁干扰相当突出,严重时会损坏电子元器件。因此,汽车电子设备的电磁环境最为恶劣,汽车点火所产生的高频辐射最为突出。CAN 总线具有极强的抗干扰能力及纠错能力,因此被美国军方广泛应用于导弹、飞机、坦克电子系统的通信联络上。随着 CAN 总线越来越受到人们的重视,其应用范围开始向自动控制、航空航天航海、过程控制、机器人、数控机床、医疗器械及传感器等领域发展。同时,CAN 已经形成国际标准并已被公认为几种最有前途的现场总线之一。CAN 总线的典型应用协议有:SAE J1939、ISO11783、CANOpen、CANaerospace、DeviceNet 等。

7.5.1 CAN 总线的基本特点及结构

CAN 总线的基本原理是当 CAN 总线上的一个节点(站)发送数据时,它广播给网络中所有节点。对每个节点来说,都对其进行接收。每组报文开头的 11 位(或 29 位)字符为标识符,定义了报文的优先级。在同一系统中标识符是惟一的,不可能有两个站发送具有相同标识符的报文。当一个站要向其他站发送数据时,该站的 CPU 将要发送的数据和自己的标识符传送给本站的 CAN 芯片并处于准备状态。当它收到总线分配时,转为发送报文状态。CAN 芯片将数据根据协议组织成一定的报文格式发出,这时网上的其他站处于接收状态。每个处于接收状态的站对接收到的报文进行检测,判断这些报文是否是发给自己的,以确定是否接收它。

CAN总线有如下基本特点：

(1) CAN总线为多主方式，网络上任意节点都可在任意时刻主动地向网络上其他节点发送信息，通信方式灵活，无需站地址等节点信息，可构成多机备份；

(2) CAN网络上的节点信息分成不同层次的优先级，可满足不同的实时需要，其中最高优先级的数据最多可在$134\mu s$内得到传输；

(3) CAN采用非破坏性总线仲裁技术。当多个节点同时向总线发送信息时，优先级较低的节点会主动地退出发送，而最高优先级的节点可不受影响地继续传输数据，大大地减少总线冲突仲裁的时间，尤其是在网络负载很重的情况下，也不会出现网络瘫痪的情况；

(4) CAN节点在错误严重的情况下具有自动关闭输出功能，以使总线上其他节点的操作不受影响，从而保证不会在网络中因个别节点出现问题，而使得总线处于"死锁"状态；

(5) CAN仅允许经过报文滤波来实现点对点、一点对多点及全局广播传输方式；

(6) CAN的直接传输距离是10km，通信速度最高可达1Mbps；

(7) CAN上的节点数取决于总线驱动能力，最多可达110个；

(8) CAN采用短帧结构，传输时间短，受干扰概率低，有良好的检错效果；

(9) CAN的每帧信息都有CRC校验及其他检错措施，保证了数据传输的准确性；

(10) CAN的通信介质可为双绞线，同轴电缆或光纤。CAN具有的完善的通信协议可以用控制器芯片及其接口芯片来实现，从而大大降低系统开发难度，缩短了开发周期。所有这些是仅仅只有电气协议的通信标准所无法比拟的。

前3个特性使得CAN总线构成的网络各节点之间的数据通信实时性强，并且容易构成冗余结构，提高系统的可靠性和系统的灵活性。

CAN总线数据链路层协议采用平等式(Peer to peer)通信方式，即使主机出现故障，系统其余部分仍可运行(当然性能受一定影响)。当一个站点状态改变时，它可广播发送信息到所有站点。

CAN总线的信息传输通过报文进行，报文帧有4种类型：数据帧、远程帧、出错帧和超载帧，其中数据帧格式如表7.2所示。CAN总线帧的数据场较短，小于等于8字节，数据长度在控制场中给出。短帧发送一方面降低了报文出错率，同时也有利于减少其他站点的发送延迟时间。帧发送的确认由发送站与接收站共同完成，发送站发出的ACK场包含两个"空闲"位(recessive bit)，接收站在收到正确的CRC场后，立即发送一个"占有"位(dominant bit)，给发送站一个确认的回答。CAN总线还提供很强的错误处理能力，可区分位错误、填充错误、CRC错误、形式错误和应答错误等。

表7.2 CAN总线数据帧组成

帧起始	仲裁场	控制场	数据场	CRC场	ACK场	帧结束	帧间隔

与其他现场总线比较而言，CAN总线是具有通信速率高、容易实现、性能价格比高等诸多优点的一种已被确认为国际标准的现场总线。这也是目前CAN总线能应用于众多领域，具有强劲的市场竞争力的重要原因。

7.5.2 CAN总线的无损伤仲裁方法

CAN总线采用帧同步方式处理数据。帧同步就是要保证各节点发送和接收每一帧时必须同步开始,这时如果总线上正在发送其他帧数据,那么该节点的发送请求将被屏蔽并延迟进行;如果总线空闲时,才允许站开始发送信号,并由一个单独的"显性"位标志数据帧或远程帧的起始。所有的站必须同步于首先开始发送信息站的帧起始前沿。

CAN 总线是用一种面向位型的无损伤仲裁方法来解决媒体多路访问带来的冲突问题。其仲裁过程是:当总线空闲时,线路表现为"闲置"电平(recessive level),此时任何站均可发送报文。发送站发出的帧起始字段产生一个"占有"电平(dominant level),标志发送开始。所有站以首先开始发送站的帧起始前沿来同步。若有多个站同时发送,那么在发送的仲裁场期间进行逐位比较。仲裁场包含标识符 ID(标准为 11bit,在 1.0 标准协议下),对应其优先级。每个站在发送仲裁场时,将发送位与线路电平比较,若相同则发送;若不同则得知优先级低而退出仲裁,不再发送。系统响应时间与站点数无关,只取决于安排的优先权。可见 CAN 总线节点数据发送过程中,起到关键作用的是"标识符"。标识符不同,发送的优先权就不同。标识符还可以作为 CAN 总线不同节点的逻辑"地址",由 CAN 节点的"验收滤波"器加以解析,实现单呼或组呼通信操作。可以看出,这种媒体访问控制方式不像以太网的 CSMA/ CD 协议那样会造成数据与信道带宽受损。

7.5.3 CAN 总线的故障管理方法

CAN 总线采用特殊的总线故障管理方法来处理通信错误的发生。每个 CAN 总线通信节点都有两种错误计数器:发送出错计数和接收出错计数。节点状态转换就是靠这两种计数器的计数值来实现的。这两种计数器有 8 种工作模式:

(1) 接收器检测到一个错误,接收错误计数器加 1。但在发送主动错误标志或者在发送超载标志时,这时检测到的位错误不算。因为这是总线错误和超载的判断,而并不是错误。

(2) 当接收器检测到一个"0"作为送出错误后的第一位,显然是继续错误,接收错误计数器加 8。

(3) 当发送器送出一个错误标志,发送计数器将加 8。这里有两处例外:一种是错误认可节点产生了应答错误,而在发送认可错误标志时未接到"0"回应,也就是说,认可错误标志没有被"0"屏蔽,此时发送错误计数器的值应保持不变。还有一种情况,在仲裁期间发出"1"错误标志,而监测到"0",此时可能是被仲裁过程中的"0"屏蔽,所以发送计数器的值保持不变。

(4) 在送出活动错误标志或超载错误标志时,若发送器检测到一个位错误,则发送错误计数器加 8。

(5) 在送出活动错误标志或超载错误标志时,若接收器检测到一个位错误,则接收错误计数器加 8。

(6) 在送出两种错误标志和超载标志之后,任何节点最多允许 7 个连续的"0"。在活动错误和超载标志后,检测到 14 个连续的"0",或者在认可错位标志后检测到第 8 个连续的"0"后,每个发送器将发送错误计数器加 8,每个接收器将接收错误计数器加 8。

(7) 成功发送一帧后,发送错误计数器减 1。

(8) 成功接收一帧后,接收错误计数器减 1。

由上面 8 项可以看出,发送错误计数器或接收错误计数器的数值越高,则错误越严重。所以他们两个的数值规定了节点状态转换的方法。

若两种计数器的任一值大于 127,则节点变为错误认可节点。此时如果该节点成功发送或接收数据则节点计数器的值降低到127以下,那么错误认可节点将重新变为错误激活节点。但如果此时计数器的值继续升高,比如认可错误标志"1"被活动错误标志"0"屏蔽掉引起的错误使计数器的值升高,那么当认可错误节点计数器的值大于或等于255,那么此节点将变为总线脱离节点,总线对其完全关闭(脱离 CAN 总线通信状态),需要程序重新启动该节点。

由此可见,3种节点错误的严重程度依次增大:活动错误节点,认可错误节点,总线脱离节点。

7.5.4 CAN 总线信号的物理位表示

CAN 中的总线的位数值被表示为两种互补逻辑数值之一:"显性"位或"隐性"位。显性为"0",隐性为"1"。"1"和"0"位同时发送时,在总线上数值将实现线"与",即结果为"0"。CAN 总线的物理位以大于某一值的差分电压表示显性位(总线位输出);在隐性状态下,高低两个电压被固定于接口芯片电源电压与电源地之间的平均电压附近,差分电压接近 0 值(总线位关闭)。

CAN 总线的物理位的这种表示为 CAN 总线的抗干扰、抗恶劣工作环境提供了基础保证。

7.5.5 CAN 总线专用通信控制器

CAN 总线专用通信控制器可分为:

(1) 独立的 CAN 控制器主要有:

● 80C200, SJA1000 (Philips);

● 82527 (Intel);

● 81C90/91 (Infineon)。

(2) 集成 CAN 控制器的单片机主要有:

● 90C591/592/598, P51XAC3 (Philips);

● 196CA/CB (Intel);

● 80C505CA/515C (Infineon);

● 68376 (Motorola)。

CAN 的通信协议主要由 CAN 通信控制器完成。CAN 控制器主要由实现 CAN 总线协议的部分和实现与微处理器接口部分的电路组成。对于不同型号的 CAN 总线通信控制器,实现 CAN 协议部分电路的结构和功能大多相同,而独立的 CAN 控制器与微处理器接口部分的结构和方式存在一些差异。这里主要以独立的 CAN 控制器 SJA1000 为代表,独立的 CAN 控制器 SJA1000 的结构图如图 7.6 所示。

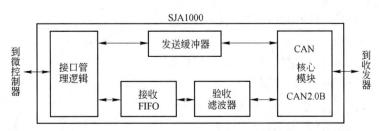

图 7.6 CAN 控制器 SJA1000 的结构图

SJA1000 是一种独立 CAN 控制器,它是 PHILIPS 公司的 PCA82C200 CAN 控制器的替代产品。SJA1000 具有 BasicCAN 和 PeliCAN 两种工作方式,PeliCAN 工作方式支持具有很多新特性的 CAN2.0B 协议。SJA1000 在软件和引脚上都是与它的前一款 PCA82C200 独立 CAN 控制器相兼容的并在此基础上增加了很多新的功能。为了实现软件兼容,SJA1000 采用了两种工作方式:BasicCAN 方式——PCA82C200 兼容方式;PeliCAN 方式——扩展特性工作方式,通过时钟分频寄存器中的 CAN 方式位来选择,上电复位默认工作方式是 BasicCAN 方式。

BasicCAN 和 PeliCAN 方式的区别有:在 PeliCAN 方式下,SJA1000 有一个重新设计的含有很多新功能的寄存器组。SJA1000 包含 PCA82C200 中的所有位,同时增加了一些新的功能位。PeliCAN 方式支持 CAN2.0B 协议规定的所有功能,如 29 位的标识符等。

CAN 核心模块负责 CAN 信息帧的收发和 CAN 协议的接口逻辑管理,负责同外部主控制器接口的该单元中的每一个寄存器通过 SJA1000 的地址/数据总线访问。发送缓冲区可存贮一个完整的信息,帧长度为 13 个字节。主控制器可直接将标识符和数据送入发送缓冲区,然后置位命令寄存器 CMR 中的发送请求位 TR,以启动 CAN 核心模块读取发送缓冲区中的数据并按 CAN 协议封装成一完整 CAN 信息帧。通过收发器发往总线验收滤波器单元完成接收信息的滤波,只有验收滤波通过且无差错才把接收的信息帧送入接收 FIFO 缓冲区,同时置位接收缓冲区状态标志 SR.0。

由寄存器组和报文缓冲区等组成在报文缓冲区中发送缓冲区 TXB 和接收缓冲区 RXB 共用同一段 CAN 地址,其地址为 16~28,共 13 个字节。发送信息时应向此区域中写入数据,而接收时则从此区域中读出数据。

SJA1000 主要控制寄存器有:

(1) 方式寄存器 MOD 地址为 0。其中 MOD4 决定 SJA1000 是否为睡眠方式,MOD.3 决定验收滤波方式,MOD.0 决定是否复位。当 MOD.0 位为 1 时,SJA1000 进入复位状态;为 0 时,进入工作状态。SJA1000 的初始化必须在复位状态下进行。

(2) 命令寄存器 CMR 地址为 1。它主要是接收来自主控制器的命令。

(3) 状态寄存器 SR。它提供了当前 SJA1000 的各种状态,其中:SR.7 为总线状态,SR.6 为错误状态,SR.5 为发送状态,SR.4 为接收状态,SR.3 为发送完成状态,SR.2 为发送缓冲区状态,SR.1 为数据超载状态,SR.0 为接收缓冲区状态。

在编程时可充分利用这些状态信息进行相应的处理。中断寄存器 IR 和中断允许寄存器 IER 提供了 8 种不同类型的中断和 5 种时钟分频。

SJA1000 的主要新功能如下:

1) 标准结构和扩展结构报文的接收和发送;

2) 64 字节的接收 FIFO;

3) 标准和扩展帧格式都具有单/双接收滤波器;

4) 接收屏蔽和接收码寄存器;

5) 可进行读/写访问的错误计数器;

6) 可编程的错误报警限制;

7) 最近一次的错误代码寄存器;

8) 每一个 CAN 总线错误都可以产生错误中断;

9）具有丢失仲裁定位功能的丢失仲裁中断；

10）单发方式，当发生错误或丢失仲裁时不重发；

11）只听方式，监听 CAN 总线，无应答，无错误标志；

12）支持热插拔，无干扰软件驱动位速率检测；

13）硬件禁止 CLKOUT 输出。

7.5.6 CAN 总线专用通信接口芯片

常用的 CAN 总线专用通信接口芯片——CAN 收发器有：

1）PCA82C250 基本 CAN 收发器；

2）PCA82C251 基本 CAN 收发器；

3）TJA1050 高速 CAN 收发器兼容并可替代 PCA82C250/251；

4）TJA1040 高速 CAN 收发器兼容并可替代 PCA82C250/251；

5）TJA1041 高速 CAN 收发器具有网络监听功能；

6）TJA1053 容错的 CAN 收发器，可完全替代 PCA82C252；

7）TJA1054 容错的 CAN 收发器，可完全替代 PCA82C252；

8）TJA1020 LINE 收发器，CANBUS 的低成本方案。

我们以基本 CAN 收发器 PCA82C250/251 为例来介绍本 CAN 收发器的使用方法。

PCA82C250/251 收发器是协议控制器和物理传输线路之间的接口，如在 ISO 11898 标准中描述的，它们可以用高达 1Mbit/s 的位速率在两条有差动电压的总线电缆上传输数据。这两个器件都可以在额定电源电压分别是 5～12V（PCA82C250）和 5～24V（PCA82C251）的 CAN 总线系统中使用，它们的功能相同。根据相关的标准，譬如 ISO11898 标准和 De-viceNet^{TM}规范，可以在汽车和普通工业应用上使用 PCA82C250 和 PCA82C251，还可以在同一网络中互相通讯，而且它们的引脚和功能兼容，也就是说，它们可以用在相同的印刷电路板上。PCA82C250/251 收发器的使用方法如图 7.7 所示。

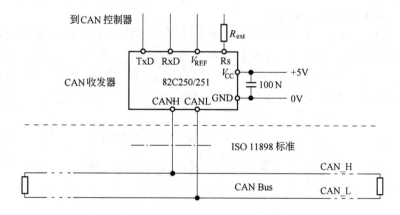

图 7.7 PCA82C250/251 收发器的使用方法

CAN 控制器通过串行数据输出线 TX 和串行数据输入线 RX 连接到收发器，收发器通过有差动发送和接收功能的两个总线终端 CAN_H 和 CAN_L 连接到总线电缆。输入 Rs 引脚用于模式控制。参考电压输出 V_{REF} 的输出电压是额定 V_{CC} 的 0.5 倍，其中收发器的额定电源电压是 5V。CAN 控制器输出一个串行的发送数据流到收发器的 TxD 引脚,内部的上拉功能将 RxD 输入设置成逻辑高电平,也就是说总线输出驱动器默认是被动的在隐性状态中。CAN_H 和 CAN_L 输入通过典型内部阻抗是 17k 的接收器输入网络偏置到 2.5V 的额定电压,另外,如果 TxD 是逻辑低电平,总线的输出级将被激活,在总线电缆上产生一个显性的信号电平。输出驱动器由一个源输出级和一个下拉输出级组成,CAN_H 连接到源输出级,CAN_L 连接到下拉输出级。当 V_{CC} 是 5V 时,在显性状态中 CAN_H 的额定电压是 3.5V、CAN_L 是 1.5V。

7.6 设备网——DeviceNet

DeviceNet 作为基于现场总线技术的工业标准开放网络,为简单的底层工业装置与高层控制设备如工控机、PLC 等之间架起连接的桥梁。DeviceNet 应用国际标准的控制局域网络总线协议(CAN 总线协议),具有公开的技术规范和价廉的通信部件,使得其具有比其他现场总线低得多的开发费用。设备网采用总线供电方式,提供本质安全技术,广泛适用于各种高可靠性应用场合。采用生产者/消费者通信模式的设备网,具有优异的网络通信效率,提供 I/O 报文和显示报文两种报文类型。I/O 报文适用于实时性要求较高和面向控制的数据;而显示报文则适用于两个不同设备间多用途的点对点报文的传递。显示报文为典型的请求-响应网络通信方式,常用于节点的配置和故障的诊断。DeviceNet 同样可以用基于 Windows 98/NT 平台的 Rsnetworx for DeviceNet 软件配置组态,并完成网络的监视和管理。DeviceNet 可以挂接传动、条形码阅读器、限位感应开关、智能 MCC、光电传感器、图形化人机接口、马达保护装置、I/O 设备等现场测量与控制设备。

目前,除罗克韦尔公司外,欧姆龙、ABB、日立等世界知名的电器和自动化设备生产厂商都接受并采用了 DeviceNet 总线技术。在中国国内,中国电器工业协会现场总线 DeviceNet 工作委员会成立了 ODVA(开放的设备网供货商协会)中国组织,推动 DeviceNet 现场总线技术在中国的应用和发展。

7.6.1 DeviceNet 的基本描述

图 7.8 表明了 DeviceNet 协议工作在整个通讯协议模型的应用层,数据链路层使用的是 CAN 总线协议,DeviceNet 和 CAN 协议都对物理层进行了描述。这样 DeviceNet 继承了 CAN 的低成本、高可靠性、抗干扰能力强的优点;同时,也体现了 Rockwell/Allen Bradly 公司的整个工业网络结构中底层设备级网络的实现方式。

图 7.8　协议层次模型描述图

按照 CAN 协议物理层的描述,DeviceNet 网络最大运行速率为 1Mbps(网络长度 40m),网络长度最长为 10km(运行速率为 10kbps)。DeviceNet 使用了其中的几种典型网络运行速率 125kbps、250kbps 和 500kbps。CAN 总线上的节点数目主要取决于驱动电路。由于 DeviceNet 在报文的标识符使用了 6 个 bit 作为设备的 MAC ID 标识,所以最多能够支持 64 个节点。

7.6.2 生产者/消费者通信模式

目前,绝大多数网络通信采用源/目的地址的通信模式,如 Profbus、Midbus 等。其具有如下缺点:

1)需多个数据包传送相同数据到多台设备;

2)数据到达不同目的地的时间不同;

3)产生附加的网络通信量,影响网络性能;

4)报文发送对时间有苛求的 I/O 数据时需要不同的网络。

DeviceNet 现场总线则采用了生产者/消费者通信模式。报文将不再专属于特定的源或目的。该模式要求对信息打包,使它具有数据标识区,如图 7.9 所示。这时,控制器仅仅需要发出一个报文,其他需要数据的设备通过报文识别符过滤方式对总线上的报文进行监听,当识别到相应的标识符后,便开始接收整个报文即"消费",从而可以使多个消费者节点从单个生产者节点那里同时获得相同的数据。这样用很窄的带宽就可以供多个设备同时动作。同时,标识符还提供解决多级优先权的手段,以便更高效地传送 I/O 数据,并供多个消费者使用。图 7.9 为源/目的通信模式和生产者/消费者通信模式的比较。DeviceNet 提供了具有输入数据的多通道广播和对等通信数据的多通道广播等优点的生产者/消费者网络通信模式,将传统网络针对不同站点需多次发送改为一次多点共享,从而减少了网络发送的次数,使网络更加经济、高效、可靠。他们允许网络上的所有节点同时从单个的数据源存取相同的数据,报文是通过标识来识别。应用生产者/消费者通信模式可以实现网络节点精确的同步化,从而可以连接更多的设备到网络上却不需要增加网络的通信量,并且所有数据可以同时到达。采用生产者/消费者模式既可支持系统的主从、多主或对等通信结构,也可支持其任意组合的混合系统结构,还可在同一链路上实现任意信息类型的混合数据传输。

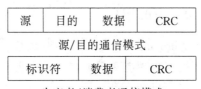

图 7.9 生产者/消费者和源/目的通信模式图示

7.6.3 DeviceNet 应用层协议的功能

DeviceNet 定义了两种在数据场中传输的信息:输入/输出信息和显式信息。

I/O 信息主要用于一些对时间要求比较严格的 I/O 端子的信号传输。它的优先权级别最高,用于点对点和广播模式。如果该 I/O 信息可以一次传送完毕(小于 8 个字节),则该信息就被直接加在数据场中传输,如图 7.10a 所示。如果该信息大于 8 个字节。按照 CAN 协议的描述就不能传输这样的数据。必须通过使用高层协议加以处理,把它分割成的片断,加入到数据场中传输,如图 7.10b 所示。由于片断的数量不受限制,便可以传送更长的数据。但是采用片断传输破坏了数据的整体性。为了便于消费者对该数据进行重组,生产者在传输之前使用一个字节的信息对其进行描述,加入关系识别符。当消费者接收到一组数据后,便利用识别符重现完整的数据。一般情况下,0~8字节的数据长度对于具有少量但必须频繁交换I/O数据的低端设备来说,是非常理想的。

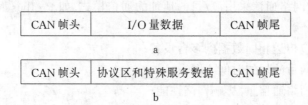

图 7.10 报文格式

a—直接传送的 I/O 信息;b—I/O 数据被分割后的报文格式

显式报文信息格式提供了对多目的信息、点对点设备的支持,它采用了传统的请求/应答方式,属于优先级较低的信息。确切信息通过一定方式的编码,在数据场中包含了所执行的服务内容以及属性等相关信息。它也可以采用分段方式传输大于 8 个字节的信息。

在 DeviceNet 应用层协议中同时还实现了以下一些功能:

(1) 防止总线上节点设备地址冲突。任何连接到总线上的设备都要在其正常工作之前,确保总线上没有与之地址相冲突的设备存在。

(2) 设备应用数据的描述。在应用层信息中,包含了有关设备类型、生产厂家、节点地址和通讯速率等信息。

(3) 通过使用电子数据表单 EDS,使得用户可以方便地修改设备参数。通过标准的 ASCII 代码对设备的每一个参数进行描述,可以使用相应的软件对它进行修改。达到设备的最佳配置。

由于 Rockwell/Allen Bradly 公司在可编程控制器和变频器方面有着较大的优势,从而使基于 CAN 协议的 DeviceNet 得到了迅速的发展与普及。

7.7 CAN 总线在楼宇自动化中的应用

楼宇自动化系统(Building Automation System, BAS)是智能建筑的重要组成部分。由于智能建筑中大量电子设备的应用使得智能建筑的电力负荷远远大于传统建筑物,而空调及照明系统因其耗电量大又成为楼宇自动化系统所控制的核心设备。建立完善的、以控制网络为基础的楼宇自动化系统,可以有效地降低能耗、减轻操作者的劳动强度、提高楼宇机电设备的自动化控制水平,同时可将所有设备信息汇集到一起,便于建筑设备的集中监控管理。总之,在智能建筑中采用楼宇自动化系统,通常有如下优点:

(1) 可实现集中化管理。由现场的传感器或智能节点发至监控中心的设备运行及状态参数可以在彩色显示屏幕上直接显示。

(2) 实现合理化管理。可完成设备例行性时序操作,如节假日、周末及每日上下班定时启动、停止及顺序操作,均由控制系统自动完成,可以减少人为的操作。

(3) 实现节能运行。由于设备负载随人员多少、设备开关、户外天气冷热以及时段特性而异等的不断变化,人工管理无法适应如此即时、繁琐的调整,而自动控制系统可无需人工干预而及时、准确地自动完成相关的操作。

（4）实现一体化协调运作。例如当消防系统检测到火警信号时,将相关联的电梯、空调、供配电等设备也随之进入紧急状态,如在打开消防系统的高压水泵的同时关断空调设备的给风等操作。

（5）实现意外、突发事件处理。意外事件如火灾、地震、煤气泄漏、停电等偶然发生的事件容易引起混乱和失控,从而造成不必要的损失。楼宇自动控制系统可按预先输入的程序进行处理,消除或减轻突发事件造成的不良后果。

7.7.1　总体结构的设计

智能建筑内部有大量且分散的电力、照明、空调、给排水、电梯、防火等设备,需要通过各子系统实施测量、监视和自动控制,各子系统间可互通信息,也可独立工作。再由中央控制机实施最优化控制与管理,目的是提高整个大厦系统运行的安全可靠性、节省人力、物力和能源,并可降低设备的运转费用,随时掌握设备状态及运行时间、能量的消耗及变化等等。

鉴于管理范畴的划分,本控制系统仅包含照明、空调、给排水系统的控制。控制系统由多个 CAN 智能终端控制节点和一个工业控制机作为主监控计算机组成,并由 CAN 总线网络相互连接。控制系统结构图如图 7.11 所示。

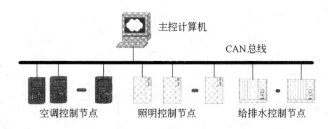

图 7.11　楼宇自动控制系统结构图

在图 7.11 中由协议转换器完成微机与 CAN 总线之间的协议转换,主控计算机还可以通过网卡与 Intranet 相联,形成多级控制网络。

总线上的节点控制器通过 CAN 总线相互共享信息,主控计算机通过图形化的人机交互界面来对各节点控制器进行参数设定和系统优化设置以及各设备实时工作状态的监测和历史数据的查询等。各节点控制器具有独立的控制工作能力,即使在网络损坏或主控计算机关机的情况下仍可自主工作,按主控计算机的原有设置独立完成相关的控制工作,使系统具有极大的控制灵活性和工作可靠性。

7.7.2　控制节点主控模块的设计

照明、空调、给排水系统的设备依据物理分布状况安排节点控制器,每个节点控制器分布式地就近放置在设备间或受控设备附近。在硬件上,每个节点控制器采用模块化的设计,一个 CAN 节点控制器的主控模块电路原理图如图 7.12 所示。以微控制器为核心的主控模块包括:微控制器部分(ATMAL89C55 等)、译码部分(GAL16V8 等)、通信部分(SJA1000、6N137 和 PCA82C250 等)、实时时钟部分(DS1302 和 32768Hz 晶体等)及非易失存储器部分(24LC16 等)、"看门狗"定时器部分(MAX813L 等)和总线驱动部分(74HC245、74HC373 等)等。CAN 控制器(SJA1000)与 CAN 收发器(PCA82C250)之间采用光电隔离技术以保证智能终端控制节点的安全。为了简化硬件电路,译码电路设计采用了 GAL 芯片

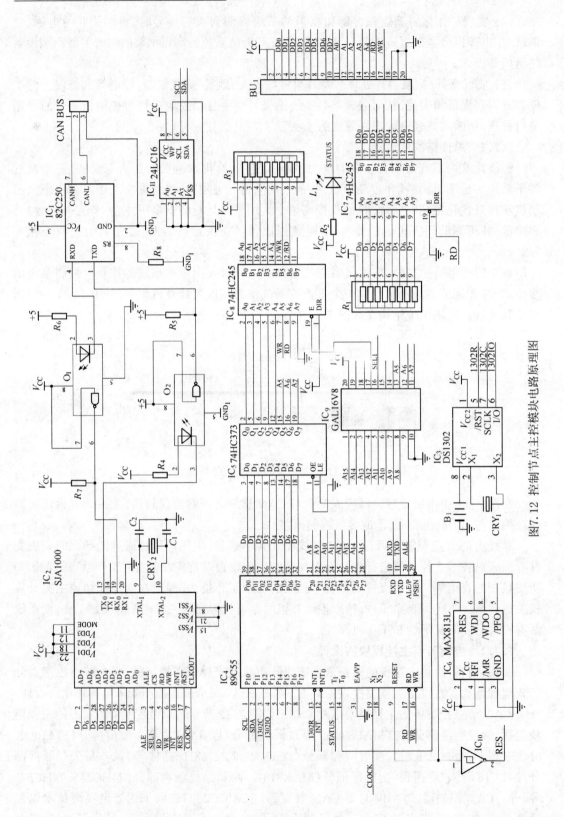

图7.12 控制节点主控模块电路原理图

(GAL16V8)来完成相关的译码工作。实时时钟部分及非易失存储器部分与微控制器之间采用 I²C 总线及三总线串行接口形式,可以简化接口设计、减少连接线、减小 PCB 板的尺寸、提高系统的性能/价格比和可靠性。主控模块与其他 I/O 模块之间采用专用并行总线连接方式,有利于节点控制器的扩展和维修。

在分布式控制系统中,通信程序的编写具有一定的难度,针对本控制节点用 PL/M 语言编写的 CAN 总线(CAN 控制器为 SJA1000)各通信程序段如下:

```
/* SJA1000 寄存器地址定义,设从低端开始 */
declare CR_CAN byte at(00h) auxiliary;          /* 控制寄存器       */
declare CMR_CAN byte at(01h) auxiliary;         /* 命令寄存器       */
declare SR_CAN byte at(02h) auxiliary;          /* 状态寄存器       */
declare IR_CAN byte at(03h) auxiliary;          /* 中断寄存器       */
declare ACR_CAN byte at(04h) auxiliary;         /* 验收代码寄存器    */
declare AMR_CAN byte at(05h) auxiliary;         /* 验收屏蔽寄存器    */
declare BTR0_CAN byte at(06h) auxiliary;        /* 总线定时寄存器 0  */
declare BTR1_CAN byte at(07h) auxiliary;        /* 总线定时寄存器 1  */
declare OCR_CAN byte at(08h) auxiliary;         /* 输出控制寄存器    */
declare SEND_BUF(10) byte at(10) auxiliary;     /* 发送缓冲区       */
declare RECE_BUF(10) byte at(20) auxiliary;     /* 接收缓冲区       */
declare CDR_CAN byte at(31) auxiliary;          /* 时钟分频寄存器    */
/* ======SJA1000 初始化子程序======  */
can_ini: procedure ;
    CR_CAN = 01;            /* 进入软件复位状态                        */
    CDR_CAN = 47h;          /* 设置 BASIC CAN 模式,Fosc 输出           */
    CMR_CAN = 0ch;          /* 释放接收缓冲区                          */
    ACR_CAN = xx;           /* 根据需要给定验收地址值                    */
    AMR_CAN = xx;           /* 根据需要给定验收屏蔽值                    */
    BTR0_CAN = 67h;         /* 在 6MHz 频率下通信速率约为 77kHz          */
    BTRl_CAN = 2Fh;
    OCR_CAN = 01ah;         /* 决定输出方式                            */
    CR_CAN = 2;             /* 容许输入数据中断,推出复位状态             */
end can_ini;
/* ======SJA1000 初始化子程序结束====== */
/* ======SJA1000 发送程序段======  */
    txb(0) = xx;            /* 给定地址值                          */
    txb(1) = 8;             /* 数据位长是 8                        */
```

```
        txb(2) = xx;              / * 给定欲传送的数据                    * /
        txb(3) = xx;
        txb(4) = xx;
        txb(5) = xx;
        txb(6) = xx;
        txb(7) = xx;
        txb(8) = xx;
        txb(9) = xx;
    i = SR_CAN;
     i = i and 4h;                / * 检查数据传送条件                    * /
     if (i = 4) then
        do;
        do i = 0 to 9;            / * 数据传入发送缓冲区                  * /
           SEND_BUF(i) = txb(i);
        end;
        CMR_CAN = 0dh;       / * 请求发送                              * /
    end;
    / * = = = = = = SJA1000 发送程序段结束 = = = = = =  * /


    / * = = = = = = 接收中断子程序 = = = = = =  * /
EX0INT: procedure interrupt 0 using 2;
    declare (e_i) byte;                        / * 定义局部变量 e_i * /
        e_i = IR_CAN;                          / * 读取 CAN 中断标志 * /
        e_i = e_i and 01;                      / * 分离接收中断标志 * /
    if e_i = 1 then
    do;
    / * 读取 CAN 通信数据到 MCU 的内部 RAM 数据存储器以备进一步处理  * /
    do e_i = 0 to 9;
       rxb(e_i) = RECE_BUF(e_i);
    end;
  CMR_CAN = 04;              / * 释放接收缓冲区           * /
  end;
end EX0INT;
```

/ * ＝＝＝＝＝＝接收中断子程序结束＝＝＝＝＝＝ * /

7.7.3 空调控制系统设计

空调控制系统应完成如下的控制功能:

1）空调系统的温度控制;

2）空调系统的湿度控制;

3）新风、回风、排风的控制;

4）制冷器的防冻监控;

5）过滤器的状态监测;

6）风机的状态监测及故障报警。

其中控制功能2）和4）通常是可选的控制项。对于一个单一的空调控制空间,其空调系统结构原理如图 7.13 所示。

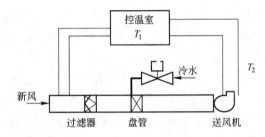

图 7.13　空调系统结构原理图

每一个独立的空调控制空间配备一个空调控制器(风机、盘管控制器)。空调控制器用于检测送风温度 T_2、室温温度 T_1、过滤器的工作状态,并根据人工设置的温度数值来调节冷/热水量和适当的新风配给。室温温度 T_1 的传感器为主传感器,送风温度 T_2 传感器为副传感器。两个参数构成双闭环(串极)控制系统。T_1 为主参数,T_2 为副参数,其控制机理是:在某种原因的促使下,当送风温度有所波动时,由于副调节器回路的时间常数和延迟都非常小,可以在对 T_1 产生影响之前即可完成对 T_2 的调节,增加受控温室温度的稳定性。而人为的给定温度值 T_1 决定了总体的控制方式。空调控制器的温控结构图如图 7.14 所示。

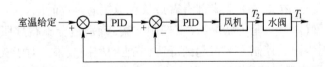

图 7.14　空调控制器温控结构框图

由于风机、水阀的传递函数都可等价为一阶惯性环节(T_1、T_2 的控制带有一定的延迟性),因此控制算法较为简单,控制器形式很容易推导和实现。而控制软件的具体实现有一定的难度,这里仅给出空调控制器控制状态变换图如图 7.15 所示,作为软件编程的基础。每个空调控制器的人工设置数据及环境、控制参数通过网络传送给控制产生冷、热源的水源热泵机组的控制器,由其利用专家系统控制原理等高级算法来实现系统总体的优化控制。

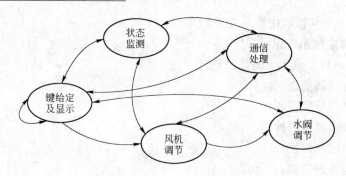

图 7.15 空调控制器控制状态变换图

7.7.4 照明及给排水控制系统设计

照明及给排水控制主要是开关量控制,因此,此类控制节点应具有开关量输入/输出模块。控制节点光电隔离开关量输入模块的电路原理图如图 7.16 所示。控制节点光电隔离开关量输出模块的电路原理图如图 7.17 所示。

两个模块的译码都采用了由 GAL 芯片构成的比较器译码电路,用 DIP 开关进行模块的地址设定,这样有利于节点系统的扩充、维护,并减少备件的种类与数量。

对于箱式给水及排水系统,主要采用多级液位控制方案。根据液位的高低控制相应水泵的启、停,基本上是"乒乓"控制方案。对于变频调速给水控制,主要是采用管道衡压给水的控制方法,依据压力给定和给水管道的压力之差来调节水泵电机的转速,以达到衡压给水之目的。通常采用 PID 控制器就能很好地实现这一功能。

照明控制较为特殊。照明一般可分为室内照明、走廊照明、路灯照明、美化及景观照明等,各种照明方式有其不同的工作特点,因此,控制策略也将有所不同。通常对照明装置的控制策略有:

1)节气自动跟随控制;

2)环境因素跟随控制;

3)分段时间控制;

4)混合方式控制。

每年的冬至及夏至,在地球的北半部有着最长和最短的黑夜时间。因此,采用节气自动跟随控制加环境因素(阴、雨、晴等状况)校正控制方案,特别适合于路灯照明控制。对于室内照明,采用环境因素跟随控制方案可起到舒适、节能的控制效果。对于美化照明及景观照明,可根据工作日、周末及早晚的不同采用分段时间控制方案,可起到人性化环境和节能的控制效果。各种控制方式的混合使用具有较强的环境适应性和节能的效果。图 7.18 是主控计算机为某照明系统进行分段时间控制设置的人机交互界面。系统管理者可以根据需要进行设置,相关的照明控制节点将会记忆这样的设置,并以天或周为循环单位,以时间分作为控制分辨精度,自动进行规定的控制动作。

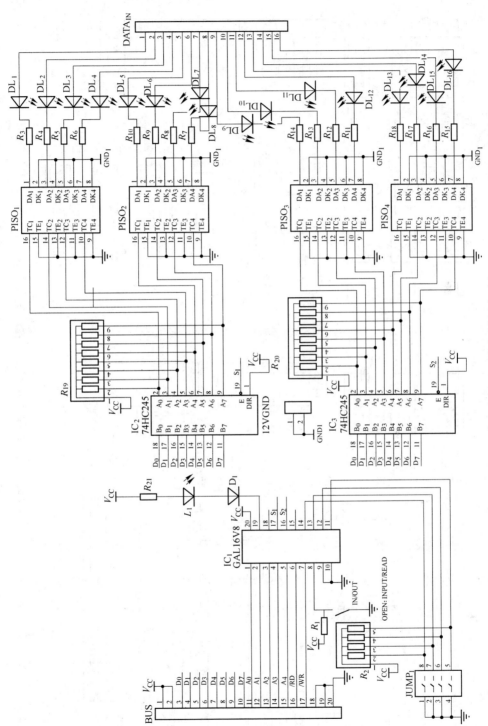

图7.16 控制节点光电隔入模块电路原理图

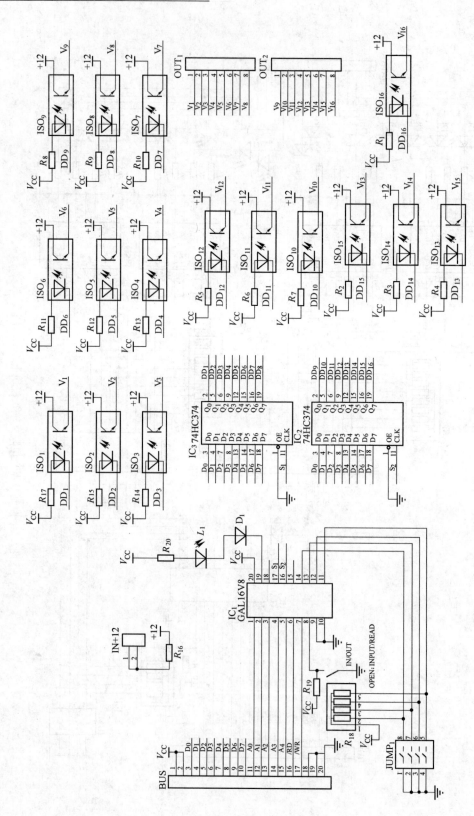

图7.17 控制节点光点光电隔离输出模块电路原理图

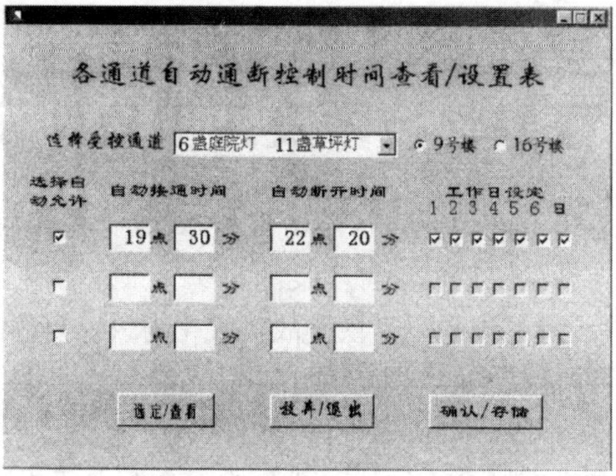

图 7.18 分段时间控制设置的人机交互界面图

8 可靠性技术及应用软件设计

运行中的微机控制系统不能保证永远不出现故障,设计失误、硬件失效、软件"Bug"以及外界的干扰将对微机控制系统造成种种不良的影响。采取各种必要的措施,将系统的致命故障转变为非致命故障,将系统的不可恢复故障演化为可恢复故障,增大微机控制系统的平均可靠工作时间,是可靠性技术的基本出发点。

可靠性技术是一门综合性技术,需要硬件、软件、设计及工艺等各方面配合才能达到理想的效果。只有从构思微机控制系统设计时就开始综合考虑应用可靠性技术,才能保证微机控制系统安全可靠地工作。

8.1 干扰的形成及分类

干扰是指任何能中断、阻碍,降低或限制微机控制系统有效性能的电磁能量。形成干扰必须同时具备以下 3 个因素:

- 干扰源。指产生干扰的元件、器件、设备、分系统、系统或自然现象。
- 耦合途径或称耦合通道。指把能量从干扰源耦合(或传输)到敏感设备上并且在该设备上产生相应的有害作用,如微机过程通道等。
- 敏感设备。指对干扰发生响应的设备,如微机系统等。

工业生产现场中普遍存在着高电压、大电流的电力电线、各种大功率电器设备、交流接地系统、空间无线电波及雷电等干扰源,它们产生的高压电场、交变磁场以及地电流等极易在微机过程通道中产生干扰,干扰在过程通道中的形成主要是通过静电耦合、磁场耦合、共阻抗耦合方式进行的。

8.1.1 静电耦合方式

如果信号通道靠近高压回路及其装置敷设,那么在高压电场的作用下,将有电流通过高压电线和信号线之间的分布电容,再经过接地电容或接地系统传导至大地。这一电流会在信号线上产生附加的干扰电压 V_i。V_i 可以由如下公式计算:

$$V_i = j\omega C_m V_s Z_i \tag{8.1}$$

式中　C_m——干扰源与信号线间的分布电容;

　　　Z_i——信号回路输入阻抗;

　ω,V_s——干扰源角频率、电压。

8.1.2 磁场耦合方式

在大功率变压器、交流电机、强电流导线等周围,由于大幅度的电流波动会产生变化的磁场,交变磁场会在信号回路内产生叠加于信号电压上的感应电势,感应电势形成的干扰电压 V_i 可由下式计算:

$$V_i = j\omega C_m M I_s \tag{8.2}$$

式中　M——干扰源与信号线间的互感系数;

　ω、I_s——干扰源角频率、电流。

8.1.3 共阻抗耦合方式

共阻抗耦合方式发生在两个电路的电流在流经同一个公共阻抗时,一个电路在该阻抗上的电压降就会影响到另一个电路,即在另一个电路中会形成干扰电压信号。工业生产现场的用电设备绝缘不良就会对地产生不稳定的漏电流,利用大地作为输电线的电工接地网中也会有较大的电流出现,这时,信号线上如有两点以上接地,信号回路就会因通过大地构成闭合回路而得到干扰。又如信号线屏蔽层如果有两点以上的接地,两点间的电位差造成的电流的流动就变成了干扰信号,反而增加了对信号线的干扰。

空间静电耦合、电磁场耦合等辐射干扰进入系统的传输线就对系统形成传导干扰。这种干扰在系统、总线或芯片的接口间因表现形成不同,又可分为:

● 共模干扰。通常指接口输入端共有的电压干扰形式;

● 差模干扰。通常指迭加在被测信号上的电压干扰形式。

8.2 硬件抗干扰技术

了解干扰在过程通道中的形成原因,因地制宜地采取措施,才会得到事半功倍的效果。微机过程通道的抗干扰通常应着重在防止干扰耦合、隔断干扰的传导以及增加微机系统的健壮性和干扰形成后的消除等工作上。

8.2.1 屏蔽与接地

屏蔽就是对两个空间区域之间进行金属的隔离,以控制电场、磁场和电磁波由一个区域对另一个区域的感应和辐射。屏蔽主要有电场屏蔽、磁场屏蔽和电磁场屏蔽。电场屏蔽主要能消除、减弱静电场与被屏蔽信号线或设备之间的分布电容 C_m,隔断电力线的传播,抑制通过静电感应产生的干扰电压。电场屏蔽必须接地才能发挥作用。磁场屏蔽能消除、减弱干扰源与信号线或设备之间的互感系数,隔断磁力线的传播,抑制通过磁场耦合形成的干扰电压。磁场屏蔽通过选择合适的金属材料来实现,其屏蔽体不能有开口或缝隙。电磁辐射可以靠"法拉第"屏蔽层(闭合接地的铜网)来阻隔。这些屏蔽体对来自导线、电缆、元器件、电路或系统等外部的干扰电磁波和内部电磁波,均有吸收能量(涡流损耗)、反射能量(电磁波在屏蔽体上的界面反射)和抵消能量(电磁感应在屏蔽层上产生反向电磁场,可抵消部分干扰电磁波)的作用,所以屏蔽体具有减弱干扰的功能。

接地是抑制噪声、防止干扰的主要方法之一。接地对微机控制系统的作用是:

● 接地使整个电路系统中的所有单元电路都有一个公共的参考零电位,保证电路系统能稳定地工作。

● 防止外界电磁场的干扰。机壳接地可以使得由于静电感应而积累在机壳上的大量电荷通过大地来泄放,否则这些电荷形成的高压可能引起设备内部的火花放电而造成干扰。另外,对于电路的屏蔽体,若选择合适的接地,也可获得良好的屏蔽效果。

● 保证安全工作。当发生直接雷电的电磁感应时,可避免电子设备的毁坏;当高压工频交流电源的输入电压因绝缘不良或其他原因直接与机壳相通时,可避免操作人员的触电事故发生。

微机过程通道信号一般为低电平信号,所以屏蔽接地应遵守单点接地的原则,以防止通过共阻抗耦合形成干扰。屏蔽与接地措施的正确落实,可以抑制信号回路中的大部分干扰。

8.2.2 滤波与箝位

滤波是抑制和防止干扰的一项重要措施。滤波器可以显著地减小传导干扰的电平,因为干扰频谱成分不高于有用信号的频率,滤波器对于这些与有用信号频率不同的成分有良好的抑制能力,从而起到其他干扰抑制难以起到的作用。采用滤波网络无论是抑制干扰源、消除干扰耦合或者是增强敏感设备的抗干扰能力,都是有力措施。信号通道中的高频干扰成分可通过接入一个 RC 无源低通滤波器剔除。常用的 RC 无源滤波器有两种,即"T"型和双"T"型滤波器。"T"型滤波器范围较宽,而双"T"型滤波器的特性近似于频率谐振特性,属专一特性滤波器。它们都能较好的滤掉高频干扰成分。对于频率很低的干扰信号,可通过软件对它们进行数字滤波。

在有条件的情况下,采用有源低通滤波器或者有源带通滤波器来滤除信号中的干扰成分,其效果会更好。

来自电源或接口的瞬态电压干扰是使微机损坏或工作失常的重要的原因之一。瞬态电压抑制器(Transient Voltage Suppressor, TVS)是一种高效能的电路保护器件。其伏安特性等同于稳压二极管,但可瞬时承受功率达数百瓦以上的浪涌电流或脉冲电压,其间器件两端的箝位电压不会改变。瞬态电压抑制器的主要性能参数包括:

● 击穿电压 V_{BR}。是指在雪崩模式击穿时的电压,该电压通常用 1mA 的测试电流来确定。

● 最大峰值浪涌电流 I_{ppm}。TVS 能经受得起而不失效的最大电流,这个参数通常用 1mA 指数衰减波形来表征;

● 最大箝位电压 V_c。该值是指当最大峰值浪涌电流通过 TVS 时 TVS 上出现的电压。

表 8.1 是 500W 峰值功率的 SA 系列瞬态电压抑制器的性能参数表。根据这些性能参数可确定 TVS 的选用原则为:

● 转折电压(85% V_{BR})不低于受保护电路的最大工作电压;

● 最大箝位电压不大于电路最大允许电压;

● 应按事先估计的可能出现的最大功率峰值选择器件;

● 应考虑 TVS 的极间电容不会对信号的传输造成影响。

微机控制系统的电源对系统的可靠性影响很大,因此,应采用稳压、屏蔽、滤波、箝位及恰当的接地等综合措施,才能保证微机控制系统电源的稳定和可靠。

8.2.3 隔离

干扰一旦在过程通道信号回路中形成,就应防止它进一步传导进入微机系统,一般应在信号通道中加入隔离措施。在微机应用系统中,目前,最为广泛使用的隔离方法是采用光电隔离技术。由于发光二极管输入阻抗非常低,而干扰源内阻一般很大,根据欧姆定律可知能够传送到光电隔离器输入端的干扰信号电压就会变得很小了,削弱了干扰强度。并且光电隔离器的发光二极管只是在通过一定的电流时才能发光,而干扰即使在电压较高的情况下,由于没有足够的能量,仍不能使发光二极管发光,从而有效地隔断了干扰的进一步传播。

8.2.4 噪声抵消

在某些场合下,很难屏蔽或滤除掉输入线上所耦合的干扰信号,但可以配合使用噪声抵消技术在接口输入端消除干扰信号。

噪声抵消技术最可行的方法之一就是传输线采用双绞线、系统输入一侧采用差分平衡输入电路,如图 8.1 所示。

由图 8.1 中可见,由于空间电磁干扰电势 E_i 在两条传输线产生了两个相同的干扰电势 E_n,则在接收器一侧所接收的共模电压 V_{CM}(定义为: $\frac{1}{2}(V_1 + V_2)$)为:

表 8.1 SA 系列瞬态电压抑制器的性能参数表

SA 系列 TVS		转折电压 /V	最小击穿电压 /V	最大击穿电压 /V	测试电流 /mA	最大箝位电压 /V	峰值脉冲电流 /A	反向漏电流 /μA
单向管	双向管							
SA5.0A	SA5.0CA	5.0	6.40	7.00	10	8.2	55.4	600
SA6.0A	SA5.0CA	5.0	6.67	7.37	10	10.3	48.5	600
SA6.5A	SA5.5CA	5.5	7.22	7.98	10	11.2	45.5	400
SA7.0A	SA7.0CA	7.0	7.78	8.60	10	12.0	42.5	150
SA7.5A	SA7.5CA	7.5	8.33	8.21	1	12.9	38.5	50
SA8.0A	SA8.0CA	8.0	8.89	8.83	1	13.6	37.5	25
SA8.5A	SA8.5CA	8.5	8.44	10.40	1	14.4	35.4	10
SA8.0A	SA8.0CA	8.0	10.00	11.10	1	15.4	33.1	5
SA10A	SA10CA	10.0	11.10	12.30	1	17.0	30.0	3
SA11A	SA11CA	11.0	12.20	13.50	1	18.2	28.0	3
SA12A	SA12CA	12.0	13.30	14.70	1	18.9	25.6	3
SA13A	SA13CA	13.0	14.40	15.90	1	21.5	23.7	3
SA14A	SA14CA	14.0	15.60	17.20	1	23.2	22.0	3
SA15A	SA15CA	15.0	16.70	18.50	1	24.4	20.9	3
SA16A	SA16CA	16.0	17.80	18.70	1	26.0	18.6	3
SA17A	SA17CA	17.0	18.90	20.90	1	27.6	18.5	3
SA18A	SA18CA	18.0	20.00	22.10	1	28.2	17.5	3
SA20A	SA20CA	20.0	22.20	24.50	1	32.4	15.7	3
SA22A	SA22CA	22.0	24.40	26.90	1	35.5	14.4	3
SA24A	SA24CA	24.0	26.70	28.50	1	38.9	13.1	3
SA26A	SA26CA	26.0	28.90	31.90	1	42.1	12.1	3
SA28A	SA28CA	28.0	31.10	34.40	1	45.4	11.2	3
SA30A	SA30CA	30.0	33.30	36.80	1	48.4	10.5	3
SA33A	SA33CA	33.0	36.70	40.60	1	53.3	8.6	3
SA36A	SA36CA	36.0	40.00	44.20	1	58.1	8.8	3
SA40A	SA40CA	40.0	44.40	48.10	1	64.5	7.9	3
SA43A	SA43CA	43.0	47.80	52.80	1	68.4	7.3	3
SA45A	SA45CA	45.0	50.00	55.30	1	72.7	7.0	3
SA48A	SA48CA	48.0	53.30	58.90	1	77.4	6.6	3
SA51A	SA51CA	51.0	56.70	62.70	1	82.4	6.2	3
SA54A	SA54CA	54.0	60.00	66.30	1	87.1	5.9	3
SA58A	SA58CA	58.0	64.40	71.20	1	93.6	5.4	3
SA60A	SA60CA	60.0	66.70	73.70	1	96.8	5.3	3
SA64A	SA64CA	64.0	71.10	78.60	1	103.0	5.0	3
SA70A	SA70CA	70.0	77.80	86.00	1	113.0	4.5	3
SA75A	SA75CA	75.0	83.30	92.10	1	121.0	4.2	3
SA100A	SA100CA	100.0	111.00	123.00	1	162.0	3.1	3

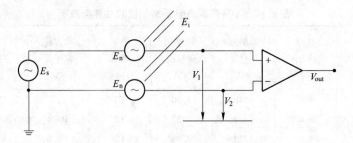

图 8.1 噪声抵消技术示意图

$$V_{CM} = \frac{1}{2}(E_s + E_n + E_n) = E_n + \frac{1}{2}E_s \tag{8.3}$$

所接收的差模电压 V_{DM}(定义为: $V_1 - V_2$)为:

$$V_{DM} = (E_s + E_n) - E_n = E_s \tag{8.4}$$

由于采用了差分平衡输入电路,则在接收器一侧所接收的输出电压 V_{out} 为:

$$V_{out} = (E_s + E_n) - E_n = E_s \tag{8.5}$$

即差分平衡输入电路的差分作用,使两条传输线上感应的同相同幅度的干扰信号得以抵消。

8.2.5 提高信噪比

在系统传输的信号上不可能不叠加有干扰,而真实信号与噪声信号的比例是衡量信号有效性的一项重要指标。在实际工作中,我们可以依据情况不同采用如下一些方法来增加系统的抗干扰能力。

8.2.5.1 模拟信号传送

对于模拟信号传送,在有条件的情况下,我们可以采取以下措施:

(1) 在传送电压信号时,在信号的发送端将欲传送的信号电压幅值提高,在信号接收端进行信号压缩接收。在噪声干扰幅值不变的情况下,接收信号的信噪比将得以提高。

(2) 将模拟电压改为电流传送方案。如此可得到如下好处:

● 一般干扰电势能量较低很难影响到电流幅值的变化;

● 电流回路的低输入电阻将会对干扰电势形成抑制作用。

8.2.5.2 数字信号传送

采用 V-F(电压-频率变换)或 Δ-Σ(电压-脉冲序列变换)变换电路将模拟信号变为脉冲数字信号,特别适合信号的抗干扰传输。对于特定的信号,我们还可以:

● 对单端传送信号,我们可以采用具有司密特特性的接收器来消除一定的干扰;

● 对双端传送的信号,我们可以采用平衡发送、差动接收的方法,将发送信号提高一倍幅值传送,而接收端仅接收信号的差值而滤除同相等幅的干扰信号;

● 采用电流环或变压器耦合传输技术;

● 采用如符合 ISO11898 标准等的高抗干扰物理层通信标准的总线形式来传送数字信号。

8.3 硬件冗余技术

采用硬件冗余是提高系统可靠性的一种有效方法。硬件冗余可以在元件级、插板级及系统级上进行。这种系统只要有一套独立的部件或装置不发生故障,系统便可继续工作。

能够在备份装置间相互影响的故障,被称之为相依故障;反之,被称为独立故障。例如对电气并联系统而言,开路故障为独立故障;短路故障则为相依故障。但对电气串联复式系统而言,情况则恰恰相反。

针对独立故障和相依故障,冗余设计可分别采用热备份和冷备份两种形式。

A　热备份

在热备份系统中,每个备份的元器件或分系统与正常的元器件或分系统均同时工作。这种系统对于独立故障,只有待所有备份元器件或分系统都失效时,系统才失效。所以在独立故障下,热备份系统能有效的提高系统可靠性。但对相依故障则相反,任何一个元器件或分系统失效,都会导致整个系统发生故障。这时,备份元部件不但无益,反而有害。所以热备份只能用于元部件相依故障概率低于独立故障的系统。

B　冷备份

冷备份系统中元器件或者分系统的切换可以靠人工操作进行,也可采用自动切换器。

冷备份系统的主要优点是隔离了各个分系统之间相依故障的相互影响,这等效于把每个分系统中的相依故障转换为独立故障,从而有效地提高了相依故障的备份冗余系统的可靠性。另外,由于每个备份设备的分系统都处于待命状态,所以能够降低设备的损耗,进一步提高系统的可靠性。

8.4　软件抗干扰技术

在系统设计过程中,一般采用软硬结合的抗干扰技术。如果只采用硬件抗干扰措施,除会大幅度增加硬件成本外,还会降低系统的可靠性。因此,除了采取硬件抗干扰方法外,还要采取必要的软件抗干扰措施。微机系统的软件抗干扰主要是稳定内存数据和保证程序指针的正常运行。微机是一个靠程序控制运行的设备,可靠的软件可以支持和加强硬件的抗干扰能力。

8.4.1　"看门狗"定时器

工业微机系统随时可能遇到干扰的作用。当干扰使微机的 CPU 的程序计数器(PC)指向非正常点时(如双字节指令的第二个字节),程序运行可能进入一个非预想的执行状态,甚至形成程序死循环(即表现为死机)。在这种情况下,用"看门狗"定时器使微机系统复位启动是常用的一种可靠性技术。

"看门狗"定时器的正常运行是靠硬件和相应的软件的配合来实现的。"看门狗"定时器的本质是在一个确切的时间里若没有清零脉冲的出现,则"看门狗"定时器将输出一个复位脉冲到 CPU 的复位端,使微机系统复位、重新启动。

依据"看门狗"电路的组成形式不同,一般可分为两类:

● 由单稳多谐振荡器(如 CD4538 等)组成的可重预置式单稳定时型"看门狗"定时器电路;

● 由自带振荡电路的脉冲计数器(如 CD4060 等)组成的计数定时型"看门狗"定时器电路。

单稳定时型"看门狗"定时器电路只能发出一次复位脉冲,当复位脉冲较窄时,该脉冲可能会因某种原因而未起到复位作用,微机系统将永久死机。为此,必须加大单稳脉冲的宽度,这样做的结果是使微机脱离"死机"的时间变长,不适宜供快速微机系统采用。

计数定时型的"看门狗"可重复发出多个复位脉冲,当第一个脉冲未起到复位作用时,后续脉冲也会完成复位的功能。计数器输出的最小脉冲宽度应根据 CPU 的复位要求而确定。图 8.2 是一种较为可靠的高电平输出的计数定时型"看门狗"定时器电路的原理图。图中采用 CD4060 构成可清零的 RC 振荡二进制分频定时器。振荡频率:

$$f \approx 0.455/R_2 C_2 \tag{8.6}$$

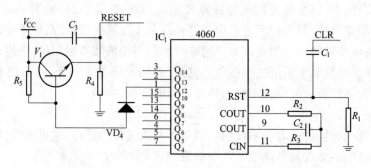

图 8.2　计数定时型"看门狗"定时器电路的原理图

当从图中 Q_{12} 端取出脉冲时,则复位延迟时间和复位脉冲宽度相同,约为 $2^{12} \times 0.5f$。为了保证微机正常工作,应在上述时间内向 RST 端至少发送一次高电平信号,以使计数器能从 0 开始计数。C_1、R_1 微分电路的引入就是保证在 CLR 信号失常的情况下(如 CLR 始终为高电平)"看门狗"定时器仍能正常工作(不会被始终清零)。当微机工作失常时,由工作软件发向 RST 端的清零脉冲信号停止,则所选用的 CD4060 的输出端会在确定的时间内由低变高输出脉冲,V_1 由原来截止的状态经 R_5 提供的基极电流而饱和导通,从而向 CPU 的 RESET 端提供高电平的复位信号。

C_3、R_4 构成初始上电复位电路。

现在已有单片多功能的复位、"看门狗"定时器专用芯片,如 MAX813L,X25045 等,使用起来更加简单、方便。

时钟节拍是工业微机控制系统软件的基本配置之一。在软件上为了保证"看门狗"定时器工作可靠,应在系统的时钟节拍定时器内设置清"看门狗"定时器的标志,在主程序内依据该标志发出清"看门狗"定时器的清零脉冲,这样才会使微机系统的工作更加安全、可靠。

8.4.2　数字输入信号的去伪存真

以往人们对模拟信号的数字滤波研究得比较多,数字量输入信号虽然比模拟量输入信号有着良好的抗干扰能力,但仍会受到干扰而使系统产生错误的输入(如开关键盘机械抖动造成的输入数据错误等)。因此,采用特殊的算法对数字量输入信号进行去伪存真是非常必要的。数字输入信号的去伪存真方法,通常有重复检测法和冗余采集加表决方法。

8.4.2.1　重复检测法

在计算机监控系统或自动控制系统中,现场存在着大量的开关输入量信号。开关输入量能否被计算机系统正确采集,将严重影响计算机系统功能的发挥,甚至还有可能造成误动作,给系统安全带来隐患,因此,开关输入量的正确采集十分重要。重复检测法是对于开关输入量的输入数据信息进行多次检测,若检测结果一致,则认定是真的输入信号;若相邻的检测内容不一致,则认定是伪输入信号。

这种方法的优点是算法简单,易于程序的实现,但在干扰较强的实际应用中难以取得一致的正确结果。

8.4.2.2 冗余表决法

实际应用当中除采用重复检测的方法外,采用冗余采集加表决方法也是解决数字量输入信号滤波(去伪存真)的一种好方法,这种方法在实际应用中也取得了很好的应用效果。冗余采集加表决方法可采用两冗余法,三冗余法,四冗余法,五冗余法等,两冗余法没有实际意义。三冗余法,有"三取二"、"三取三",四冗余法有"四取三"、"四取四",五冗余法可以有"五取三"、"五取四"、"五取五"。本节仅讨论"三取二"的冗余采集加表决方法,对于同一开关输入量的采集分 3 次进行,然后用计算机进行逻辑处理,将 3 个信号中 2 个或 3 个相一致的状态确认为该测量的正确状态。也就是说,在三次输入当中有一次信号发生错误时(33% 的错误率),"三取二"能够剔除错误信号,获取正确信号,提高计算机获得正确信号的几率。

假设同一开关量分 3 次采样的采样值分别是 A、B、C,其真值表如表 8.27 所示。

表 8.2 同一开关量分三次采样可能结果真值表

A	B	C	对应的最小项
0	0	0	$\overline{A}\,\overline{B}\,\overline{C}$
0	0	1	$\overline{A}\,\overline{B}C$
0	1	0	$\overline{A}B\,\overline{C}$
0	1	1	$\overline{A}BC$
1	0	0	$A\,\overline{B}\,\overline{C}$
1	0	1	$A\,\overline{B}C$
1	1	0	$AB\,\overline{C}$
1	1	1	ABC

对于三冗余表决法,我们取 $Y = \overline{A}BC + A\,\overline{B}C + AB\,\overline{C} + ABC$。下面再对该等式进行化简,化简的方法有两种,一种是逻辑代数法,另一种是卡诺图法。这里用逻辑代数法对上式进行化简。由基本定律 $A + A = A, A + \overline{A} = 1$ 可得:

$$
\begin{aligned}
Y &= \overline{A}BC + A\,\overline{B}C + AB\,\overline{C} + ABC \\
&= \overline{A}BC + A\,\overline{B}C + AB\,\overline{C} + (A + A)BC \\
&= \overline{A}BC + A\,\overline{B}C + AB\,\overline{C} + ABC + ABC \\
&= \overline{A}BC + A\,\overline{B}C + AB\,\overline{C} + ABC + (A + A)BC \\
&= \overline{A}BC + A\,\overline{B}C + AB\,\overline{C} + ABC + ABC + ABC \\
&= BC + AC + AB
\end{aligned}
$$

即 $Y = AB + BC + AC$ \hfill (8.7)

用 C 语言实现上述逻辑表达式,进行单输入字节(8 位)的三冗余表决法表决运算程序如下:

```c
#include "dos.h"
main()
{
    char i1, i2, i3;
    char result;
```

```
int j;
    i1 = inportb(0x2c8);                /* 第一次取值 */
    for (j = 0;j < 5000;j + + );        /* 适当延时等待 */
    i2 = inportb(0x2c8);                /* 第二次取值 */
    for (j = 0;j < 5000;j + + );        /* 适当延时等待 */
    i3 = inportb(0x2c8);                /* 第三次取值 */
    for (j = 0;j < 5000;j + + );        /* 适当延时等待 */
result = i1 & i2 | i1 & i3 | i3 & i2;   /* 表决运算处理 */
}
```

8.4.3 模拟信号的数字滤波

由于干扰的作用,模拟输入量的采集难以通过一次的 A/D 变换加以确认,因此,为了找到真实的模拟量输入值就不得不采用各种方法来去伪存真,重要的方法之一就是利用软件滤波程序来确认模拟量的输入真值。

数字滤波是通过一定的计算机程序对信号作数字化的处理,以减少干扰在信号中的比重。数字滤波克服了模拟滤波器的不足,它与模拟滤波器相比有以下优点:

1) 数字滤波用程序来完成,可以多个输入通道"共用"一个滤波程序;

2) 数字滤波不需要硬件设备,因而可靠性高、稳定性好,各回路之间不存在阻抗匹配等问题;

3) 数字滤波可以对频率很低的信号滤波;

4) 通过改变数字滤波程序就可以实现不同的滤波方法或调整滤波参数,比修改模拟滤波器的硬件更为灵活、方便。

数字滤波的算法有很多种,在这里,我们只介绍几种简单而又常用的算法及其如何用 C 语言来实现相应的程序设计。

8.4.3.1 算术平均值滤波

算术平均值滤波是寻找这样一个 Y 使它与各采样值 X_k 之间误差的平方和 E 为最小,即

$$E = \min\left[\sum_{k=1}^{N} e_k^2\right] = \min\left[\sum_{k=1}^{N} (Y - X_k)^2\right] \tag{8.8}$$

式中,N 为采样次数。根据极值原理得:

$$Y = \frac{1}{N}\sum_{k=1}^{N} X_k \tag{8.9}$$

该算法是把 N 次采样值进行相加,然后取其算术平均值为本次采样真值,程序设计较简单。用 C 语言编制的算术平均值滤波程序段如下:

```
int comp(int num)
{
    unsigned int result, i;
    result = 0;
    for(i = 0;i < num;i + + )
        result = result + val[i];       /* 计算平均值,val[ ]内为采样值 */
```

```
        return(result/num);              /* 返回平均结果值              */
    }
```

算术平均值滤波主要对压力、流量等周期脉动的采样值进行平滑加工,但对脉冲性干扰的平滑不甚理想,它不适合于脉冲干扰比较严重的场合。平均次数 N 的选取取决于平滑度和灵敏度,随着 N 值的增大,平滑度提高,灵敏度降低。为了减少计算误差,N 通常取为偶数值。

8.4.3.2 滑动平均值滤波

以上介绍的算术平均值滤波算法,每取得一个有效采样值必须连续进行若干次采样。当采样速度慢(如双积分型 A/D 转换)或目标参数变化较快时,系统的实时性不能得到保证。为了解决这一问题,人们提出了滑动平均值滤波法。所谓滑动平均值滤波算法,是将本次采样值和过去的若干次采样一起求平均值,得到本次有效值并可立即投入使用。这样每采样一次,便可获得一个有效值。如果取 n 个采样值求平均值,则可设置一个 n 个数据单元的环型队列,每采集一个新数据便存入环型队列,用新数据自动冲去一个最老的数据。保持这 n 个数据始终是最新的 n 个数据。具体程序设计方法基本上与算术平均值滤波方法相同。

8.4.3.3 中值滤波

中值滤波就是对某一个被测参数连续采样 N 次(为了方便程序设计,一般取 N 为奇数值),然后把 N 次的采样值从大到小(或从小到大)排队,再取中间值为本次采样值。用 C 语言编制的、利用"冒泡"程序设计算法来实现中值滤波程序段如下:

```
    int comp(int num)
    {
        unsigned int temp, i, j;
        for(i = 0; i < num − 1; i + + )
            for(j = 0; j < num − 1; j + + )
                if(val[j] < val[j + 1])           /* 比较 A/D 值大小          */
                {
                    temp = val[j];                /* 反序则做"冒泡"处理    */
                    val[j] = val[j + 1];
                    val[j + 1] = temp;
                }
        return(val[num/2]);                       /* 返回中值结果            */
    }
```

中值滤波方法对去掉脉动性的干扰比较有效,但对快速变化过程的参数则不宜采用。N 值不宜太大,否则滤波效果反而不好且总的采样时间以及数字滤波处理时间将增长。一般取 N 值为 3~5 即可。

8.4.3.4 一阶滞后滤波

前面两种滤波方法基本上属于静态滤波,主要适用于过程变化比较慢的参数。但对于快速随机变化参数,采用在短时间内连续采样求平均值的方法,其滤波效果不太好。在这种情况下,通常采用动态滤波方法,如一阶滞后滤波方法,其效果如同硬件一阶滞后滤波。硬件滤波电路原理图如图 8.3 所示。

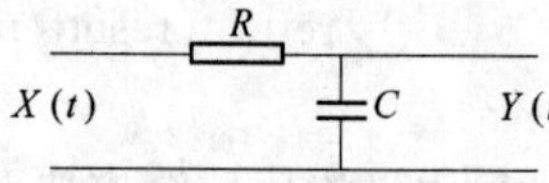

其拉氏变换表达式为

$$\frac{Y(s)}{X(S)} = \frac{1}{1 + RCs} \qquad (8.10)$$

将上式做差分变换,得

$$y_k = \frac{T}{T + RC} x_k + \frac{1}{T + RC} y_{k-1} \qquad (8.11)$$

则有表达式:

$$y_k = (1 - a)x_k + ay_{k-1} \qquad (8.12)$$

式中,x_k 为第 k 次采样值,y_k 为第 k 次采样后滤波结果输出值,y_{k-1} 为上一采样周期滤波结果输出值;a 为滤波平滑系数($a \approx \frac{\tau}{\tau + T}$,$\tau$ 为滤波环节的惯性滞后时间常数;T 为采样周期)。可见软件滤波的效果如同硬件一阶滞后滤波一样。由于该滤波程序的设计较为简单,这里就不给出具体的程序实例。

8.5 故障自动恢复处理技术

程序的复位总是从复位指定的初始单元开始执行程序。进入复位初始单元的方式有两种,其一是上电复位,即首次启动,可称其为冷启动;其二是非上电启动,如故障复位(如"看门狗"定时器的强制复位),又可称其为热启动。冷启动的特征是系统要彻底初始化,程序从首模块开始执行。热启动的特征是不需要全部进行初始化,程序也不必从首模块开始执行,应根据工作中的状态记忆跳转到热启动前正在工作的相应位置继续工作,保证工作的连续性。用 C 语言编写的测试微机冷、热启动并执行相应操作的程序段如下:

```
begin:
    /* 判断冷、热启动 */
    char ch1, ch2, ch3, ch4;
    ch1 = hot1 & hot2;
    ch2 = hot1 & hot3;
    ch3 = hot2 & hot3;
    ch4 = ch1 | ch2 | ch3 /* 三冗余表决法表决运算 */
    if (ch4 ! = 0x55) |
        /* 冷启动初始化程序部分 */
        .
        .
        .
    |
hotstart:
    hot1 = 0x55; /* 设置热启动标志值, hot1、hot2、hot3 为静态变量 */
    hot2 = 0x55;
    hot3 = 0x55;
        goto ……  /* 根据状态记录跳转到相应的工作位置          */
```

图 8.3 一阶滞后滤波
电路硬件原理图

8.6 软件陷阱技术

软件陷阱就是用一条引导指令强行将捕获的程序指针引向一个指定的程序地址,在那里有一段对程序出错进行专门处理的程序,使程序能再次按原定的目标执行。如果把这段程序的入口标号定为 ERROR,软件陷阱即为一条"LJMP ERROR"的指令。为加强其捕捉效果,如针对 Intel51 系列微控制器,软件陷阱由 3 条指令构成:NOP, NOP, LJMP ERROR (之所以连续采用两个空操作指令是为了防止在此之前的一个字节内的数据值恰好为三字节指令的操作指令编码,如 02H—LJMP,而使软件陷阱失效)。软件陷阱的位置可以设置在未使用的中断向量区、未使用的 ROM 空间及表格和程序区首尾等处,其作用为:

(1)在未使用的中断向量区。当干扰使未使用的中断开放,并激活这些中断时,就会导致系统程序混乱。在这些地方设置陷阱,就能及时捕捉到错误中断。

(2)在未使用的 ROM 空间。对于未编程的 ROM 空间,其内容都维持原状(0FFH)。0FFH 对于 MCS – 51 单片机指令系统来说是一条单字节指令"MOV R7, A"的机器代码,程序若弹飞到这个区域,除非受到新的干扰,否则将不再跳跃。只要在这个区域每隔一段距离设置一个陷阱,就能捕捉到弹飞的程序。具体设置方法是在这一段区域用"0000020030"5个字节作为陷阱来填充,或每隔一段设置一个陷阱"020030",其他单元内容保持 0FFH 不变。错误程序 ERROR 安排在 0030H 开始的位置。

(3)在程序区。程序区是由一系列执行指令构成的,不能在这些指令串中间任意安排陷阱。但在这些指令串中间常有一些断裂点,如 LJMP、SJMP、AJMP、RET 和 RETI 等指令的地方,正常执行的程序到此便不会继续往下执行了,必然发生转移,否则就出错了。如果弹飞来的程序刚好落到断裂点的操作数上或落到前面指令的操作数上,则程序就会越过断裂点,顺序往下执行程序。在这种地方安排陷阱后,就能有效地捕获错误,而又不会影响到正常执行的程序。

8.7 故障自诊断技术

自诊断是微机测控系统的一项重要功能,它通常包括开机自诊断、键控自诊断及实时自诊断。

8.7.1 开机自诊断

微机测控系统在初次加电启动测控工作之前有必要对相关的重要部件及过程通道进行自诊断,以保证系统运行的可靠性。该自诊断为微机冷启动自诊断,以后若因某种原因而微机复位再次从头开始工作,将不会再执行此程序段。

开机自诊断主要对重要的、可测(可配置)的部件进行实时自诊断,如 ROM 的累加和测试,可校验控制程序的正确与否;RAM 的读/写测试能排除 RAM 的硬件故障;键盘状态的测试可检测出常连键及无键盘连接等故障;与人工配合的显示器测试可排除缺划、断位等的显示故障;专用 A/D 通道的测试可保证 A/D 通讯工作无误;通讯总线状态的检测可为通讯总线状态的失常而提前预警等。

总之,微机控制系统开机自诊断是系统不可缺少的一项重要内容,它可为系统的正常工作起到铺路石的作用。

8.7.2 键控自诊断

当发现微机控制系统的某部分工作不正常时,可人为的通过键盘调用专用的诊断程序,该程序段可对相关部分进行相应的详细诊断,一般称这种诊断方法为键控自诊断。

键控自诊断可以对相关诊断部分进行深入检查并提供检查结果,但由于必须由人工参与,因此,在实时微机控制系统中很少采用。

8.7.3 实时自诊断

实时自诊断可在系统工作的同时发现故障并进行报警、切换等处理,这是开机自诊断和键控自诊断所不能比拟的,所以,实时自诊断的引入可使微机控制系统的可靠性、可维护性大为提高。

8.7.3.1 诊断的内容及方法

由于测控系统的构造与对象不同,自诊断的内容将会有所差别,但大体可分为主机部分和输入输出通道部分的诊断。诊断的手段可分为硬件诊断、软件诊断和软硬件结合的诊断。自诊断的设计必须在微机测控系统设计时一并考虑,实时自诊断是自诊断功能与测控功能的有机结合,互为补充,使控制系统的性能得以提高。

8.7.3.2 直流电源的诊断

电源是微机系统赖以工作的基础。测控系统主机、输入输出通道都有各自的电源。若多个电源中的任何一个失电都会给系统造成不可估量的损失。因此,应有专用硬件电路对各电源进行监测,如发现失电应有声、光报警,请求操作者干预。为保证监测电路供电电源的可靠性,应将系统各电源相"或"后作为监测电路的电源。为保证对各电源的监测,各电源状态应相"与"后作为监测电路的诊断输入,这样一旦有失电回路出现,监测电路的声、光输出必然做出反应,以提示操作者。

8.7.3.3 存储器诊断

系统 ROM 的诊断在开机时进行一次就可以了,而 RAM 在工作中可能损坏,更可能受干扰而出错。因此,RAM 必须在系统工作的同时反复进行实时诊断。其方法是在系统的 RAM 区中以一定的间隔并以一或两个字节为单位保留为诊断单元,在系统初始化时写入某个特定值,如 0FFH,在系统工作中以一定的周期访问这部分单元,判断原有值的正确与否以及进行"0"值和"FFH"值的写入测试。

很明显,根据 RAM 诊断的结果不同而作相应的处理,如 RAM 数据值被无端篡改应做记录或对其邻近的数据做表决处理。反复发生的诊断单元数据值被无端篡改并出现写入测试错误,说明 RAM 已经损坏,应做备用切换或报警,提示操作者干预。

8.7.3.4 主机状态诊断

微机测控系统正常工作时,其输入、输出控制都有特定的规律。用特定的电路对主机输出进行监视,就可以判断主机工作状态正确与否,一旦出现不正常时,可采取相应的措施。如测控系统多用"看门狗"定时器对主机失常做复位处理。"看门狗"定时器电路的复位脉冲多来自主机的专用清除输出端,实际上,在系统的设计中完全可以以主机有规律的输出与"看门狗"定时器等电路相配合实时诊断主机工作状态(如监测已使用的 ROM、RAM 区的合法的选通信号输出等),使软硬件设计更加合理化。

8.7.3.5 输出状态诊断

微机测控系统某些关键性的输出,尤其是须经若干硬件处理的 CPU 的重要输出,应始终处于微机的监督之下。如微机晶闸管控制系统的数字触发器的输出至关重要,其脉冲相位体现了对控制对象的控制,因此,应通过缓冲器将脉冲信号引回微机 CPU。这样,一旦发现晶闸管主回路失控,微机通过对回馈脉冲的诊断就很容易断定故障是来自脉冲输出回路,还是来自晶闸管主回路,并根据软件的设定做出必要的处理。

8.7.3.6 传感器状态的诊断

传感输入一方面为测控提供了基础,另一方面也为实时自诊断作了准备,而实时自诊断的结果又为测控的可靠性提供了依据。根据传感输入的特性不同,有不同的诊断方法,现仅以常用的几种方法为例加以说明。

A 幅值原则

任何模拟传感信号的幅值输入都在一定的范围内,如信号放大、A/D 转换要留有余地,使软件可与之配合诊断传感故障。如热电偶信号放大与 A/D 转换,应将 A/D 转换结果的二进制最大值留做热电偶断路的识别标志,这样,诊断软件与少量硬件配合就可以在工作中一旦出现热电偶通路断线时即刻可判明该错误。再如 4~20mA 标准信号电流的 A/D 转换,应使 A/D 转换处理的区间大于 4~20mA 标准信号对应的范围,从而,可使微机随时判明信号断线及超限错误。

B 时间原则

以光电、磁电码盘等为基础的连续数字量输入,其脉冲之间都有规律可循,即在稳定的运行条件下,两个脉冲之间的时间差都在一个特定的范围内,如果长于这个时限(称"长时")或短于这个时限(称"短时")时,传感部分就会有问题出现。一般情况下,外界的干扰等会造成"短时"错误。磁电码盘丢失磁铁、光电码盘通光孔堵塞等会造成"长时"错误。传感装置的偏位或损坏会造成长时间无信号输入。

C 逻辑原则

某些传感器无法通过时间或幅值的方法加以诊断,但若几个传感器输入相互间有着互为关联的逻辑关系或依赖关系,工作中可以通过这种关系进行实时诊断。表 8.3 是织布机监测系统工作中其他停、经停或纬停 3 种停车数字信号的逻辑真值表。很明显,在同一织布机 3 种停车信号被同时采集后,只要根据逻辑真值表进行判断就可断定各停车传感器是否正常,若再将非法逻辑状态细分并辅以其他手段就可将识别点指向单一的故障传感器。

表 8.3 织布机工作状态逻辑真值表

其他停	经停	纬停	织布机状态
0	0	0	正常工作
1	0	0	其他停
1	1	0	经 停
1	0	1	纬 停
其他组合			信号非法

D 区域原则

区域原则是逻辑原则的扩展。当传感器较多时会有不同的馈电或不同的信号传输途径,这在系统设计方案确定后,已为软硬件设计人员所熟知。所以,根据这一原则可以实时自诊断出馈电或信号传输部分的错误、故障。如有数字传感器构成的类似开关矩阵式的输入网络中,若某横向传感全部出现失电反映,则一定是该行馈电出现问题;若某竖列传感出现失电反映,则不是该列输入缓冲器被损坏,就是该列数据线对地有短路故障。

8.7.4 故障确认

由于测控系统的工作环境恶劣,干扰时有发生,因此,诊断系统对故障的确认不能一锤定音。用硬件所作的直接诊断电路应采用延时或滤波等措施以防干扰。在软件上应采用具有时间差的重复采集确认或多次结果的表决处理等方法来剔除干扰。如前述的对 RAM 的损坏诊断就是一例。总之,实时诊断要保证其快速性,更重要的是保证其准确性,这样才能使系统安全可靠地工作。

8.7.5 诊断任务的设计与分配

在前述的诊断方法中,直流电源诊断和主机状态的诊断为硬件诊断方法;存储器诊断为软件诊断方法;而输出状态诊断和传感器状态的诊断为软硬件相结合的方法。因此,实时自诊断任务(程序)的设计应与测控系统基本任务的设计相结合,在系统的调研、构思中统一形成,在系统的设计实施中统一完成。为降低成本,能用软件完成的诊断工作尽可能用软件来完成,这样还会起到事半功倍的效果。实时自诊断程序与开机自诊断、键控自诊断程序的结合,形成微机测控系统诊断的总体结构,会使微机测控系统在智能化方面有较大的进步。

8.7.6 微机测控系统引入自诊断功能的优点

微机测控系统引入自诊断功能,使其自动地对故障或错误做出反应,因此有如下优点:
- 提高了系统的性能价格比;
- 使系统工作更加真实可靠;
- 系统可维护性能好;
- 使人机界面更加友善。

8.8 嵌入式微机实时操作系统的设计

工业计算机控制系统是由硬件、软件和控制算法构成的,脱离了软件的硬件根本无法工作,再好的控制算法没有软件的实现也只能是纸上谈兵,因此,工业计算机控制系统硬件、软件和控制算法三位一体、缺一不可、不可偏废。控制应用软件需要操作系统的支撑。对于一个嵌入式微机控制系统往往面对着裸机的环境,因此,嵌入式微机控制系统对于实时操作系统的性能具有较强的依赖性。

微机测控系统工作时就是对所涉及的各种参数进行测量、计算和控制等操作,这些操作可独立运行,被称之为任务,为了较好地完成这些任务,一个专用的实时多任务操作系统至少应具备以下几个基本部分:
- 任务的调度;
- 任务间通讯控制;
- 实时时钟、时钟节拍及中断处理。

8.8.1 任务的分类、状态和调度

8.8.1.1 按任务的执行频度分类

对任务的分类有多种方法。首先,按任务的执行频度来分类,可分为:
- 基本任务。基本任务是微机在主程序的执行周期中必须处理的任务,如参数的计算、显示等操作,即在主程序的每一个运行周期中,必须分一时间片给该类任务,以保证其得

以运行。

● 随机任务。随机任务是与时间或外部事件有关的任务,如工作班组交班时产量自动处理等。平时,该类任务处于休眠态(等待态),程序不予以执行,当某一特定时刻到来时由系统时钟"唤醒"(激活)这一类任务,使这一类任务进入就绪队列而处于就绪态,等待操作系统的调度执行;或者是由内、外部中断来激活这一类任务,视其优先级程度由系统调度执行。

基本任务只在就绪态和运行态之间转换,而随机任务在等待态、就绪态和运行态之间进行转换。如图8.4所示。所谓就绪态是指该任务欲执行的标志已进入操作系统控制的一个特殊队列(就绪队列),标明该任务已可运行,但CPU现已有其他任务正在运行,因此,只能等待操作系统按顺序调度执行。执行态是指该任务当前已占有CPU进行操作。等待态是指该任务尚未进入就绪队列,因未到执行的时机而在那里"休眠",等待着系统时钟或中断等的"唤醒"。

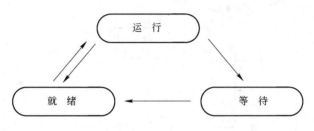

图8.4 任务的状态及转换

8.8.1.2 按任务执行的紧迫性分类

测控系统是一实时系统,这就要求操作系统能对外来信息在一个限定的时间内做出反应,所以,按任务执行的紧迫性,又可将任务分类为:

● 一般任务。紧迫性同等程度的基本任务和随机任务构成一般任务,按其调度顺序建立一个就绪队列,由操作系统按顺序调度执行。

● 优先任务。优先任务一般由中断程序和特殊任务程序来担任,其任务的优先级别根据所需在系统中加以设定,在这样的安排下,微机系统既可保证其实时性,又可完成并行操作的功能。

操作系统对任务的调度有多种算法,一般来讲,对于优先任务,采用先来先执行的调度算法,如处于同一个中断优先等级下的任务,事件先发生则先执行;对于特殊的情况,如掉电等处理,给予高级别的优先处理。对于一般任务,采用循环轮转调度就可以了。

对于一个特定的微机测控系统,需要处理的任务数量是确定的,即在设计操作系统之前这些任务都已知。所以,为按循环轮转调度一般任务,可根据系统处理一般任务的总数选出其中的随机任务,并构造一个随机任务队列,即根据其数量按字节或按位在RAM区设计一个队列,其内部代表那些任务的状态并规定某种进队标志。如为"1"是进队,为"0"是离队。所谓随机任务被激活进入就绪态,就是指将代表该任务的位或字节值置为"1",当操作系统在查询任务的测试中发现该标志有效时,就去执行该任务,任务执行后清除该标志,以表示该任务已执行了。该任务经执行后则又进入等待态。而基本任务必须周期执行,所以,可以不将其写入就绪队列,仅在操作系统完成上述随机任务的调度后再顺序调度就可以了。专用实时多任务操作系统的构成与调度方法如图8.5所示。

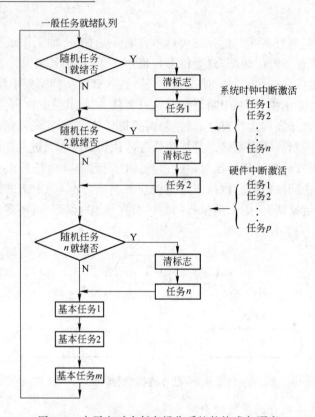

图 8.5 专用实时多任务操作系统的构成与调度

8.8.2 实时时钟及中断处理

实时时钟是实时操作系统中不可缺少的部分。实时系统中的时钟节拍,是以实时时钟的某一基本单位为节拍进行计时变化,形成以时间为基础的任务调度的基本时间间隔。在微机运行后,时钟通过定时中断进行自动累计计时并产生基本时钟节拍,使时钟节拍与实时时钟同步。实时时钟除完成累计计时外,另一个任务就是查询与实时时钟有关的随机任务激活时间表,当条件满足时,激活相应的随机任务。该类激活时间表可按激活时间的不同单位,如整小时、半小时、分和秒等建立不同的表格,在时钟调整的不同部位进行查询。如要在8:00、16:00 和 24:00 所限定的 3 个时刻进行有关的交、接班自动数据处理,则将 8、16 和 24 组成一个数据表,每当时钟到达整小时时刻时,就查询该表,即将当前小时值与数据表中的所存储的值进行比较,遇有相同者,则说明该任务已满足激活条件而将其激活。另外,根据实时时钟的特点,它还可以为各任务提供任何时钟节拍整倍数的定时功能。

由时钟激活的任务可根据轻重缓急做不同的处理,一般任务,如前述的交、接班自动数据处理,可插入一般任务就绪队列内,等待操作系统的调度执行。而紧急任务,如整点对时报警,则应及时执行该任务,以保证对时的准确性。为了方便时钟程序中紧急任务的处理,可在 RAM 区再设置一个或若干个字节,构成优先级别较高的随机任务队列标志表。如设置一个字节,每位代表一个任务,某任务在被激活时在相应的位添"1",则在退出时钟程序之前检查该标志字节,根据预先约定的优先顺序做位测试,遇有"1"时,转相应的程序段做特定的操作。当然,这些紧急任务的执行时间需简短,否则,它和外部中断程序共同作用的结果将会使处于一般就绪队列中等待执行的任务的等待时间达到难以承受的程度,而使其失去实时性。

中断是进行实时处理的主要部件,中断处理是并行处理的基础,只有恰当地处理此类任务才能使系统控制下的各任务都具有实时性。例如,同上位微机相连的某一下位微机串行通讯处理,由于其通讯任务种类多,数据处理量大,为保证上、下位微机间的通讯实时性,可将串行通讯处理划为:通讯接收、通讯处理和通讯发送 3 个任务。上、下位微机间的通讯控制权掌握在上位微机手中,当上位微机启动串行通讯后,下位微机通过串行接口硬件中断激活通讯接收任务(通讯接收服务子程序)以接收上位机传来的数据,并在退出接收任务之前激活通讯处理任务,即使其进入就绪队列。仅仅当操作系统调度到该任务时,才分析上位微机的指令,并做相应的处理工作,在通讯处理任务结束之前,再激活通讯发送任务,向上位微机做应答。为减少占用 CPU 的时间,通讯发送任务也采用中断处理方式。

前面提及的任务调度算法:优先任务采用先来先执行调度,一般任务采用循环轮转调度,有时会存在一个问题,这就是当某一任务(尤其是优先级高的任务)发生故障时,使 CPU 被独占,将使整个系统无法运行,从操作系统的角度看,最好能设置一个标志字节,用其记录当前运行的记录号,同时,给时钟中断以较高的优先级别(该任务进入较少时钟节拍值的任务队列),对该任务号进行监视,当发现某一任务运行时间超长时,可以强制该任务退出运行态,并置报警信息,以提醒操作者注意。

8.8.3　任务间通讯控制

在操作系统的控制下,各任务分时运行完成各自的相应操作。但所有这些任务都是为同一工程任务而展开的整体,所以,各任务间不免要有某种联系或数据传递,而这些欲传递的数据随时间和任务的不同而相异。对于一个专用操作系统,任务间的通讯在系统设计时已为已知条件,所以,任务间的通讯控制方案也比常规方式来得简单。当两个任务间的数据传送量较小且格式固定时,可在 RAM 区设置一个固定区域,采用非缓冲直接通讯方式。这种通讯方式是在数据区前设置一个通讯指针,当指针不为 0 时,表示已有信件(欲传送的数据)存在;当指针为 0 时,表示没有信件。

当任务间的数据传递量较大且长度随时有变化时,可采用信箱通讯方式。所谓信箱是一种表数据结构,可以是线性表或链表等。这样,通过线性表或链表的表头的描述就可以确定表内信件的数目等信息。例如,在某两级微机的监测系统中,下位微机的系统诊断任务对传感器等进行周期诊断,对有故障的传感器要进行相应的报警记录,而这些故障信息将要定时被上位微机的串行通讯程序通过串行通讯取走。显然,只有在下位微机的诊断程序多次运行后,上位微机才可能进行取报警记录操作,而这些报警记录的数量、类型随着现场条件和工作时间的不同而相异,因此,可以建立一个动态表格,这个表格的建立与内容的添加可以由诊断程序任务完成;表格的读取、删除可以由下位微机的串行通讯发送任务完成。每一个报警记录作为一个信件存在,其格式已是隐含约定。表格的表头用于指明信件的数量,当该值为零时,诊断任务对其操作表明需创立表格,通讯发送任务对其操作表明无信息可取,即表内无报警记录。当表格的表头值为非零值时,诊断任务必须对其进行添加工作;通讯发送任务可取走表头所指明数量的信件(报警记录),取走之后并清除该表头,表明信件已取走。当诊断等任务再次访问此表格时,将重复上述操作。综上所述,灵活地利用数据结构以实现任务间的信息传递是实时多任务操作系统的重要特点之一。

显而易见,专用实时多任务操作系统的设计是和系统各任务的划分密不可分的,对工程任务的详尽了解和分析是任务划分的基础,而专用实时操作系统的精心设计与实施是构造良好微机测控系统软件的保证。

8.9 IPC 与组态软件

以 IPC(Industry Personal Computer)工业(控制)个人计算机为基础,设计、开发微机控制系统在工业控制系统的实际应用中占有较大的比重。IPC 已具备了 Windows98/NT/2000、Windows CE、Unix 以及 Linux 等操作系统,而控制系统的应用软件需要外购或者自主开发。

对于应用软件的自主开发,或是用基本编程语言(如 Visual BASIC、C＋＋、Java 等)从基础开始编起,是减少支出、锻炼队伍的一种好方法。在经费允许的条件下,以外购组态软件为平台开发系统应用程序,也不失是一种简洁、快速的应用软件开发的方法。

8.9.1 PC-Based Control 解决方案

在工业和制造业的各个领域中,经历了继电器或电子线路控制方式、单板机控制系统、工业控制机、可编程逻辑控制器(PLC)及计算机集散控制系统(DCS)、现场总线控制系统等多种形式。应该说,它们都得到或正在得到广泛的应用,拥有大量的用户和工程实例。

传统的逻辑顺序控制功能已不能满足当今工业控制任务的需求,必须具备计算机的能力,如系统的快速响应来满足系统的高速需求、系统分时特性来满足系统的多任务设计、编程语言的高级化来满足设计人员的不同层次需求、较大的存储空间满足较大的应用程序的需要。工业控制计算机(IPC)、集散控制系统(DCS)和可编程逻辑控制器(PLC)正在相互融合,形成以现场总线为纽带的 PC – Based Control 系统结构。这种系统结构可使整个控制系统采用递阶分布式网络结构,具体可表现为管理层、控制层、现场层等 3 层(具体形式见第七章所介绍)。而控制层和现场层是控制系统的灵魂,可以采用标准化的现场总线模式、智能分布式拓扑结构,使系统的可扩展性良好——无论点数的扩展,还是对多种网络协议的支持,都具备模块式结构。

基于 PC 的自动化控制(PC – Based Control)解决方案是指将控制、人机交互、网络连接和数据处理以及所有运行在一个通用的工业 PC(IPC)平台上的集成化的解决方案。这种解决方案具有与 CPU 硬件无关、升级容易、适应性强、开放性好、易于扩展、经济可行、开发周期短等明显优点。第 2 章中所做的过程通道设计,都是基于 PC 的自动化控制的硬件接口设计。

基于 PC 的自动化控制解决方案,是以与 PC 机相兼容的工业控制计算机(IPC)为基础加以构造的,工业测控组态软件正是因此而产生并且得到了长足的发展。

8.9.2 组态软件

组态(Configuration)为模块化任意组合。组态软件指一些数据采集与过程控制的专用软件,它们是在自动控制系统监控层一级的软件平台和开发环境,能以灵活多样的组态方式(而不是编程方式)提供良好的用户开发界面和简捷的使用方法,其预先设置的各种软件模块可以非常容易地实现和完成监控层的各项功能,并能同时支持各种硬件厂家的计算机、PLC 和 I/O 产品,与高可靠的工控计算机和网络系统结合,可向控制层和管理层提供软、硬件的全部接口,进行系统集成。目前世界上有不少专业厂商包括专业软件公司及硬件、系统厂商生产并提供各种组态软件产品。

控制系统所使用的通用组态软件主要特点有：

● 延续性和可扩充性。用通用组态软件开发的应用程序，当现场(包括硬件设备或系统结构)或用户需求发生改变时，不需作很多修改而方便地完成软件的更新和升级；

● 封装性(易学易用)。通用组态软件所能完成的功能都用一种方便用户使用的方法包装起来，对于用户，不需掌握太多的编程语言技术(甚至不需要编程技术)就能很好地完成一个复杂工程所要求的所有功能；

● 通用性。每个用户根据工程实际情况，利用通用组态软件提供的底层设备(如 PLC、智能仪表、智能模块、板卡、变频器等)的 I/O、Driver、开放式的数据库和画面制作工具，就能完成一个具有动画效果、实时数据处理、历史数据和曲线并存、具有多媒体功能及网络功能的工程设计，且不受行业限制。

组态软件产品大约在上世纪的 80 年代中期就在国外出现，在中国也已有将近 10 年的历史。早在 80 年代末 90 年代初，有些国外的组态软件，如 ONSPEC、PARAGON 等就开始进入中国市场。组态软件市场在中国开始有较快的增长，大约始于 1995 年底至 1996 年。随着中国改革开放的深入，人们对软件的观念有了重大改观。微软 32 位 Windows 95 和 NT 的推出，为组态软件提供了一个更适宜的操作系统平台，使各生产供应商随后跟进的 32 位组态软件产品的性能指标和功能进一步加强。

最早开发的通用组态软件是 DOS 环境下的组态软件，其特点是具有简单的人机界面(MMI)、图库、绘图工具箱等基本功能。随着 Windows 的广泛应用，Windows 环境下的组态软件成为主流。与 DOS 环境下的组态软件相比，其最突出的特点是图形功能有了很大的增强。国外许多优秀通用组态软件是在英文状态下开发的，它具有开发时间长、用户界面不够理想、不支持或不免费支持国内普遍使用的硬件设备、组态软件本身费用和组态软件培训费用昂贵等因素。随着国内计算机水平和工业自动化程度的不断提高，通用组态软件的市场需求日益增大。近年来，国内一些技术力量雄厚的高科技公司也相继开发出了适合国内使用的通用组态软件。

应用组态软件从事应用软件设计，可以使设计工程师把主要精力放在控制对象上，而不是形形色色的通讯协议、复杂的图形处理、枯燥的数字统计上。只需要进行填表式操作，即可生成适合于你的"监控和数据采集系统"。它可以在整个生产企业内部将各种系统和应用集成在一起，实现"厂际自动化"的最终目标。

目前中国市场上的组态软件产品按厂商划分大致可以分为 3 类，即国外专业软件厂商提供的产品，国外硬件或系统厂商提供的产品，以及国内自行开发的国产化产品。按应用行业划分有工业控制自动化用组态软件、楼宇控制自动化用组态软件等。在中国市场上常用的组态软件有：

(1) "组态王"工控组态软件。由北京亚控公司开发的"组态王"工控组态软件是一个具有易用性、开放性和集成能力的通用组态软件。它运行于 Microsoft Windows 98/2000/NT 中文平台的中界面的人机交互界面软件，它采用了多线程、COM 组件等新技术，实现了实时多任务，软件运行稳定可靠。"组态王"工控组态软件具有支持四百多种硬件设备的驱动程序，支持客户－服务器模式和 Internet/Intranet 浏览器技术，允许用户进行功能扩展和发挥，无须编程即可将第三方控件直接连入"组态王"中；并提供了 I/O 通道冗余、双设备冗余、双网冗余、双机冗余、双系统冗余等安全手段。

(2)"力控"工控组态软件。由北京三维力控公司开发的"力控"工控组态软件,是基于流行的 32 位 Windows 平台的通用组态软件。它具有丰富的 I/O 驱动程序、能够连接到各种现场设备、具有分布式实时数据库系统,内置 TCP/IP 协议网络服务程序,增强的 I/O 框架,增加了 I/O 冗余,具有更好的开放性和灵活性;同时提供开放式的 I/O 开发 SDK 及源码,内置数据表等丰富的脚本函数。

(3)InTouch 工控组态软件。由美国 Wonderware 公司推出的 InTouch 工控组态软件是率先推出的 16 位 Windows 环境下的组态软件,在国际上曾得到较高的市场占有率。InTouch 软件的图形功能比较丰富,使用较方便,但控制功能较弱。其 I/O 硬件驱动丰富,支持组态对象的查找、替换功能。基于组件对象技术(COM、DCOM),几乎针对工业应用的所有硬件都有接口,应用上稳定性好。

(4)iFIX 工控组态软件。由美国 Intellution 公司推出的 iFIX 工控组态软件产品系列较全,包括 DOS 版、16 位 Windows 版、32 位 Windows 版、OS/2 版和其他一些版本。图形功能很强,支持多种图形格式。其 I/O 硬件驱动丰富,对控件的属性操作可以完全控制。编辑与运行是切换进行的,这有利于对现场生产安全的保障;有独立的报警监视程序,支持在线修改,具有画面分层功能,运行时可以根据程序很方便地更换对象的连接数据源,可以使控制更灵活。

(5)WinCC 工控组态软件。WinCC 是西门子公司推出的适用于配套产品的监控套装软件,它所支持的硬件(PLC、DCS)相对有限。WinCC 提供公开的位操作手段,可以对模拟量中的位进行读取并进行报警设定。有双向 OPC 支持,支持 ActiveX。它使用内部语言,环境如同 C 语言,使其功能扩展变得容易。

(6)Insight 楼宇自动化控制组态软件。Insight 是西门子公司推出的适用于楼宇集成控制与管理的组态软件,它可以实现对整个大厦的控制和管理任务。Insight 的智能楼宇集成系统具有系统集成、功能集成、网络集成和软件界面集成等特点,对楼宇内部设施实现了办公自动化、通讯系统、消防系统、楼宇管理系统和安保系统的一体化集成,在整个大厦内采用统一的电脑操作系统、在同一个用户操作界面下支持互联网的功能,实现了集中监视和统一管理的功能。

应该注意的是,组态软件主要是针对于"监控和数据采集系统"而构造的,对于高速的工业实时控制系统或控制网络实时控制的特定需求,还有些力不从心。因此,在微机自动控制系统的实际应用设计中,应根据不同的对象而采取不同的应对方法。

9 计算机控制系统设计

随着计算机技术的发展,计算机控制越来越深入地渗透于生产之中。因此,设计一个性能良好的计算机控制系统是非常重要的。计算机控制系统包括硬件、软件和控制算法 3 个方面,一个完整的设计还需要考虑系统的抗干扰性能,使系统能长期可靠地运行。本章通过两个控制系统实例,力图使读者掌握设计一个满意的计算机控制系统的技术与能力。由于这些在工程上具有普遍性,所以掌握本章内容能够达到举一反三的目的。

9.1 计算机控制系统设计的要求与特点

计算机控制系统依据使用的环境及应用的对象不同,有着自身的特点和对设计的特殊要求。

9.1.1 计算机控制系统的设计要求

9.1.1.1 实现控制功能

计算机控制系统要根据实际对象的需求来设计,系统必须能够实现控制功能。

(1)系统结构完整、方案可行。为了实现计算机控制和处理功能,除了要设计和组成包括 CPU、存贮器、A/D、D/A 和键盘等硬件外,还要选择适当的传感器、放大电路等,并设计正确的、有针对性的软件,以使控制方案得以实现。

(2)达到控制精度要求。控制系统设计都有一定的精度要求。精度要求越高,往往成本越高。控制精度的高低受以下几方面的限制。

1)传感器精度。如温度控制在 $50 \pm 2℃$,它的精度要求是 $\pm 4\%$。温度传感器精度要高于 $\pm 4\%$ 且应留有余量,如可选 $\pm 1\%$。

2)A/D、D/A 通道的精度。如选择 8 位 A/D、D/A 即可满足 $\pm 4\%$ 的精度要求。

3)软件数据位长的影响。数据处理也会影响控制精度。数据处理的精度越高,计算量越大,计算时间越长,因此,在计算机进行数据处理时,要注意数值的进位取舍要适当,做到既不影响精度又使计算时间最短。如进行 8 位数字量输入/输出控制操作,内部数值运算不能只取 8 位有效数字,否则将使精度降低。

(3)达到控制速度的要求。计算机控制系统的速度要足够快。因为计算机控制是周期性的,而不是像模拟系统那样的连续变化过程。计算机控制周期的选择受被控制量变化率的制约。如直流调速系统中电流控制,由于电流变化快,一般为毫秒级,这就要求计算机对电流的控制周期也不能太长,而每实施一次控制作用,计算机都要完成电流检测、偏差计算、控制量计算等工作,这些工作执行的快慢取决于计算机的速度、程序指令的多少等。因此,计算机的软、硬件都会影响控制速度。所以,应依据系统实时响应的要求来选取计算机的类型、主频速度以及外围的设备。

9.1.1.2 可靠性高

可靠性高是计算机控制系统设计的最重要的部分。因为系统的可靠性高则可以保障生产顺利进行。系统一旦出了毛病,就会给生产过程造成混乱,引起严重的后果。

为了能够使系统具有良好的可靠性,可以从系统设计的如下几个方面入手:

(1) 充分考虑系统应用环境进行硬件设计。计算机控制系统一般应用环境比较恶劣，如电磁干扰、强电冲击、粉尘污染、潮湿、高温或低温环境等。要根据不同的工作环境采取行之有效的应对措施来进行计算机系统的硬件设计才能取得良好的应用效果。

(2) 采用模块(模板)结构，选择适当总线。对于比较简单的系统，可以采用一体化的嵌入式计算机系统，将微处理器、存贮器、I/O 接口等都设计在一起，可减小体积、增加可靠性。而对于功能比较复杂的系统，应该按不同功能设计多种模块，如主控模块、模拟量输入/输出模块、开关量输入/输出模块、定时器/计数模块等，这种模块式结构使系统功能分散、故障分离、易维护、好更换。

各模块(模板)之间的信息可通过引线端子排传递，计算机内部并行总线主要有 PCI 和 ISA 总线等。ISA 总线在工业控制机中被普遍采用，而 PCI 总线在工业控制机中的使用在呈现上升的趋势。在工业环境下，常用的总线方式有很多，对于模块较多的系统应选择符合标准的工业总线传递方式。

(3) 采用集散控制系统或分布式计算机控制系统。集散控制系统是控制功能分散、指挥集中，当系统中某一级出现故障时，不会影响到全局生产。对于那些即需要实现各种控制功能，又要完成对生产信息进行分析、统计和管理工作的系统，最适宜采用这种形式。近年来新型的递阶分布式控制系统已经兴起并迅猛的发展，它是以现场总线为依托的、开放的、彻底分散的现场总线控制系统。

(4) 提供多种操作方式。计算机控制系统设计时，要充分考虑各种异常情况，提供多种操作方式。

1)全自动方式。整个系统正常工作时采用的工作方式，可充分发挥计算机控制系统的优势。

2)半自动方式。局部出现故障或系统自学习时采用的工作方式。

3)手动方式。整个系统工作不正常或系统调试时采用的工作方式。

9.1.1.3 系统有一定通用性和可扩充能力

计算机控制系统设计要具有一定通用性，在插板(模块)、接口及总线的部位实现标准化设计，这样即可减少每次设计中的重复劳动，又可充分实现与其他系统或部件的互换。另外，系统要有一定的可扩充能力和备份功能，对于重要的控制系统，一旦系统局部出现故障，可在无须人工干预的情况下进行自动维护(切换)工作，可以极大地提高控制系统的工作可靠性。

9.1.1.4 系统具有良好的可维护性

控制系统的维护可分为在线维护和离线升级维护。

对于在线维护，要求控制的硬件设计应以模块化为主，带有明确的状态指示灯并能实现带电插拔，这有利于系统的快速维修与恢复。

对于离线升级维护，从硬件方面来说，系统设计除要遵循一定的规范性外，还要有完整的设计图纸、说明文档，易于维修定位和系统升级代换。从软件方面来说，应按照软件工程学的方法来编制程序，采用模块化和结构化的方法来设计应用软件，该标注的地方一定要加标注，以利于今后的维护、修改与升级。

9.1.1.5 缩短设计周期、降低系统的成本

在保证系统性能要求的前提下，要尽量降低系统的成本，但要兼顾系统的设计周期。对

于硬件而言,系统的设计可以是独立自主的设计,从硬件原理图和电路板的底层设计入手,也可以购买现成的微型机系列模板(模块)、系统等。前者一般设计周期较长而成本比较低,后者则周期短、成本高。对于软件而言,可以根据具体条件自行设计应用软件或外委开发及在外购组态软件的基础上进一步开发。同样,前者一般设计周期较长而成本比较低,后者则周期短成本高。具体采取哪种设计方式,应根据控制系统的设计周期、设计者的能力和费用等因素综合考虑。

9.1.2 计算机控制系统设计的特点

系统的硬件、软件设计受时间和价格的限制,计算机控制系统的控制对象不同,则控制任务和功能往往有别,因此,系统的硬件组成和软件编程也就不同。

9.1.2.1 控制系统硬件设计

(1) 根据系统功能要求购买适当的主机或者模块,这种方式设计周期短,价格高,适合比较大型的计算机控制系统设计;

(2) 自行设计主机及各种接口电路模板。这种方式设计周期长,成本低,适合于小型系统;

(3) 购买成型的计算机,接口电路模板自行设计。在这种方式下,所设计的电路模板一般专用性都比较强。

9.1.2.2 控制软件的设计

(1)在通用的计算机语言环境下进行编程。如采用 C、Visual Basic、Visual C++ 等。这种方式编程起点低,工作量较大,实现的周期长,但费用低;

(2)选择组态软件。如采用中国的"组态王"、"力控"等工控组态软件,美国的 InTouch、iFIX 以及西门子的 Wincc 工控组态软件、西门子的 Insight 楼宇自动化控制组态软件等。根据各种功能要求,对相应的软件模块进行组合和连接。这种方式编程起点高,工作量小,实现的周期短,但要为组态软件支付额外的费用。

组态软件的编程分为功能组态和操作界面组态。操作界面组态决定了人机交互界面的友好程度,而功能组态将完成系统的特定测控功能。因此,注重系统的功能组态,选择合适的控制算法,是控制系统正确实施的前提保证。

9.1.2.3 系统设计受大规模集成电路技术发展的影响

大规模集成电路技术的发展使计算机控制系统向着体积小、价格低、速度快、精度高的方向发展。根据"莫尔"定律,集成电路产品的性能每 18 个月将翻一番。大规模集成电路技术发展初期,微电子器件价格高,因此在很多场合的应用受到限制。随着大规模集成电路技术的发展,微电子器件产品的价格大幅度降低,计算机控制系统已广泛应用到工业、农业、国防、科教、文卫等不同领域。随着微电子器件向高速度、高精度及高密度的方向发展,引用新技术(如 DSP、精简指令集的 16 位或 32 位嵌入式微处理器等)、新器件(如 CPLD、FPGA 及 ASIC 等)必将对控制系统的性能及可靠性等造成重大的影响。

9.1.2.4 计算机控制系统设计受开发环境的限制

控制系统软、硬件开发环境的好坏,直接影响系统设计的周期和性能。

过去,硬件电路板设计是手工设计的,设计周期长、精度低、经常造成电路板连线不光滑、有毛刺等人工绘图难以避免的问题,而现在,在计算机辅助电路设计环境下进行硬件设计,不但设计周期缩短、精度高,还可以非常方便的进行仿真与修改。

进行嵌入式计算机系统设计时,选择良好的软件开发环境尤为重要,如设计 80C196 单片机系统时,如果开发系统具有高级软件 C-96 或 PL/M-96 开发环境,则进行系统调试和软件开发变得简单易行。如果只有汇编语言开发环境,则进行比较复杂的编程工作时就会遇到很多困难,会使设计周期相对变长。

采用 JTAG 接口的嵌入式微控制器实现高级语言的编程、目标程序的下载、实时仿真、实时调试为一体的设计、开发方式,将会是未来嵌入式微控制系统的设计发展方向。

在 PC 机上开发软件时,选择良好的软件环境也同样重要,它可以大大缩短设计周期。

9.2 计算机控制系统设计的一般步骤

计算机控制系统的软、硬件结构将根据不同的对象有所不同,但系统设计的步骤大体上相同,一般包括以下几方面。

9.2.1 确定控制任务

进行系统设计之前,首先要对控制对象进行深入调查、分析,熟悉工艺流程,了解具体的控制要求,确定系统所要完成的任务,包括系统要实现的功能、控制速度、控制精度、现场环境、完成设计的时间要求等。根据这些任务写好设计任务说明书,作为整个控制系统设计的依据。

9.2.2 系统的总体方案设计

根据系统设计任务书进行总体方案设计。

9.2.2.1 选择系统的软、硬件组成方式

根据系统的价格和时间要求,选择适当的方式组成系统。在时间要求比较紧的情况下,尽量选购现成的软、硬件系统进行组合;而在经费紧张的情况下可以考虑自己设计电路模块。值得注意的是,软、硬件工作比例的划分也将对系统的价格和实现时间产生重要的影响。

9.2.2.2 选择微处理器

微处理器的可靠性决定系统的可靠性,如民用品和工业用品的微处理器对环境及电气性能要求的区别很大,选择微处理器首先考虑其可靠性。不同的微处理器,其字长、速度、中断能力等都有差异。在价格相差不大的情况下,应选择字长较长、速度较高、中断处理能力强的微处理器,以适应工业控制系统实时控制的需求。新型、高性能的微处理器层出不穷,应根据需求加以选择。

9.2.2.3 确定存储器容量

根据系统功能的复杂程度和数据量的大小选择存储器的容量。程序越复杂,只读存储器容量越大;控制的过程中数据处理越多,读写存储器容量应越大。在存储器总容量受限制时,要综合考虑两种存储器容量的分配。

9.2.2.4 选择外围接口电路

外围接口电路的性能直接影响系统的精度、速度和控制的可靠性,因此,要根据控制系统的精度、速度要求选择接口电路。如要求系统控制精度在 1% 以上,必须选择 10 位以上 A/D、D/A 通道。在选择外围接口电路时,还要根据现场环境条件,考虑电路设计的抗干扰措施,提高系统的可靠性能。采用 CPLD、FPGA 等大规模的集成电路设计外围接口电路将会提高系统的可靠性及性能。

9.2.2.5 选择传感器

传感器的选择一方面要满足系统的控制精度、控制速度等性能要求,另一方面要尽量降低成本,换句话说,选择传感器并不是越精越好,要综合价格和性能两方面因素。在有条件的情况下,尽可能地选择数字传感器有利于系统控制精度和抗干扰性能的提高。

9.2.2.6 选择软件开发环境

不同的软件开发环境,对系统设计的周期影响很大。如有的开发系统只具有汇编语言的编辑和编译功能,因此,使用者只能用汇编语言来完成程序的描述。如果程序功能和结构都很复杂,汇编语言程序编辑和调试都会占用很长时间,使设计周期增长。如果选择具有高级语言开发环境的开发系统,由于程序编写容易、易读、易修改,使程序开发工作进展快捷、工作周期缩短。

对于嵌入式计算机控制系统在没有任何基础软件平台的软件设计时,可考虑采用已有的实时操作系统(Real Time Operation System, RTOS)内核(如适合 Intel51 内核的 RTOS-Rtx51 Tiny)来进行应用软件设计,能降低软件的开发难度、缩短开发周期,在 PC 机上开发软件,也存在选择开发环境的问题,如选择组态软件是缩短应用软件开发周期的方法之一。

9.2.3 硬件设计及调试

当系统成本比较低或者控制功能比较特殊,而市场上买不到现成的电路模板或模块时,可以自己设计相应的电路模板。

用于电路设计的计算机辅助设计软件多种多样,目前比较流行的有 PROTEL 等,用计算机辅助绘图不但走线均匀,易于修改,而且具有可移植性,可以减少很多重复劳动,同时也可以使技术文档管理由图纸式向电子式转化,方便管理及保存。如采用 PROTEL 软件设计硬件,可以从原理图开始,由计算机完成从原理图向硬件电路板的转化过程,既方便又快捷。同时,在做相近系统设计时,只要对原理图做些必要的修改,就可以实现新系统硬件电路的计算机辅助设计,这使得硬件设计工作效率大大提高。

硬件电路板设计好后,需经过加工制作及焊接元件之后,才可以进行硬件的静态和动态测试。在静态测试环境下可以验证硬件电路设计的基本正确与否。应编制一些专门针对硬件电路进行操作的专用功能的正确的小程序段,对相应的硬件进行动态测试。在测试中,发现问题应及时解决、及时修正,直到将整个系统调试满意为止。

9.2.4 软件设计

软件设计要根据系统总的设计要求,确定软件所要完成的各种功能及完成这些功能的逻辑和时序关系,并用软件流程图表述出来。

按软件流程图中不同的功能,分别设计相应的软件功能模块。如模拟量输入模块、模拟量输出模块、数据处理模块、通讯模块和键盘处理模块等。每一种模块都可以单独进行调试,各种模块分别调试好后,再按流程图逻辑和时序关系将他们正确组合、连接、调试。

不要将整个程序设计完成后再进行调试,那样将无法确定软件的问题所在的位置,使得调试工作很难正确进行。

9.2.5 确定控制算法

计算机控制系统不同于一般的计算机信息管理系统,它要实现实时控制功能。因此,除了要了解系统的有关信息外,还要根据系统的指标要求依据输入条件对输出进行控制决策,按照一定的算法得到控制量并施加到被控对象上。

控制算法可分为有模型控制算法(如 PID 算法、大林算法等)和无模型控制算法(如专家系统等),应依据不同的控制对象及控制条件来选择不同的控制算法。

自适应控制、模糊控制、神经元网络、PID 控制等各种算法都有其优势和不足,目前在实际中应用最多的还是 PID 算法以及各种改进型 PID 算法等。究竟在控制系统中选用何种控制算法要根据被控对象的特点而定。

在控制算法选定后,在有条件的情况下最好能进行必要的计算机仿真研究(如采用 MATLAB 进行),以探索必要的控制参数值和检查系统的性能指标结果。

9.2.6 现场安装调试

首先要按工艺流程图将系统正确安装,然后对系统进行粗调和精确调试,根据实际对象确定各种控制参数,调整显示值或保存数据等。

硬件调试和软件调试都可以在实验室环境下用对现场情况进行模拟的方式进行,并进行必要的联合调试工作,半实物仿真是系统调试的重要基础,而最终的系统级调试要在现场完成。

9.2.7 建立完整的技术档案

在进行系统的设计、安装和调试的时候,要为相应的部分建立完整的技术档案并存档保管。这些技术档案包括各种软件清单、注释、硬件图纸、元件清单及系统安装工艺图及说明等。完整的技术档案是使系统具有可维护性、可升级性的前提及保证。

9.3 设计实例之一:电阻炉温度控制系统

9.3.1 明确控制任务

该系统要求具有多项的功能:实现远程实时控制,传输距离 500m,监视室监控炉温的温度变化的过程、绘制实时曲线、显示实时数据报表、上下限报警、察看历史趋势曲线等;炉温按照不同的工艺要求实现升温、恒温或降温;各段的时间与变化斜率应按生产工艺而定;各参数的设定与修改都应方便可靠;炉温最高 300℃,系统应满足超调量小于 2%的指标及稳态偏差小于 0.4%的指标;方便组网。

9.3.2 计算机炉温控制系统总体方案的设计

这个系统必须采用分级控制。现场级 A/D、D/A、开关量输入/开关量输出模块是采用研华公司的 Adam 4000 系列产品:Adam4017、Adam4021、Adam4060,RS-485/以太网(Ethernet)转换通过 Adam4571 完成,并可控制任务要求的 500m 的信号传输。监控机在控制室,因此选用功能强大的 PC 机,通过集线器(hub)方便联入以太网,将信号上传管理计算机,实现分级控制。应用软件采用组态软件功能强大,画面优美,工作量大大减少。因为组态王 6.02 含有研华公司 Adam 4000 系列模块的驱动程序,所以采用了组态王 6.02 作为开发工具。计算机操作系统采用 Windows98。所组成的计算机分级控制结构图如图 9.1 所示。

在此控制系统中,从热电偶出来的电流信号经变送器对其进行转换,变化成电压信号后再送入 A/D 模块,由此变成温度数字反馈量,送到 RS-485 双绞线上,然后通过 RS-485/以太网转换模块,将数字反馈量送给 PC 计算机。由于已知的温度设定值早已存入计算机的某些内存单元中,反馈量与这些内存单元中的设定值相比较,得到偏差信号,此信号通过控制算法,例如数字 PID 算法或最优控制算法的运算,其运算结果再通过以太网/485 转换模块,送入 D/A 转换器,从 D/A 模块出来的信号送入执行器,从而使电阻炉温度得到调整。最后达到对炉温进行控制的目的。

9.3.3 硬件设备的选择

9.3.3.1 转换模块

转换模块 Adam4571 起到 RS-485/以太网转换作用,此模块在炉温控制系统中起着至关重要的作用,它肩负着信息交换的"重要使命"。本系统使用的数据总线是 Ethernet 和 RS-485。RS-485 与 RS-232 不一样,数据信号采用差分传输方式,也称作平衡传输。传输的距离可以达到 1000m,根据 500m 的要求,选用了 Adam4520 作为 RS-232/RS-485 的转换器。

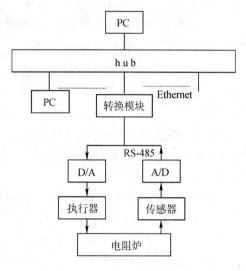

图 9.1 计算机炉温控制系统结构图

Adam4000 是一套内置微处理器的智能接口模块。由于它价格适中、质量优异是非常适合中小规模工程使用的自动化硬件设备。因此,它在中国有着广泛的使用。

9.3.3.2 A/D、D/A 模块

根据系统精度 0.4% 的需求,A/D 模块选用了 Adam 4017,它是 12 位 8 通道模拟量输入模块:6 路双端,2 路单端模拟量输入。D/A 转换模块选用了 Adam 4021,它是 12 位模拟量一路输出。Adam4060 是继电器输出模块,继电器输出有 2 通道,主要作用是给电阻炉风冷降温。

9.3.3.3 传感器

温度传感器有很多种,常见的有热电阻、热电偶。热电偶传感器具有工作在中高温区、测温范围宽、测温精度高等特点。热电偶的热电动势与温度在小范围内基本上成单值、线性关系、稳定性和复现性较好、响应时间较快。热电阻最大的特点是工作在中低温区,性能稳定,测量精度高。本系统中电炉的温度被控制在 0~300℃ 之间,为了留有余地,我们要将温度的范围选在 0~400℃,它为中低温区,所以本系统选用的是热电阻 pt100 作为温度检测元件。pt100 在经变送器变换后得到 0~5V 的输出电压,所以,实际温度与控制电压有 80 倍的转换关系,这个倍数叫"标度变换系数"。

若被测参数与 A/D 转换结果之间呈线性关系,即

$$\frac{Y_x - Y_0}{Y_m - Y_0} = \frac{X_x - X_0}{X_m - X_0}$$

式中,Y_x 为实际工程测量值的转换结果;Y_m 为被测量参数量程最大值;Y_0 为被测参数量程最小值;X_x 为实际采样测量的数字量;X_m 为采样测量的量程上限对应的数字量;X_0 为采样测量的量程下限对应的数字量,则在 X_0、X_m、X_x 及 Y_0、Y_m 均已知的情况下,可算出工程测量值 Y_x 为

$$Y_x = \frac{Y_m - Y_0}{X_m - X_0}(X_x - X_0) + Y_0$$

式中,$\dfrac{Y_m - Y_0}{X_m - X_0}$ 为标度变换系数。

在后面程序中将用到温度的"标度变换系数": $\dfrac{Y_m - Y_0}{X_m - X_0} = \dfrac{400 - 0}{5 - 0} = 80$。

9.3.3.4 执行器(交流调压模块)

本系统采用的是固体交流调压模块,它将触发器和双向可控硅固化于一个模块中,计算机计算出的控制电压 $u(k)$ 作为触发器的触发电压来触发双向可控硅,触发电压越大,通过可控硅后得到的电阻炉两端的电压 $u_d(k)$ 就越大。图9.2简单地表示了它的工作原理。

图9.2 执行器输入输出示意图

9.3.4 软件开发工具(组态工控软件)

进行炉温控制软件开发可以使用的工具有很多,比较常见的有 Visual Basic 语言,C 语言,C++语言等等,它们具有强大的功能。但是使用计算机语言开发一个系统,需要编写大量的源程序,这无疑加大了系统开发的难度。在这里我们采用了一种工控组态软件——组态王。组态软件的使用,使炉温控制系统开发过程变得简单,而组态软件功能强大,可以开发出更出色的实现各种功能的应用软件。

9.3.4.1 组态软件的任务

目前中国市场上的组态软件产品按厂商划分大致可以分为3类,即国外专业软件厂商提供的产品,国外硬件或系统厂商提供的产品,以及国内自行开发的国产化产品。按应用行业划分有工业控制自动化用组态软件、楼宇控制自动化用组态软件等。

组态软件具有联网的功能,能实现集中监视和统一管理的功能。它具有实时多任务处理、使用灵活、功能多样、接口开放及易学易用等特点。在开发系统的过程中,组态软件能完成本系统要求的如下任务:

1) 如何与采集,控制设备间进行数据交换;

2) 使来自设备的数据与计算机图形画面上的有关元素关联起来;

3) 处理数据报警及系统报警;

4) 存储历史数据并支持历史数据的查询;

5) 各类报表的生成和打印输出;

6) 最终生成的应用系统运行稳定可靠;

7) 具有与第三方程序的接口,方便数据共享。

9.3.4.2 组态王6.02简介

"组态王6.02"软件包由工程浏览器(TouchExplorer),工程管理器(ProjectManager)和工程运行系统(TouchView),信息窗(Information Windows)4部分组成。他们各部分的功能如下:

(1)工程浏览器。在工程浏览器中可以查看工程的各个组成部分,也可以完成数据库的构造、定义外部设备等工作。工程管理器内嵌画面管理系统,用于新工程的创建和对已有工程的管理。它具有很强的管理功能,可用于新工程的创建及已有工程的删除,并能对已有工程进行搜索、备份及有效恢复,实现数据词典的导入和导出。

(2)画面制作系统。画面的开发由工程浏览器调用画面制作系统 TouchMake 来完成。我们在这个环境中完成画面设计,动画连接等工作。它具有先进、完善的图形生成功能,数据库提供多种数据类型,能合理地提取控制对象的特性,对变量报警、趋势曲线、过程记录、安全防范等重要功能都有简洁的操作方法。

(3)工程运行系统。画面的运行由工程运行系统 TouchView 来完成的。在应用工程的开发环境中建立的图形画面只有在 TouchView 中才能运行。它从控制设备中采集数据,并存在于实时数据库中,它还负责把数据的变化以动画的方式形象地表示出来,同时可以完成变量报警、操作记录、趋势曲线等监视功能,并按实际需求记录在历史数据库中。

(4)信息窗口。组态王信息窗口是一个独立的 Windows 应用程序,用来记录、显示组态王开发和运行系统在运行时的状态信息,包括:"组态王"系统的启动、关闭、运行模式;历史记录的启动、关闭;I/O 设备的启动、关闭;网络连接的状态;与设备连接的状态;命令语言中函数未执行成功的出错信息等。

工程浏览器(TouchExplorer)和画面运行系统(TouchView)是各自独立的 Windows 应用程序,均可单独使用,两者又相互依存,在工程浏览器的画面开发系统中设计开发的画面应用程序,必须在画面运行系统(TouchView)运行环境中才能运行。

9.3.5 系统软件的开发

我们在利用组态王进行炉温控制系统的开发过程中,因为它涉及的变量多,实现的功能多,要制作的画面多,画面命令语言复杂,所以在进行这个系统的开发时,有必要按照一定步骤统筹规划。

下面介绍进行炉温控制系统开发的相关问题:

9.3.5.1 开发的步骤

(1)搞清楚所使用的 I/O 设备的生产商、种类、型号及使用的通信接口类型、采用的通信协议,进行 I/O 口设置。

(2)将所有 I/O 点的参数收集齐全,以备在组态王上组态时使用。

(3)按照统计好的变量,制作数据字典。

(4)系统对按数据存储的要求架构数据库,建立记录体和模板,为数据连接做准备。

(5)根据工艺过程和组态要求绘制、设计画面结构和画面草图。

(6)根据第五步的画面结构和画面草图,组态每一幅静态的操作画面(主要是绘图)。

(7)将操作画面中的图形对象与实时数据库变量建立动画连接关系,规定动画属性和幅度。

(8)绘制数据流程,编写命令语言,完成数据与画面的连接。对组态内容进行分段和总体调试。

(9)控制算法被称为控制系统的灵魂。工业中用的比较多的控制算法有 PID 算法,SMITH 预估算法,Dahlin 算法,模糊控制算法等。各种算法都有自己的优势,适用于不同的被控对象。PID 控制是自动控制中产生的最早的一种控制方法,它在实际应用中运用得非常的广泛,相对于其他的控制算法来说,它的技术相对成熟,所以本系统选用 PID 算法进行控制。

(10)系统投入运行。

9.3.5.2 开发过程

前面介绍了进行这个炉温控制系统开发的步骤。在实际开发过程中,为了提高效率,避免疏漏,开发将以画面为单位进行。

A 设备的配置

设备的配置在工程浏览器中建立一个新的工程,进入"组态王"工程浏览器。打开组态王浏览器,双击"设备","新建"出来设备配置向导的对话框,如图 9.3 所示。

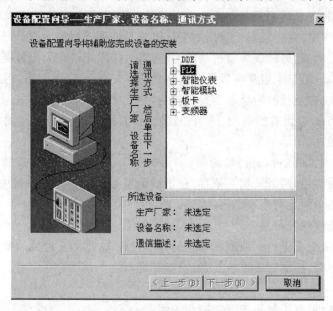

图 9.3 设备配置向导

我们选用的是智能模块,再依次选中亚当 4000 系列,Adam4017,串行,然后单击下一步,给所安装的设备选择惟一的逻辑名"adam4017",下一步,选择端口 com1(端口是由硬件联结决定的),再下一步,设备地址选择 1(硬件安装时设置的),再单击下一步,选择一些附加功能,直到完成,最后得到的对话框如图 9.4 所示。

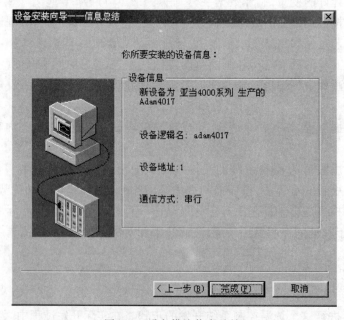

图 9.4 设备模块信息总结

在本系统中,不但要读出温度,还要求对炉温进行控制,所以在此还需要配置数模转换模块 Adam4021。Adam4021 的配置方法与 Adam4017 相同,只是 Adam4021 的设备地址选择是 7。

B　收集参数、制作数据词典

根据该系统应该具有的功能,我们对系统编写命令语言时将用到的变量做一个统计。做出统计后,我们就可以逐一对变量进行定义了。如图 9.5 所示是系统使用变量的一部分。

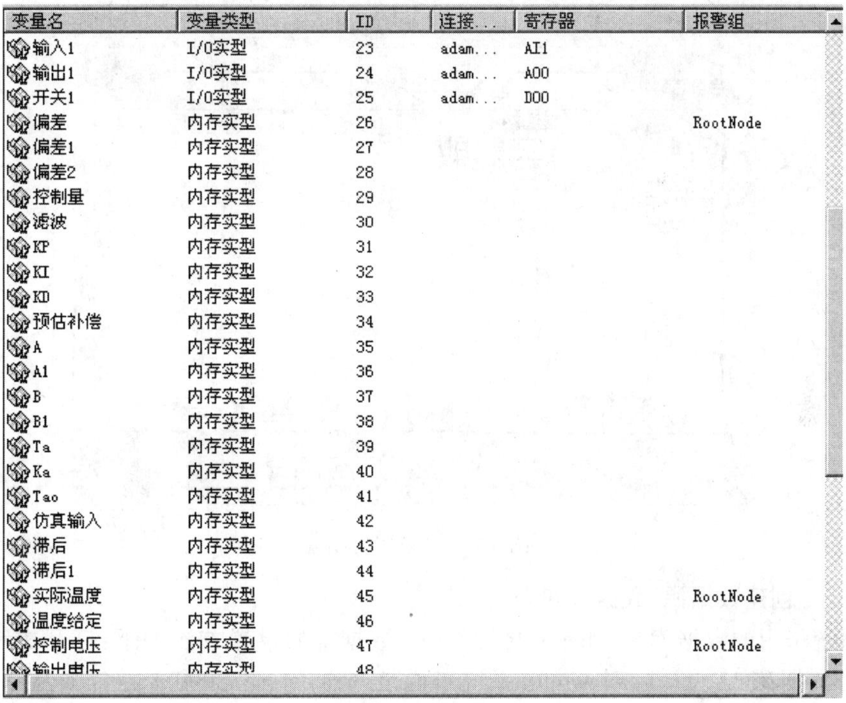

变量名	变量类型	ID	连接…	寄存器	报警组
输入1	I/O实型	23	adam…	AI1	
输出1	I/O实型	24	adam…	AO0	
开关1	I/O实型	25	adam…	DO0	
偏差	内存型	26			RootNode
偏差1	内存实型	27			
偏差2	内存实型	28			
控制量	内存实型	29			
滤波	内存实型	30			
KP	内存实型	31			
KI	内存实型	32			
KD	内存实型	33			
预估补偿	内存实型	34			
A	内存实型	35			
A1	内存实型	36			
B	内存实型	37			
B1	内存实型	38			
Ta	内存实型	39			
Ka	内存实型	40			
Tao	内存实型	41			
仿真输入	内存实型	42			
滞后	内存实型	43			
滞后1	内存实型	44			
实际温度	内存实型	45			RootNode
温度给定	内存实型	46			
控制电压	内存实型	47			RootNode
输出电压	内存实型	48			

图 9.5　数据词典

数据字典的制作过程在此不一一描述,但有几点需要注意:变量的类型有多种,要根据需要进行选择,以免在使用变量时出现变量类型不匹配的情况。如果在编程时发现需要使用新的变量,可以现场定义,非常方便。

C　连接数据库

在进行数据库连接前,有必要了解一下组态王 SQL 访问功能。

组态王 SQL 访问功能是为了实现组态王和其他 ODBC 数据库之间的数据传输。它包括组态王 SQL 访问管理器和 SQL 函数。

SQL 访问管理器用来建立数据库和组态王变量之间的联系。通过表格模板在数据库中创建表格,表格模板信息存储在 SQL.DEF 文件中;通过记录体建立数据库表格和组态王之间的联系,允许组态王通过记录体直接操纵数据库中的数据,这种联系存储在 BNID.DEF 文件中。当组态王执行 SQLCreateTable( )指令时,使用的表格模板将定义创建的表格的结构。当执行 SQLInsert( ),SQLSelect( )或 SQLUpdate( )时,记录体中定义的连接将使组态王中的变量和数据库表格中的变量相关联。

下面介绍如何创建记录体:

在 SQL 管理器中,选择记录体,双击进入新建记录体,取名为"bind1"。在这里我们需要对 5 个字段进行记录：日期,对应组态王变量"∖∖本站点 ∖ ＄日期";时间,对应变量为"∖∖本站点 ∖ ＄时间";实际温度,对应变量为"∖∖本站点 ∖ 实际温度";控制电压,对应变量为"∖∖本站点 ∖ 控制电压";显示电压,对应变量为"∖∖本站点 ∖ 显示电压"。定义完毕后的记录体如图 9.6 所示。

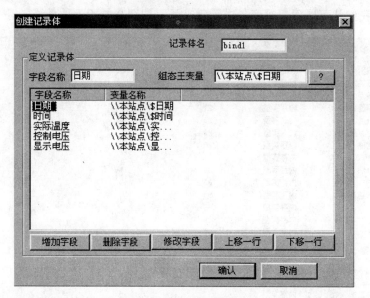

图 9.6　记录体的创建

下一步,创建数据源、数据库和表格：

本系统采用的数据库是 Microsoft Access。数据源的设置方法如下:打开控制面板,进入 ODBC 数据源 32 位(注:对 win98 系统来说是这样,对 win2000 系统需要从系统管理进入),点"添加",选择数据驱动时选"Microsoft Datebase Driver",出来配置数据源的对话框,给出数据源名:ztw2。然后,新建一个数据库,给出数据库名"ztw",最后确定,数据源就设定完毕。表格的设置,在数据库中进行。从开始菜单中进入 Micorsoft Access,打开数据库"ztw",点击通过"设计器创建表"。然后在表中填写字段,要注意:必须保持记录体中字段的顺序和数据库中表格的顺序一致,并且数据类型不能冲突。

D　制作画面

绘制静态操作画面的前提是:系统的功能已经确定,根据功能模块已经绘制出各个画面的草图。

本系统主要的画面及其功能如下:

电阻炉现场:具体形象的描述了系统的硬件结构;设有电压和温度的显示仪表;设有报警灯。

参数设定窗口:给出设定曲线,PID 算法的参数。

温度曲线窗口:可以实时显示的温控曲线和棒型图,以及一些关键量输出。

实时数据报表:以报表的形式显示实时数据。

报警窗口:在温度超过一定的范围时,进行记录,温度恢复时,也给予记录,主要可以用来对系统进行监控。

历史趋势曲线:以曲线的形式记录并显示历史数据。

系统说明:对该系统的功能给予的详细说明。

另外还有页眉和页底,页底有多个按钮,可以切换到不同的画面上。

下面我们将对以上几个画面进行设计。

a 参数设定窗口

在该窗口中,我们需要设置足够的输入文本框和一个确认按钮。文本框用来输入参数值,确认按钮用来启动运行。图 9.7 所示画面即为参数设定窗口。

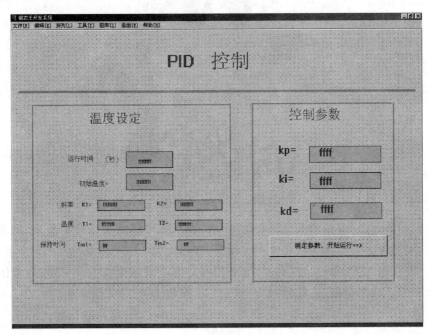

图 9.7 参数设定窗口

画面完成后,进行动画连接,使每个输入值与表达式对应上。按钮要进行设置,在动画连接中需要编写一段命令语言。在工具栏中,选择按钮文本,将文本写成"确定参数,开始运行 = = >"。双击该按钮,设置在按下按钮时,执行程序:

start = 1;   //开始的标志

b 电阻炉现场

根据该系统的硬件图,使用组态王提供的各种作图工具,设计出电阻炉现场如图 9.8 所示。

现场图直观地反映了系统的硬件构成,非常有助于理解控制线路与原理。

画面中的电压表是使用图库中的图形,设计时只需要根据仪表向导,设置一下变量就可以使用了。这里要显示的是控制电压,故选"╲本站点╲显示电压"。炉温的显示与输入文本的设置是同样的方法。报警灯也是使用图库中的,在仪表向导中,将变量名设置为"╲本站点╲$新报警",闪烁条件为"╲本站点╲$新报警 = = 0",就可以完成报警功能。

c 温度曲线窗口

在该窗口中,主要有两个控件:温控曲线和棒型图,温控曲线可以显示温度,棒形图主要是用来进行比较实际电压,设定温度。另外还有输入、输出文本,主要是为了便于观察一些重要量的变化。

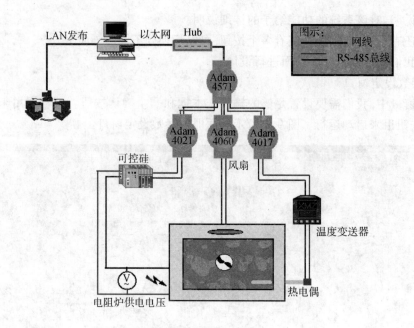

图 9.8 电阻炉现场

温控曲线的设置,首先单击工具箱中的"插入控件"按钮或选择菜单命令"编辑/插入控件",弹出"创建控件"的对话框,在框中出现"趋势曲线"与"温控曲线"控件,单击创建按钮或直接双击"温控曲线"控件(其余控件的选法相同),这时鼠标变成了十字形,拖动鼠标,可以看到鼠标画出了一个矩形,这就是我们要画的"温控曲线"控件如图 9.9 所示。

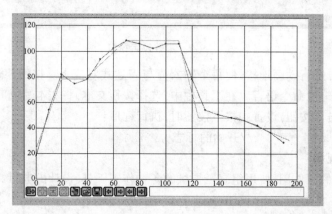

图 9.9 温控曲线

将温控曲线拖动到满意的大小,用鼠标左键双击该图或用鼠标右键单击该图,出现快捷菜单,选择"动画连接"一项,这时出现了"温控曲线"控件的属性窗口,如图 9.10 所示。在该窗口中,在"名称"一项中输入"wk";"温度最大值"等,按确定按钮,完成对"温控曲线"的属性设置。

下面来介绍棒型图的绘制及属性设置。

在"编辑/插入控件"中选择"棒型图",然后在画面上拖到适当大小,再双击它,弹出属性对话框如图 9.11 所示。

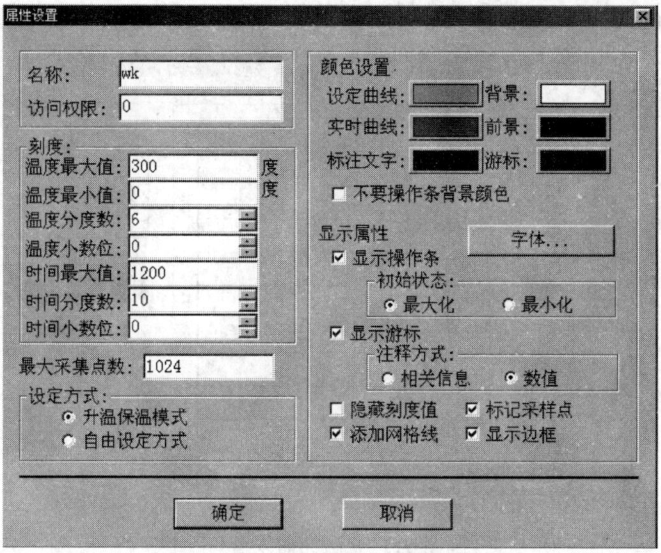

图 9.10 温控曲线的属性设置

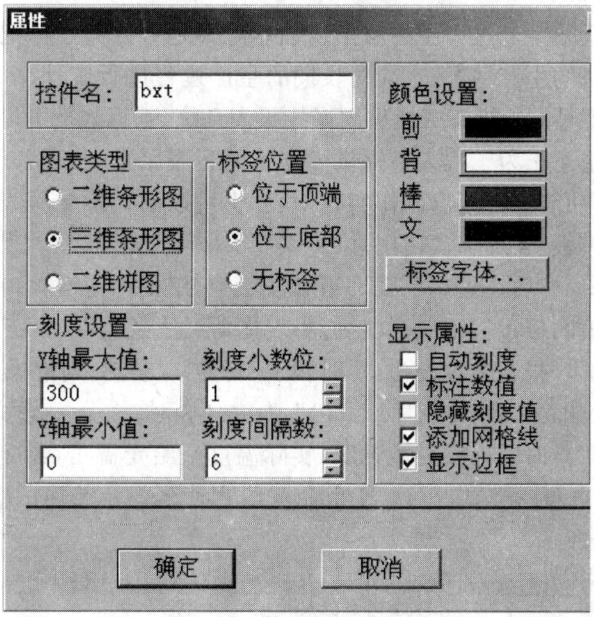

图 9.11 棒型图属性

对其属性进行设置:控件名:bxt;图表类型:三维条形图;标签位置:位于底部以及 Y 轴最大值等。另外,还有 6 个文本输出:采样值、设定温度、偏差、偏差率、控制电压及 t,要一一对其进行动画连接。

温控曲线的设定方式有两种:自由设定方式与升温－保温设定方式。

在实际工程应用中,使用升温－保温设定方式来设置温控曲线方便适用,每一段温控曲线都由升温曲线和保温曲线组成,在自由设定方式中,用户可以任意设置温控曲线。其中控件函数 pvAddNewSetPt( )用于温控曲线的自由设定方式;pvIniPreCuve( ),pvLoadData( ),pvModifyPreValue( )用于温控曲线的升温－保温设定方式,而 pvAddNewRealPt( )则可用于自由设定和升温－保温设定这两种方式,它的作用是在指定的温控曲线控件中增加一个采样实时值。最后得到的"温控曲线"的界面如图 9.12 所示。

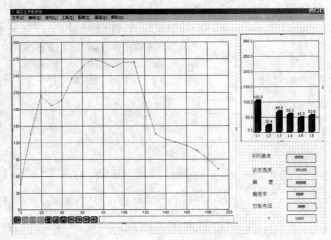

图 9.12 温控曲线窗口

d 数据报表窗口

数据报表既能反映生产过程中的数据、状态等,又是对数据进行记录的一种重要形式。它既能反应系统实时的生产情况,也能对长期的生产过程进行统计、分析,使管理人员能够实时掌握和分析生产情况。组态王提供内嵌式报表系统,工程人员可以任意设置报表格式,对报表进行组态。组态王为工程人员提供了丰富的报表函数,实现各种运算、数据转换、统计分析、报表打印等功能。既可以制作实时报表,也可以制作历史报表。另外,工程人员还可以制作各种报表模板,实现多次使用,以免重复工作。

首先创建新窗口,然后在组态王工具箱的按钮中,用鼠标左键单击"报表窗口"按钮,在画面上需要加入报表的位置按下鼠标左键,将表拖动到适当大小。双击报表的灰色部分,弹出"报表设计"对话框。报表名称设为:实时报表;行数设为 23;列数设为 5。利用报表工具箱,设定系统时间为"date($年, $月, $日)","time($时, $分, $秒)"。报表共设置了 5 列,对应的变量分别为:时间(t)、实际温度(实际温度)、给定温度(给定温度 1)、偏差(n1)、偏差率(ec1)和控制电压(显示电压)。使用命令语言使列显示相应的变量值。最后得到的报表窗口如图 9.13 所示。

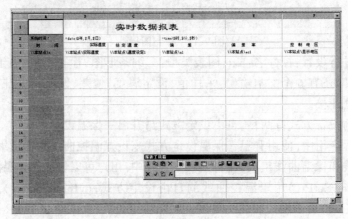

图 9.13 报表窗口

e 页眉和页底

页眉的制作主要是使用绘图工具。系统运行时，页眉会出现在每一个窗口，所以页眉上应该能显示出此系统的基本信息，如图 9.14 所示。

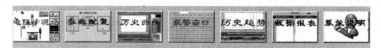

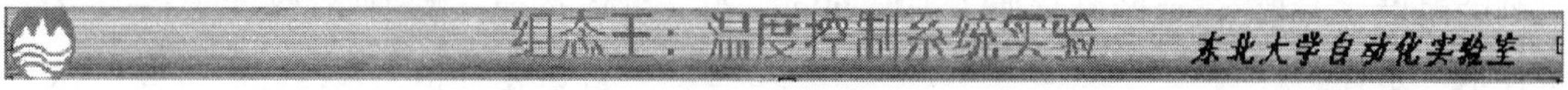
组态王：温度控制系统实验
东北大学自动化实验室

图 9.14 页眉

页底是由加上了位图的按钮组成的，系统运行时，点击这些按钮，可以切换到其他画面上，页底使管理系统变得方便、快捷。每一个按钮上需要对其进行动画连接，以切换到“参数配置”的按钮为例，先用抓图的方法得到位图“参数”，右击按钮，在按钮风格中选中“位图”，然后加载位图，在这里，我们就选用“参数”，确定就完成了。用同样的方法作其他按钮。图 9.15 为制作完毕后的页底图。

参数配置
历史曲线
报警窗口
历史趋势
数据报表
系统说明

图 9.15 页底

页底画面做好后，还要使它能够连接到其他页面，以“参数配置”按钮为例，双击它在“动画连接 \ 按下”时，编写程序如下：

ShowPicture(“参数”);ShowPicture(“页眉”);ShowPicture(“页底”);

这样，在系统运行过程中，当点击“参数设定”按钮时，就可以跳转到该画面上。

E 编写命令语言

在编写命令语言之前，首先要根据算法制定出程序流程图；其次要熟悉各种控件的命令。本系统中采用的 PID 算法的流程图前面已经讲述，本系统编写程序要完成的功能有：绘制设定曲线和实时曲线、绘制棒型图、连接数据库及向数据表中读入数据等。

系统的主命令语言要求从系统启动时起就开始执行，不受画面切换的影响。所以，应该在应用程序命令语言中编写。双击“命令语言”，“应用程序命令语言”，在编辑框中编写程序如下：

```
/ * 温控曲线 * /
if(start = =1)                                    //参数设定完毕，确认后运行
 {      if(t = =0)
   {pvClear( “wk”, 0 );                           //清除温控设定曲线
    pvClear( “wk”, 1 );                           //清除温控实时曲线
pvLoadData( “wk”, “f: \ set2.csv”, “setvalue” );   //从指定的文件“f: \ set2.csv”中//
读取温控设定曲线数据值
pvModifyPreValue( “wk”, 0, \\本站点 \ 温度设定 .k1, \\本站点 \ 温度设定 .T1, \\本站
点 \ 保持时间 .Tm1); //设置温控曲线控件中的第一段温控设定曲线
pvModifyPreValue( “wk”, 1, \\本站点 \ 温度设定 .k2, \\本站点 \ 温度设定 .T2, \\本站
点 \ 保持时间 .Tm2); } //设置温控曲线控件中的第二段温控设定曲线

/ * 画实时曲线 * /
```

```
    if(t<运行时间)
        {    t=t+1;
pvGetValue("wk",t,≥本站点\温度设定1,"SetValue");//从温控曲线控件中获取指定
时刻的温度实时值,该值距坐标原点的时间间隔为t,并将该值存放到变量温度设定1中。
采样值=采样;                            //读采样值
≥本站点\实际温度=≥本站点\采样值*80;      //标度变换
pvAddNewRealPt("wk",1,≥本站点\实际温度,"");//在温控曲线控件中给出变量实际
温度的采样实时值
/*PID算法*/
偏差=(温度设定1-实际温度)/80;
ec=偏差-偏差1;
控制电压=≥本站点\控制电压1+kp*(偏差-偏差1)+ki*偏差+kd*(偏差-2*偏
差1+偏差2); //PID算法
if(控制电压>5)
{控制电压=5;≥本站点\显示电压=≥本站点\控制电压*44;}
else
if(控制电压<0)
{控制电压=0;≥本站点\显示电压=≥本站点\控制电压*44}
else
if(0<控制电压 && 控制电压<5){≥本站点\显示电压=≥本站点\控制电压*44;}
控制电压1=控制电压;偏差2=偏差1;偏差1=偏差;
/*棒型图*/
chartClear("bxt"); //清除所有棒型图
chartAdd("bxt",≥本站点\实际温度,"实际温度");//在"bxt"控件中,添加一个新的条
形图,值为"实际温度",标签为"实际温度"
chartAdd("bxt",≥本站点\温度设定1,"设定温度");
chartAdd("bxt",≥本站点\显示电压,"控制电压");
}
/*实时数据报表*/
if (j<23)                            //行数限制在23行
{
  j=j+1;n1=偏差*80;ec1=ec*80;
    ReportSetCellValue("实时报表", j, 1, t);   //实时报表的第j行第1列显示的是t,同
理设置报表的每一列应该显示的内容。
ReportSetCellValue("实时报表", j, 2, 实际温度);
    ReportSetCellValue("实时报表", j, 3, 温度设定1);
            ⋮
}
/*连接数据库*/
```

SQLConnect(ID, "dsn = ztw2;database = ztw");   //连接组态王和数据库

SQLInsert(ID, "表 4", "bind1");   //将记录体中的变量值插入到表 4 中

if(t = = 运行时间)

          {t = 0;}   //达到运行时间后,t 清零,重新运行

}

程序编写完毕,保存后,就完成了这个系统的开发的全部过程。

  F 运行和调试

  先在工程浏览器中,点击菜单"运行",弹出"运行系统对话框在主画面配置中,选中"页眉","页底","参数"3 个画面,再单击菜单项"文件/切换到 View";就可以开始运行。设置完参数,点击运行按钮,进入温控曲线的画面,如果想观察其他画面的情况,只需要点击页底的按钮就可以了。

9.3.6 PID 调节器的参数整定

  数字 PID 调节器的参数整定就是要确定 K_p, K_i, K_d, T 4 个参数,可以选用的方法很多,如扩充临界比例度法、过渡过程法、参数归一法、变参数的寻优法等,下面选择的是过渡过程响应法。

9.3.6.1 过渡过程响应法

  此方法在 4.3.4 节的图 4.24 中已经介绍过。通过开环实验,测得系统单位阶跃响应曲线,如图 9.16 所示,以此来确定 τ_1 和 T_g 两个参量。

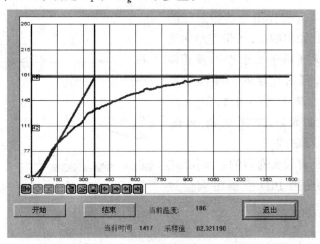

图 9.16 阶跃响应曲线

通过该图,可以读出:

$$\tau_1 = 50, \ T_g = 360\mathrm{s}$$

已知 $T = 1\mathrm{s}$,根据调节器参数整定的一些经验(表 4.2)有:

$$T_i = 2 * \tau_1 = 100; \ T_d = 0.5 * \tau_1 = 25; \ K_p = 1.2 * T_g/\tau_1 = 9.64;$$

$$K_i = K_p * T/T_i = 0.0864; \ K_d = K_p * T_d/T = 216$$

代入位置式 PID 控制的差分方程:

$$\Delta u(k) = u(k) - u(k-1)$$

$$= K_p[e(k) - e(k-1)] + K_i e(k) + K_d[e(k) - 2e(k-1) + e(k-2)]$$

9.3.6.2 PID参数的实际整定

将系统运行,在 PID 参数设定栏中,使用前面单位阶跃法求得的 PID 控制参数的理论值:$K_p = 9.64$,$K_i = 0.0864$,$K_d = 216$。从温控曲线中可以看到运行结果如图 9.17 所示。

从温控曲线中可以看出,理论值运用在实际中控制效果并不甚理想:超调量大、系统响应慢、稳定性差。在理论值的基础上,可对参数再进行进一步的调节。

(1)调整 K_p。K_p 的作用是对偏差做出响应,使系统向减少偏差的方向变化。K_p 增大有利于减小静差,但过大会导致系统超调

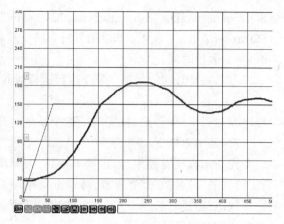

图 9.17 理论值时的温控曲线

增加,稳定性变坏。所以应该适当地减小 K_p,经过多次试验,当 $K_p = 7.3$ 时的系统响应超调量小,静差小,效果较佳,调节后的不足是系统仍然存在静差,调节时间长。

(2)调整 K_i。K_i 的作用是消除系统静差,但 K_i 增得太大不利于减少超调,减小震荡,使系统不稳定,系统静差的消除反而减慢。调整后的系统的静态误差可以消除,超调量减小,但是调节时间仍然很长,这可以通过调节 K_d 得到解决。

(3)调整 K_d。K_d 的作用是加快系统的响应,对偏差的变化做出响应,按偏差趋向进行控制,使偏差消灭在萌芽状态之中,使超调减小,稳定性增加,但对扰动的抑制能力减弱。在这里取 $K_p = 7.3$;$K_i = 0.1$;$K_d = 50$ 可以得到较好的控制效果。如图 9.18 所示,为调节参数后的温控曲线:

对于惯性大、具有较大滞后的系统,系统运行的结果表明,使用 PID 控制超调量过大,调节时间长,系统很难达到稳定,即使调

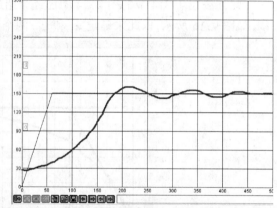

图 9.18 调整参数后的温控曲线

整参数也很难得到良好的控制效果。为了改善滞后对系统性能的不良影响,比较常用的控制算法是 Smith 预估补偿算法或者 Dahlin 算法,自适应控制算法等。

9.4 设计实例之二:以 RS-485 为基础的选矿厂监控系统

9.4.1 计算机监控系统硬件设计方案选择

本计算机监控系统的硬件设计采用分布式监控系统结构,对 4 台下位机实行分散控制、集中管理,每台下位机置于现场,对现场所监控的对象进行数据采集、控制、监测,配置 1 台工业控制计算机作为上位机,置于调度室,通过工业网络实现对 4 台下位机的控制、组织和数据信息处理,进行集中管理。此类系统具有结构紧凑、配置灵活、可扩展性好、可移植性强、抗干扰性强、设备成本低等特点。

9.4.2 系统总体硬件组成

整个计算机监控系统的结构图如图 9.19 所示。

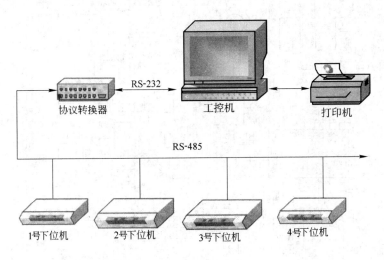

图 9.19 系统结构图

根据现场的各项任务,4 台下位机完成对现场设备的测控,以单片计算机为核心的检测和控制系统既能独立地完成数据处理和控制任务、接收上位的指令;又可将数据传送给工控机(上位机)。工控机将这些数据进行处理,或显示,或打印。上位机根据需要将各种控制命令传送给各个下位机,以实现集中管理和最优控制。

9.4.3 主要监控任务简介

(1)1 号下位机。实现对选厂卷扬机、虎口破碎机、新大磨、旧大磨、小磨、1 号球磨机、2号球磨机、3 号球磨机等 8 台设备每天 3 个班次开、停时间的统计及设备运转的实时监控。其作用是统计在调度员的安排下每个班次每天的各设备工作时长及时段,便于生产管理及生产成本核算。

(2)2 号下位机。实现炭浆吸附槽远距离提串炭控制。可实现单槽控制、多槽顺序控制和多槽跳槽控制。保证提串炭实时准确。每槽的提串炭定时时间可从 1min 到 255min 内任意可调。其作用是可避免载金炭的流失,提高工艺控制水平和最佳选矿工艺参数,增加贵金属的回收率。

(3)3 号下位机。用电子装置控制并指示配药过程,实现远距离、封闭条件下的遥测、遥控,其作用是安全生产、有利于提高选矿指标、减少资源浪费、避免危险化学药品流失,做到省人、省工、省时、无污染、无流失、无浪费。

(4)4 号下位机。实现对炭浆吸附槽液位与搅拌设备的监控,以防止跑冒槽及监测设备的工作失常、工艺参数的异常变化等。

(5)上位机。上位机由工业 PC 机及打印机等外设组成。它主要负责通信调度、下位机上传数据的处理、实时工作状态的显示、每天、每月、每年、每个班次、每台设备的开、停时间的统计、汇总报表以及人机交互处理等事宜。

9.4.4 下位机电路的设计

系统 4 个下位机的电路设计基本大同小异,这里只针对其中一个进行说明。图 9.20 为具有 8 路 DI 输入与 8 路 DO 输出的下位机电路原理图。

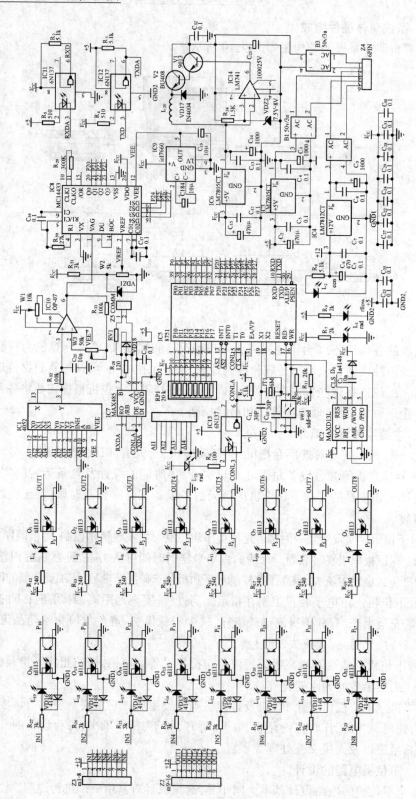

图 9.20 下位机电路原理图

9.4.4.1 开关量输入

本系统的开关量信号主要包括：接触器状态的闭合与断开、压力传感器、液位传感器的输入信号等。

开关量输入的接口方式常用的有：TTL 电平直接接口型和光电隔离型。由于现场环境恶劣，存在电、磁、噪声等各种干扰，TTL 电平直接接口可能造成系统误操作。因此，本系统采用光电隔离型输入方式，其主要优点有：

1）输入信号与系统在电气上完全隔离，抗干扰能力强；

2）CPU 与外界信号隔离，系统可靠性高；

3）响应速度快，易与逻辑电平配合使用。

9.4.4.2 脉冲量输入

系统的脉冲量输入是测量炭浆吸附槽炭浆搅拌过程中电动机的转速。

9.4.4.3 开关量输出

微机测控系统的开关信号往往是通过芯片给出的低压直流信号，如 TTL 电平信号。这种电平信号一般不能直接驱动外设，而需经接口转换等手段处理后才能用于驱动设备开启或关闭。许多外设如大功率交流接触器等在开关过程中会产生很强的电磁干扰，如不加隔离措施，干扰信号可能会窜到测控系统中造成系统误操作或损坏。因此，在接口处理中也包括隔离技术。

本系统选用固态继电器(SSR)作为输出通道的控制元件。由于本系统的开关量输出直接控制被控对象的开、合动作，为保证其动作的可靠性，防止其他干扰引起误动作，输出通道采用如下措施：

1）为防止现场强电磁干扰或工频电压通过输出通道反窜到系统中，采用通道隔离技术——光电隔离技术。

2）当输出信号给出后，由传感器检测被控对象的执行结果，判断其是否正确。

9.4.5 通信接口设计

PC 机内配置有异步通信适配器，使该机有能力与其他具有 RS-232 串行通信接口的计算机或设备进行通信。MCS-51 系列单片机本身具有一个全双工的串行口，因此，只需配备一些驱动、隔离电路就可组成一个可行的通信接口以进行远距离通信。

本系统由 4 台单片机与 PC 机通信，因此，选用 RS-485 网络作为本系统的通讯网络。

MAX485 是一种差分平衡型收发器芯片，其内部包含一个驱动器和一个接收器，采用单 +5V 电源供电，用于 TTL 电平与 RS-485 接口间的转换。其各引脚意义如下：

RO：接收器输出；

DI：驱动器输入；

RE：接收器输出使能；

DE：驱动器输出使能；

A：接收器输入和驱动器输出；

B：接收器反相输入和驱动器反相输出。

图 9.21 为通信协议转换器的电路原理图。由于高速光电耦合器 6N137 的引入使通信网络(RS-485)与微机之间彻底隔离。MAX202 实现 RS-232 电平与 TTL 电平之间的转换。而 RS-232 的 DTR 端为 RS-485 的收发工作控制端。各下位机的通信接口也采用了

类似的光电隔离技术,以增加抗干扰性和安全性,具体电路见图9.21的相关部分。

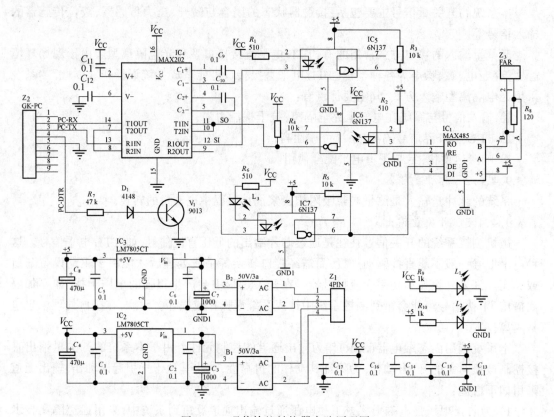

图 9.21 通信协议转换器电路原理图

9.4.6 系统采用的硬件抗干扰技术

9.4.6.1 光电隔离技术

信号的隔离目的之一是从电路上把干扰源和易干扰的部分隔离开来,使测控装置与现场仅保持信号联系,但不直接发生电的联系。隔离的实质是把引进的干扰通道切断,从而达到隔离现场干扰的目的。

光电隔离是由光电耦合器件来完成的。光电耦合器是上世纪 70 年代发展起来的新型电子元件,是以光为媒介传输信号的器件。其输入端配置发光源、输出端配置受光器,因而输入和输出在电气上是完全隔离的。开关量输入电路接入光电耦合器输入侧之后,由于光电耦合器的隔离作用,使夹杂在输入开关量中的各种干扰脉冲都被挡在输入回路的一侧。除此之外,它还能起到很好的安全保障作用。由于光电耦合器不是将输入侧和输出侧的电信号进行直接耦合,而是以光为媒介进行间接耦合,因此,具有较高的电气隔离和抗干扰能力。

本系统在设计时,在输入、输出和通信通道上均采用了光电隔离技术,采用光电隔离器可以实现主机与子系统之间的隔离,也有效地防止了上位机与通信网络之间的干扰。

9.4.6.2 电源抗干扰技术

计算机测控系统中的各个单元都需要直流电源供电。一般是由市电电网的交流电经过变压、整流、滤波及稳压后向系统提供直流电源。由于变压器的初级绕组接在市电电网上,电网上的各种干扰便会引入系统。因此,交流电源既是计算机使用的电源,又是一个严重污染的干扰源。这种污染通过设备的电源线传入系统的内部,对计算机产生影响。除此之外,由于电源共用,各电子设备之间通过电源也会产生相互干扰。根据工程统计分析,计算机系统有 70% 的干扰是通过电源耦合进来的。因此,提高电源系统的供电质量,对确保微机安全可靠运行是非常重要的。电源抗干扰技术应用于硬件设计中尤为重要。

电源抗干扰技术一般可采取如下方法:

(1) 交流稳压器。当电网电压波动范围较大时,应使用交流稳压器。

(2) 电源滤波器。交流电源引线上的滤波器可以抑制输入端的瞬态干扰。直流电源的输出也接入电容滤波器,以使输出电压的纹波限制在一定范围内,并能抑制数字信号产生的脉冲干扰。

(3) 要求供电质量很高的特殊情况下,可以采用发电机组或逆变器供电,如采用在线式 UPS 不间断电源供电。

(4) 电源变压器采取屏蔽措施。利用几毫米厚的高导磁材料将变压器严密的屏蔽起来,以减小漏磁通的影响。

(5) 在每块印刷电路板的电源与地之间并接去耦电容,即 $5\sim10\mu F$ 的钽电容和一个 $0.01\sim0.1\mu F$ 的电容,这可以消除电源线和地线中的脉冲电流干扰。

(6) 采用分立式供电。整个系统不是统一变压、滤波、稳压后供各单元电路统一使用,而是变压后直接送给各单元电路的整流、滤波、稳压。这样可以有效地消除各单元电路间的电源线、地线间的耦合干扰,又可提高供电质量。

(7) 分类供电方式。把空调、照明、动力设备分为一类供电方式,把微机及其外设分为另一类供电方式,以避免强电设备工作时对微机系统的干扰。

下位机的工作场所条件恶劣,大型电气设备(如破碎机等)经常启、停,对电网冲击极大,电源电压出现极大波动。鉴于现场条件,本微机测控系统由直流稳压电源提供直流电,但由三端集成稳压器组成的串连型直流稳压电源无法实现工作效率与稳压电源输出稳定度之间的统一,因此,我们采用了串联开关电源与线性稳压电源相结合的形式,较高的直流电压经运放 LM741 的控制实现自动脉宽调制控制输出,L20、C13 和 C14 起到了良好的低通滤波作用,使 LM7805 的输入始终在 $+7.5\sim8V$ 之间,较好地解决了电源工作效率与电源输出稳定度之间的关系,其原理图如图 9.22 所示。该设计可以保证交流电源在 $140\sim260V$ 的波动范围内 +5V 直流电压的稳定输出,该电源应用于各下位机取得了良好的效果。

9.4.6.3　复位电路设计

任何微机都是通过可靠复位之后才可有序执行应用程序。同时,复位电路也是容易受噪声干扰的敏感部位之一。因此对复位电路设计的要求:其一要保证整个系统可靠运行;其二是具有一定抗干扰能力。为了工作可靠,应对上电复位、掉电复位、非正常工作状态复位(采用"看门狗"电路)应统一考虑。而下位机系统始终无人值守,因此,不必考虑人工手动复位。综上所述,这里选择了美国 MAXIM 公司生产的专用芯片 MAX813L 构成具备复合功能的专用复位电路,其原理图如图 9.23 所示。

MAX813L 具有 4 个功能:

(1)具有独立的"看门狗"定时器,如果"看门狗"定时器的清零输入端在 1.6s 内无变化,"看门狗"定时器就会产生"看门狗"输出脉冲。

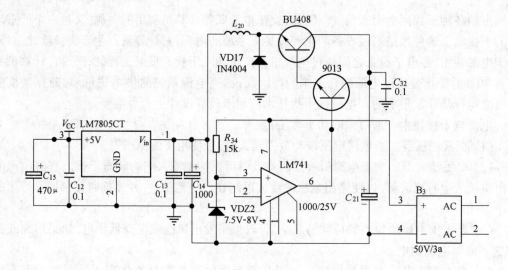

图 9.22 电源电路图

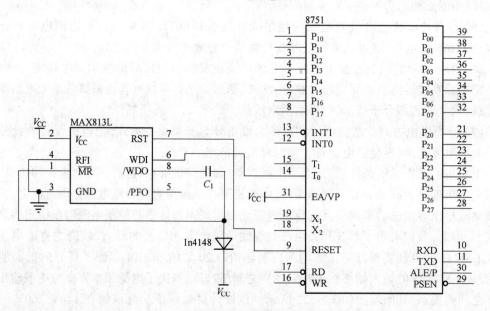

图 9.23 系统采用的复位电路图

(2)掉电或电源电压低于 1.25V 时,产生掉电复位输出脉冲。

(3)上电时能自动产生 200ms 宽的复位脉冲。

(4)具有人工复位功能,当人工复位功能端输入低电平时将产生复位信号输出。

该芯片各引脚功能如下:

MR(1 脚):手动复位端。当该端输入低电平保持 140ms 以上时,MAX813L 就能产生复位信号,该复位信号脉宽为 200ms。

V_{CC}(2 脚):接工作电源 +5V。

GND(3 脚):电源接地端。

RFI(4 脚):电源故障输入端,当该端输入电压低于 1.25V 时,MAX813L 使电源故障输出端产生的信号由高电平变为低电平。

PFO(5 脚)：电源故障输出端，电源正常时，保持高电平，电源电压变低或掉电时，输出由高电平变为低电平。

WDI(6 脚)："看门狗"清零信号输入端。程序正常运行时，必须每隔 1.6s 之内向该端送一次信号，若超过 1.6s，MAX813L 收不到清零输入信号，则产生"看门狗"输出脉冲。

RST(7 脚)：复位信号输出端。上电时能自动产生 200 宽的复位脉冲，手动复位端输入低电平时，该端也产生复位信号输出。

VDO(8 脚)："看门狗"定时器信号输出端。正常工作时输出保持高电平，"看门狗"超时清零时，该端输出信号由高电平变为低电平。

在系统正常工作时，来自 T_0(8751 的 14 脚)的"喂狗"脉冲送到 MAX813L 的 WDI 端，使 WDO 无输出，即系统不复位。一旦系统由于某种原因进入"死机"等状态，则不会有"喂狗"脉冲输出，最长在 1.6s 内系统将被复位，下位机实现自动热启动。

9.4.7 通信协议设计

MCS-51 单片机串行口有 4 种工作方式，由串行口控制器 SCON 设置其格式如下：

SCON	SM0	SM1	SM2	REN	TB8	RB8	TI	RI
位地址	9F	9E	9D	9C	9B	9A	99	98

SM0、SM1：控制串行口的工作方式。

SM2：允许方式 2 和方式 3 进行多机通信控制位。在方式 2 或方式 3 中，如 SM2 = 1，则接收到的第 9 位数据(RB8)为 0 时不激活 RI。在方式 1 时，如 SM2 = 1，则只有收到有效停止位时才激活 RI。若没有收到有效停止位，则 RI 清 0。在方式 0 中，SM2 应为 0。

REN：允许串行接收控制位。由软件置位时允许接收，由软件清零时禁止接收。

TB8：是工作在方式 2 和方式 3 时要发送的第 9 位数据，根据需要由软件置位或复位。

RB8：是工作在方式 2 和方式 3 时，接收到的第 9 位数据，在方式 1，如果 SM2 = 0，RB8 是接收到的停止位。在方式 0 中不使用 RB8。

TI：发送中继标志位，由硬件置位，软件清零。

RI：接收中继标志位，由硬件置位，软件清零。

本系统我们选用串行口工作方式 1。

9.4.7.1 波特率的设计

MCS-51 单片机串行通信的波特率随串行口工作方式选择不同而异，它除了与系统的振荡频率 f_{osc}、电源控制寄存器 PCON 的 SMOD 位有关外，还与定时器 T1 的设置有关。

(1)在串行口工作方式 0 时，波特率固定不变，仅与系统振荡频率 f_{osc} 有关，其大小为 $f_{osc}/12$。

(2)在串行口方式 2 时，波特率也只固定为两种：

当 SMOD = 1 时，波特率 $= 2^{SMOD}/64 \times f_{osc} = f_{osc}/32$；

当 SMOD = 0 时，波特率 $= 2^{SMOD}/64 \times f_{osc} = f_{osc}/64$。

(3)当串行口工作于方式 1 和方式 3 时，波特率是可变的：

波特率 $= 2^{SMOD}/64 \times$ 定时器 T1 的溢出率。

本系统采用串行口方式 1 工作，系统时钟频率 f_{osc} 为 11.0592MHz，当 SMOD = 1，通信波特率为 9600 时, 时间常数 $N = 256 - 2^1 \times 11.0592 \times 10^6 / 9600 \times 32 \times 12 = 250 = \text{FAH}$, 将此值置入 TH1, 可得实际的波特率及误差为:

$$波特率 = 2^{\text{SMOD}} / 32 \times f_{\text{osc}} / 12 \times (2^8 - N) = 9600$$

$$波特率误差 = (9600 - 9600) / 9600 = 0$$

9.4.7.2 通信数据的差错检测和校正

通信的关键不仅是能够传输数据, 更重要的是能准确地检出差错并加以校正。检出差错有 3 种基本方法:奇偶校验法、校验和法、循环冗余码校验(CRC)法。本系统在进行数据通信时采用校验和差错校验方法。该种校验方法是针对数据块, 而不是单个字符。在数据发送时, 发送方对块中数据简单求和, 产生一单字节校验字符(校验和)附加到数据块结尾。接收方对接收到的数据块进行算术求和后, 将所得的结果与接收到的校验和字符比较, 如果两者不同, 即表示接收有错。经实际使用证明其效果良好。

9.4.7.3 通信协议设计

系统主要通信参数:

    传输方式为异步串行方式, 半双工;

    传输速率为 9600bps;

    总线形式:RS-485;

    通信格式:1 位起始位, 8 位数据位, 1 位停止位, 无奇偶校验;

    通信距离为 1000m。

系统自定义通信协议格式如下:

A 上位机向下位机发布命令的数据格式

引导标志字节	地址字节	命 令	参数 1	参数 2	校验和

引导标志字节值为 55H;

地址字节内容:

    00H:群呼地址;

    01H:1 号下位机地址;

    02H:2 号下位机地址;

    03H:3 号下位机地址;

    04H:4 号下位机地址;

命令字节中命令值为:

    11H:取回当前状态值(DI 输入);

    22H:取回计时值, 其中参数 1 对应各设备或控制对象, 参数 2 中内容 00H 为取停车时间, 11H 为取开车时间;

    1 号下位机参数 1 值:

    B1H:卷扬机;

    B2H:破碎机;

    B3H:小磨;

    B4H:旧大磨;

    B5H:新大磨;

B6H:1 号球磨机；

B7H:2 号球磨机；

B8H:3 号球磨机；

33H:设定输出动作,其中参数 1 对应各设备及状态(高 4 位为状态,0 为吸合,1 为断开,低 4 位为设备数),参数 2 为动作时间；

44H:清计时值；

66H:取故障或报警值；

77H:时钟同步,群呼,整时自动进行。

B 下位机向上位机应答命令格式

引导标志字节	地址字节	命令	参数 1	参数 2	校验和

引导标志字节值为 AAH；

地址字节内容为：

01H:1 号下位机地址；

02H:2 号下位机地址；

03H:3 号下位机地址；

04H:4 号下位机地址；

接收群呼命令时不应答。

命令字节中命令值为：

11H:参数 1 为 DI0~DI7 状态(0 为闭合,1 为断开),参数 2 为 DI8~DI15；

其中 1 号下位机：

DI0:卷扬机；

DI1:破碎机；

DI2:小磨；

DI3:旧大磨；

DI4:新大磨；

DI5:1 号球磨机；

DI6:2 号球磨机；

DI7:3 号球磨机；

2 号下位机：

DI0:第一槽；

DI1:第二槽；

DI2:第三槽；

DI3:第四槽；

3 号下位机：

DI0:配药箱药位；

DI1:配药箱水位；

DI2:加药箱药位；

DI3:有无高压气体；

4 号下位机：

    DI0：炭浆吸附槽 1 液位；

    DI1：炭浆吸附槽 2 液位；

    DI2：炭浆吸附槽 3 液位；

    DI3：炭浆吸附槽 4 液位；

    DI4：炭浆吸附槽搅拌 1；

    DI5：炭浆吸附槽搅拌 2；

    DI6：炭浆吸附槽搅拌 3；

    DI7：炭浆吸附槽搅拌 4；

22H：参数 1 为对应的设备或控制对象，参数 2 为开、停车时间（单位为分）；

33H：原值回复；

44H：参数 1，参数 2 为 0；

66H：有故障或报警，参数 1 为设备，参数 2 为故障或报警代号；无故障或报警时，其参数 1、参数 2 都为 00H。

9.4.8 下位机软件设计

由于 4 台下位功能不同，程序设计也不同，现分别介绍如下。

9.4.8.1 1 号下位机软件设计

该下位机采用 PL/M-51 高级语言编程，采用模块化结构设计，整个应用系统主要由如下的几个子程序模块组成：

（1）8751 初始化子程序。该子程序包括以下主要功能：

● 进行中断设置；

● 设置软件定时器及其定时时间；

● 设置串行口通信命令字。

（2）实时采样子程序。主要用于完成对卷扬机、破碎机、小磨、旧大磨、新大磨、1 号球磨机、2 号球磨机、3 号球磨机等 8 台设备开、停的实时检测。

（3）数字滤波子程序。主要用于消除实时检测过程中的噪声干扰。

（4）通信子程序。将本机累计的设备开、停时间的数值通过串行口传递给上位机，并随时接收上位机发布的命令。

整个应用系统程序流程图如下：图 9.24 为 T0 中断程序流程图，图 9.25 为串行口中断程序流程图，图 9.26 为主程序流程图。

9.4.8.2 2 号下位机软件设计

该下位机采用 PL/M-51 高级语言编程，采用模块化结构设计，整个应用系统主要由如下的几个子程序模块组成：

（1）8751 初始化子程序。该子程序包括以下主要功能：

● 进行中断设置；

● 设置软件定时器及其定时时间；

● 设置串行口通信命令字。

（2）DO 子程序。主要用于完成对第 1 槽至第 4 槽的电磁阀开闭信号的输出控制。

（3）DI 子程序。主要用于检测对第 1 槽至第 4 槽的电磁阀闭合状态下有无高压气体的输出。

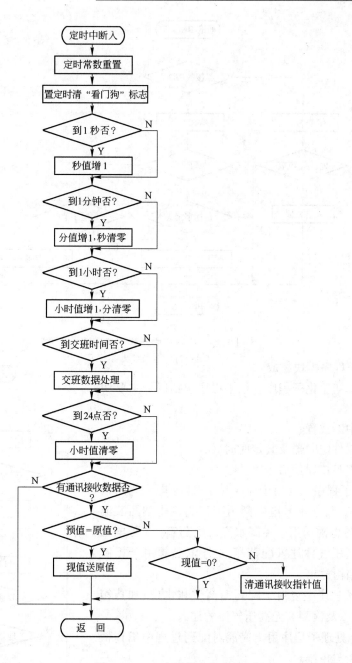

图 9.24 T0 中断程序流程图

（4）智能处理子程序。完成对提串炭工作情况的智能诊断。

（5）通信子程序。将本机控制对象炭浆槽的电磁阀的开关状态及有无高压气体传送给上位机，并随时接收上位机发布的命令。

本下位机 T0 中断程序流程图，串行口中断程序流程图，主程序流程图与 1 号下位机相同，程序只是在处理命令时不同，充分体现了模块化的设计思想。

9.4.8.3　3 号下位机软件设计

该下位机采用 PL/M-51 高级语言编程，采用模块化结构设计，整个应用系统主要由

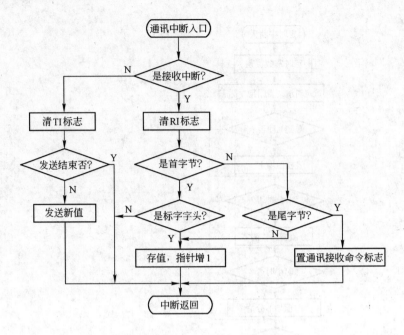

图 9.25 串行口中断程序流程图

如下的几个子程序模块组成：

（1）8751 初始化子程序。该子程序包括以下主要功能：

● 进行中断设置；

● 设置软件定时器及其定时时间；

● 设置串行口通信命令字。

（2）DO 子程序主要用于完成对 1～4 号电磁阀的输出信号的控制，其中 1 号电磁阀用于控制氰化钠药液流入配药箱，2 号电磁阀用于控制水流入配药箱。3 号电磁阀用于控制高压气体注入配药箱，4 号电磁阀用于控制气体从配药箱内放出。

（3）DI 子程序主要用于配药箱药位和水位、加药箱药位的检测，以及检测有无高压气体的注入。

（4）智能处理子程序用于完成对配药过程中工作情况的智能诊断与控制。

（5）通信子程序将本机 DO 和 DI 的状态传送给上位机，并随时接收上位机发布的命令。

本下位机 T0 中断程序流程图，串行口中断程序流程图，主程序流程图与 1 号下位机基本相同，只是在处理命令时不同。

9.4.8.4 4 号下位机软件设计

该下位机采用 PL/M-51 高级语言编程，采用模块

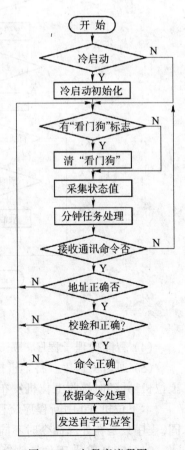

图 9.26 主程序流程图

化结构设计,整个应用系统主要由如下的几个子程序模块组成:

(1) 8751 初始化子程序。该子程序包括以下主要功能:

● 进行中断设置;

● 设置软件定时器及其定时时间;

● 设置串行口通信命令字。

(2) DI 子程序。主要用于完成对炭浆槽液位的检测,防止冒槽,以及对搅拌情况的检测。

(3) 智能处理子程序。用于完成对是否冒槽和电动机工作情况的智能诊断。

(4) 通信子程序。将本机检测和分析结果传送给上位机。

本下位机 T0 中断程序流程图,串行口中断程序流程图,主程序流程图与 1 号下位机基本相同,只是在处理命令时不同。

9.4.8.5　上位机软件设计

上位机硬件平台是台湾研华公司生产的一台工业控制 PC 机(IPC610),软件平台为微软视窗操作系统 WINDOWS 98,由于上位机所有应用程序全部都是基于视窗操作系统开发的,因此,应用系统具有较好的人机交互界面和较高的工作效率。

上位机系统的监控和管理软件采用模块化结构,全部软件采用可视化高级编程语言 Visual BASIC 6.0 开发,因而,系统具有较高的可移植性、可维护性和可扩充性。这里只介绍几个最主要的模块设计。

A　通信模块设计

上位机与下位机的通信是由 Timer 控件定时调用 MSCOMM 控件来实现的,这里简要介绍 MSCOMM 控件。

MSCOMM 控件提供两种通信方式:

a　事件驱动通信方式

事件驱动通信方式是处理串行口交互作用的一种非常有效的方法。当使用事件驱动方式通信时,正确的理解和设置 Sthreshold、Rthreshold 的属性值是完成正常通信的关键。假设 Sthreshold $= n$,仅当发送缓冲区的字符数由 n 降为 $n-1$ 时,CommEvent 属性才被设置为 MSCOMM_EV_SEND,且 OnComm 事件被触发,假如输出队列中的字符数未曾超过 n 值,则 CommEvent 属性就不会被置为 MSCOMM_EV_SEND,即 OnComm 事件永远不会被触发。而在实际通信过程中,Rthreshold 的属性值要按照每次接收的字符个数来确定,以便每当接收到预定的字符数时就触发 OnComm 事件。

b　查询通信方式

在执行完程序的每个关键功能之后,可以通过检查 CommEvent 属性的值来查询事件的错误。如果应用程序较小并且是自保持的,这种方法可能是更可取的。本系统采用此种通信处理方式。

MSCOMM 控件的主要属性有:

通信控件 MSCOMM 有一个通信事件(OnComm 事件),27 个属性及 2 个通信函数。大部分属性仅与 Modem 连接在串行通信时才使用。常用重要的属性分述如下:

Commport:指定使用某一串行口通信,缺省值为 COM1;可设置 1~16 个,但每个通信控件只对应一个串口。

Settings：初始化串口通信参数，包括波特率、奇偶校验、数据位数、停止位数。

Input：读入并清除接收缓冲区字符，每次读入个数由 Inputlen 属性决定；若无 Inputlen 个数的字符，则返回 0 长度字符""；读取前，用户可检查 InBufferCount 属性值以确定接收缓冲区是否已达到 Inputlen 个数的字符。

Inputlen：每次 Input 读入的字符个数，缺省值为 0，表示读取接收缓冲区全部内容。

InBufferSize：设置接收缓冲区的大小，缺省值为 1024 字节。

InBufferCount：返回接收缓冲区中已接收的字符数，通过置 0 可清除接收缓冲区。

Output：写数据到发送缓冲区，可传送文本或二进制数据，数据须声明为 Variant 变量。

OutBufferSize：设置发送缓冲区的大小，缺省值为 512 字节。

OutBufferCount：返回发送缓冲区中等待发送的字符数，通过置 0 可清除发送缓冲区。

PortOpen：通信开始前打开串行口。

PortClose：通信结束后关闭串行口。

Sthreshold：设置某一数值，一旦发送缓冲区的字符数降低到少于该设定值时，就会置 CommEvent 属性为 MSCOMM_EV_SEN，且 OnComm 事件被触发，其缺省值为 0，表示不能触发 OnComm 事件；为 1 则当发送缓冲区空时就触发 OnComm 事件；用该属性可完成发送数据后的一系列处理，例如和 Modem 通信时，发完数据后进行拆线、挂机操作等。

Rthreshold：设置某一数值，每次该数值个数的字符被放到接收缓冲区，CommEvent 属性就被置为 MSCOMM_EV_RECEIVE，且触发 OnComm 事件，缺省值为 0，表示不能触发 OnComm 事件；用该属性可完成对串口接收数据的处理。

CommEvent：返回最近刚发生的事件或错误的代码值，当 Sthreshold、Rthresholdw 为 0 时，该属性将不再追踪响应 ComEvReceive、ComEvSend 事件；每当 CommEvent 属性值变化时就会产生 OnComm 事件，指示一个通信事件或错误发生。

OnComm 事件使用语法：Private Sub Object.OnComm( )，Object 是所用通信控件名。

本系统用 VB 编写的通信程序段如下：

```
    rep_num = 0
comm_start:
    '初始化
    Comm1.DTREnable = False '发送数据端数据发送允许控制
    comm_error = 0
    monitor_comm_err = False
    bak2 = time_limit            '设定超时时基
    frm_main.MSComm1.Output = c_command( ) '发送数据
    Do                           '等待数据发送结束
       i_temp1 = DoEvents( )
    Loop Until frm_main.MSComm1.OutBufferCount = 0
    frm_main.MSComm1.InBufferCount = 0
    Comm1.DTREnable = True '发送数据端数据发送禁止控制
    comm_in_counter = 0
    '等待接受数据
```

```
Do
    i_temp1 = DoEvents()
    If Abs(time_limit - bak2) > limit_val Then
        comm_error = 1          '接收超时错,置错误标志
        Exit Do                 '退出接收等待状态
    End If
Loop Until frm_main.MSComm1.InBufferCount > comm_long_1
'判断是否是超时退出
If comm_error = 1 Then
    rep_num = rep_num + 1
    If rep_num > 3 Then
        selresult = MsgBox("通讯超时错误,请检查通讯线、通讯适配器电源及
            控制计算机状态!", 16 + 0, "通 讯 错 误 告 警")
        monitor_comm_err = True '置错误退出标志
        Exit Sub                '错误退出
    Else
        GoTo comm_start         '再一次重复发送数据
    End If
Else
    '取得通信接收结果
    in_string = frm_main.MSComm1.Input
End If
```

B　数据处理模块设计

每个下位机的处理任务对应上位机的一个数据处理模块,与 1 号下位机对应的数据处理模块用于对 8 台设备三个班次当日、当月开停时间的累计。与 2 号下位机对应的数据处理模块用于对提串炭时间的统计。与 3 号下位机对应的数据处理模块用于对配药次数统计。与 4 号下位机对应的数据处理模块用于对搅拌和液位状态的记录。

C　打印显示模块设计

用于打印记录的历史数据。

D　查询模块设计

用于查询记录的历史数据。图 9.27 是选厂设备开停时间的典型查询画面。

E　上位机人机界面设计

上位机人机界面是基于视窗操作系统 WINDOWS 98 的人机交互界面,系统共有 4 个主要的界面,即每个画面对应一个下位机,各项数据均可实现由上位机显示。图 9.28 是 1 号下位机对应的画面。

9.4.9　智能诊断程序设计

在下位机系统中,2 号下位机、3 号下位机和 4 号下位机均采用了智能诊断技术。对于 2 号下位机当要进行提串炭时,对电磁阀、合时间系统不能只简单地进行断、合两个状态操作,而要检测操作的结果,比如电磁阀闭合时,要检测某一时间段内有无高压气体送出,经

选厂设备开停时间统计 2000-7-17

		本 日						月 累 计				
		实 开 时 间			停 车 时 间			实 开 时 间			停 车 时 间		
		白班	四点	零点	白班	四点	零点	白班	四点班	零点班	白班	四点班	零点班
1	北卷扬	0:0	0:13	0:0	0:0	4:22	0:0	56:36	44:46	56:29	39:24	51:14	38:30
2	虎口	0:0	0:13	0:0	0:0	4:22	0:0	59:44	33:15	57:29	36:16	62:45	37:30
3	小磨	0:0	0:13	0:0	0:0	4:22	0:0	0:0	0:0	0:0	96:0	96:0	94:59
4	旧大磨	0:0	0:13	0:0	0:0	4:22	0:0	0:0	0:0	0:0	96:0	96:0	94:59
5	新大磨	0:0	0:13	0:0	0:0	4:22	0:0	58:34	34:27	56:31	37:26	61:33	38:28
6	1号球磨	0:0	0:13	0:0	0:0	4:22	0:0	91:45	94:29	86:4	4:15	1:31	8:55
7	2号球磨	0:0	0:13	0:0	0:0	4:35	0:0	83:5	75:20	83:2	12:55	20:40	11:57
8	3号球磨	0:0	0:13	0:0	0:0	4:22	0:0	57:18	51:35	53:36	38:42	44:25	41:23

图 9.27　设备开停时间的查询画面

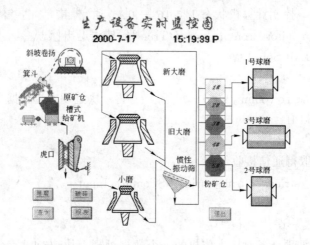

图 9.28　设备监控画面

智能诊断后,告知上位机系统。对于 3 号下位机在进行配药时,要对药液液位、水和药混合后的液位进行检测,来对药液和水是否注入以及高压气体是否送入及向高位药箱输送药液是否正常做出智能诊断,并将结果传送至上位机。对于 4 号下位机,检测炭浆吸附槽的液位,防止冒槽;在搅拌过程中,根据检测电机的转速来判断几种可能的情况。假设电动机正常工作时转速的范围为 $n_1 \sim n_2 (n_1 > n_2)$,当系统检测到转速大于 n_1 时,我们就可以判断电动机有可能空载,造成空载的原因可能是搅拌的叶片已丢失或损坏,经智能诊断后,可告知上位机系统出现了故障,当转速小于 n_2 时,我们就可以判断炭浆浓度过大或传动机械故障,经智能诊断后,可告知上位机搅拌系统工作异常。通过对系统加入简单的智能诊断方法,充分发挥了计算机监控系统在生产中的优化作用,使生产和管理提高了水平,上了档次。

附录 习题与答案

习 题

1.1 什么是计算机控制系统,计算机控制系统比模拟量系统有何优点? 举例说明。

1.2 计算机控制系统由哪几部分组成,各部分作用如何?

1.3 试说明图 1.3 中炉温计算机控制系统,当电源电压下降时,系统调温过程为什么能维持温度不变?

1.4 举一个计算机控制系统的例子,画出计算机控制系统方框图,说明其工作原理。

2.1 利用 IBM-PC 总线,设计一个能选 8 个输入口与 8 个输出口地址的详细地址电路图,并加以简要说明。

2.2 设计一个 32 路开关量输入与 32 路开关量输出的电路图,并配有输入与输出程序。

2.3 画出光电隔离器 521-4 作为一路开关量输入的电路图,并简要说明。

2.4 设计一个两路模拟量输入(0~10V)和一路模拟量(0~5V)输出的电路图。并编制模/数转换程序、数字滤波程序及数/模转换程序。

3.1 证明下列关系式

(1) $Z[a^k] = \dfrac{1}{1 - az^{-1}}$

(2) $Z[a^k f(t)] = F\left(\dfrac{z}{a}\right)$

(3) $Z[tf(t)] = -Tz\dfrac{\mathrm{d}}{\mathrm{d}z}F(z)$

(4) $Z[t^2] = \dfrac{T^2 z^{-1}(1 + z^{-1})}{(1 - z^{-1})^3}$

(5) $Z[te^{-at}] = \dfrac{Te^{-aT}z^{-1}}{(1 - e^{-aT}z^{-1})^2}$

(6) $Z[a^t f(t)] = F(a^{-T}z)$

(7) $Z[t] = \dfrac{Tz^{-1}}{(1 - z^{-1})^2}$

3.2 用部分分式法和留数法求下列函数 Z 变换

(1) $F(s) = \dfrac{1}{s(s+1)}$

(2) $F(s) = \dfrac{s+1}{(s+3)(s+2)}$

(3) $F(s) = \dfrac{s+1}{(s+3)^2(s+2)}$

(4) $F(s) = \dfrac{s+3}{(s+2)^2(s+1)}$

(5) $F(s) = \dfrac{1 - e^{-sT}}{s(s+1)^2}$

(6) $F(s) = \dfrac{1 - e^{-sT}}{s^2(s+1)}$

(7) $F(s) = \dfrac{1 - e^{-sT}}{s(s+1)}$

3.3 用极数求和法求下列函数的 Z 变换。

(1) $f(k) = a^k$

(2) $f(k) = a^{k-1}$

(3) $f(t) = ta^{k-1}$

(4) $f(t) = t^2 e^{-5t}$

(5) $f(t) = \sin\omega t$

3.4 用长除法、部分分式法、留数法对下式进行反变换

(1) $F(z) = \dfrac{z^{-1}(1 - e^{-aT})}{(1 - z^{-1})(1 - e^{-aT}z^{-1})}$

(2) $F(z) = \dfrac{z(1 - e^{-aT})}{(z-1)(z - e^{-aT})}$

(3) $F(z) = \dfrac{-6 + 2z^{-1}}{1 - 2z^{-1} + z^{-2}}$

(4) $F(z) = \dfrac{0.5z^{-1}}{1 - 1.5z^{-1} + 0.5z^{-2}}$

(5) $F(z) = \dfrac{-3 + z^{-1}}{1 - 2z^{-1} + z^{-2}}$

(6) $F(z) = \dfrac{z}{(z-2)(z-1)^2}$

(7) $F(z) = \dfrac{2z^{-1}}{(1 - z^{-1})(1 - 2z^{-1})}$

3.5 用迭代法求解差分方程

(1) $y(k+2) + 3y(k+1) + 2y(k) = 0$ 已知 $y(0) = 1, y(1) = 2$

(2) $y(k+2) - 3y(k+1) + 2y(k) = \delta(t)$ 已知 $y(0) = 0$

(3) $y(k) + 2y(k-1) = k - 2$ 已知 $y(0) = 1$

(4) $y(k) + 2y(k-1) + y(k-2) = 3k$ 已知 $y(-1) = 0, y(0) = 0$

(5) $y(k) + 2y(k-1) + y(k-2) = x(k) + x(k-1)$

已知 $x(k) = \begin{cases} 4^k & k < 0 \\ 5^{-k} & k \geq 0 \end{cases}$ $f(-1) = 4 \quad f(-2) = 6$

(6) $y(k) - y(k-1) - y(k-2) = 0$ 已知 $f(1) = 1 \quad f(2) = 1$

3.6 用 Z 变换求解下列差分方程。

(1) $f(k) - 6f(k-1) + 10f(k-2) = 0$

已知 $f(1) = 1, f(2) = 3$

(2) $f(k+2) - 3f(k+1) + f(k) = 1$

已知 $f(0) = 0, f(1) = 0$

(3) $f(k) - f(k-1) - f(k-2) = 0$

已知 $f(1) = 1, f(2) = 1$

(4) $f(k) + 2f(k-1) = x(k) - x(k-1)$

已知 $x(k) = k^2, f(0) = 1$

(5) $f(k+2) + 3f(k+1) + 2f(k) = 0$

已知 $f(0) = 0, f(1) = 1$

(6) $f(k) + 2f(k-1) + f(k-2) = 3^k$

已知 $f(-1) = 0, f(0) = 0$

3.7 试求下列各环节(或系统)的脉冲传函

(1) $W(s) = \dfrac{k}{s(T_1 s + a)}$

(2) $W(s) = \dfrac{1 - e^{-sT}}{s} \cdot \dfrac{k}{s(s + a)}$

3.8 推导下列各图输出量的 Z 变换

(1)

(2)

(3)

(4)

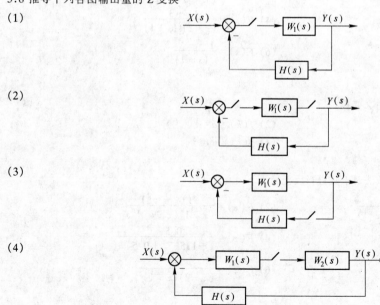

(5)

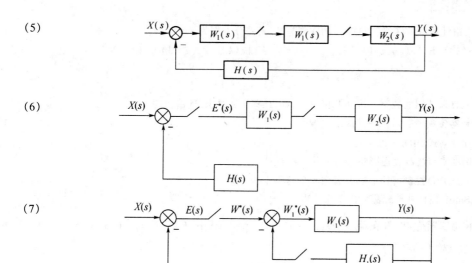

(6)

(7)

3.9 求下图所示闭环系统脉冲传递函数。

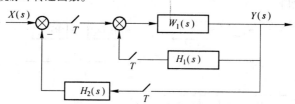

3.10 离散控制系统如下图所示,当输入为单位阶跃函数时,求其输出响应。

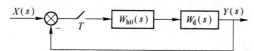

图中 $T = 1\text{s}$, $W_{h0}(s) = \dfrac{1 - \text{e}^{-sT}}{s}$, $W_{d}(s) = \dfrac{4}{s + 1}$。

3.11 离散控制系统如下图所示,求使系统处于稳定状态的 k 值。

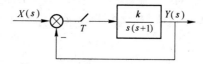

3.12 离散控制系统如下图所示,试求系统在输入信号分别为 $1(t)$, t, $\dfrac{1}{2} t_2$ 时的系统稳态误差。

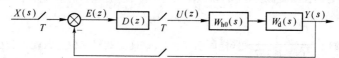

图中 $T = 1\text{s}$, $W_{h0}(s) = \dfrac{1 - \text{e}^{-sT}}{s}$, $W_{d}(s) = \dfrac{4}{s + 1}$。

3.13 离散控制系统如下图所示,试证当输入为单位阶跃函数时的系统的稳态误差为零。

图中 $D(z)$ 为由计算机软件实现的数字 PID 调节器,其差分方程为

$$u(k) = K_P[e(k) - e(k-1)] + K_1 e(k) + K_D[e(k) - 2e(k-1) + e(k-2)]$$

$$W_d(s) = \frac{k}{s(T_1 s + 1)(T_2 s + 1)}$$

4.1 什么叫模拟 PID 调节器的数字实现,它对采样周期 T 有什么要求,理由何在?

4.2 讨论 PID 控制器各项系数对系统性能的影响。

4.3 经常采用积分分离式 PID,原因何在?

4.4 扩充临界比例度法与过渡过程影响法各有什么特点?

4.5 随机干扰对数字 PID 控制有何影响? 怎样减少这类干扰?

4.6 用框图说明 Smith 预估补偿纯滞后的工作原理。

4.7 已知系统的校正装置为 PI 调节器,即 $D(s) = K_p\left(1 + \dfrac{1}{T_i s}\right)$,其中,$K_P = 3$,$T_i = 0.5$,采样周期 $T = 0.1\text{s}$,求其位置式输出的差分方程。

4.8 已知系统的校正装置为 PID 调节器,即 $D(s) = \dfrac{2(5s+1)(4s+1)}{5s}$,求其位置式与增量式输出的差分方程。画出程序流图。

4.9 某系统动态机构图如下:

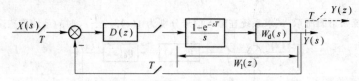

其中 $\quad W_d(s) = \dfrac{K_0}{(T_1 s + 1)(T_2 s + 1)(T_3 s + 1)}$

$T_1 = 2.859(s) \quad T_2 = 1(s) \quad T_3 = 0.47(s) \quad K_0 = 1$

$D(z)$ 由 PID 实现,求将系统校正成典型三阶对称最佳系统的 $D(s)$,并推导 DDC 系统的算法公式。当用积分分离法时,写出 PD 算法公式,画程序流图。

4.10 上题按典型二阶线性系统来设计。

4.11 说明 Smith 预估控制方法的补偿原理。

4.12 如习题 4.9 给出的系统方框图所示,$D(z)$ 由 PID 实现,当 $W_d(s) = \dfrac{e^{-3s}}{30s + 1}$,$T = 1\text{s}$,采用 Smith 控制方法,设计 Smith 控制器,写出 Smith 控制器输出的差分方程与 $D(z)$ 输出的差分方程。

5.1 什么叫采样系统的直接数字化设计,最少拍设计的要求是什么,在设计过程中怎样满足这些要求,它有什么局限性,怎样解决?

5.2 如下图所示计算机控制系统

已知:$W_1(z) = \dfrac{0.5z^{-1}}{1 - 0.5z^{-1}}$,采样周期 $T = 1\text{s}$,试确定单位速度输入时最少拍控制器 $D(z)$,求系统输出在采样时刻的值。

5.3 讨论 5.2 题已确定的控制器系统对单位阶跃输入与单位加速度输入的响应,用图形表示。说明了什么问题,如何解决?

5.4 如上图,若 $W_d(s) = \dfrac{2.1}{s^2(s + 1.252)}$,采样周期 $T = 1\text{s}$,试确定其对单位阶跃输入最少拍无纹波控制器

$D(z)$,用图形描述控制器输出 $u(k)$,系统输出 $y(k)$序列。

5.5 如上图,若 $W_1(z) = \dfrac{2.2z^{-1}}{1+1.2z^{-1}}$,讨论系统对单位阶跃输入的无纹波最少拍控制。

5.6 什么叫振铃现象。在使用大林算法时,振铃现象是由哪一部分引起的,为什么?

5.7 振铃现象如何消除。试求出二阶惯性加纯滞后被控对象应用大林算法时无振铃的控制器。

5.8 直接数字控制的数字设计中,是否允许数字控制器有在单位圆外的极点,实际物理过程的稳定性取决于哪些量?

5.9 如习题 5.2 图所示,若 $W_d = \dfrac{1}{4s+1}$,采样周期 $T=1s$,试确定其对单位阶跃输入最少拍无纹波控制器 $D(z)$,用图形描述控制器输出 $u(k)$,系统输出 $y(k)$序列。

6.1 被控系统的方框图如图 6.8(第六章第三节)所示。

$$W_d(s) = \frac{1}{s^2}$$

试求其离散状态方程。

6.2 设连续状态方程为

$$\dot{X}(t) = AX(t) + Bu(t)$$

$$Y(t) = \begin{bmatrix} 1 & 0 \end{bmatrix} \begin{bmatrix} X_1(t) \\ X_2(t) \end{bmatrix}$$

其中　$A = \begin{bmatrix} -2 & 2 \\ 0.5 & -0.75 \end{bmatrix}$　　$B = \begin{bmatrix} 0 \\ 0.5 \end{bmatrix}$

$T = 0.25s$,求其离散状态方程。

6.3 已知离散状态方程为 $\qquad X = FX + Gu$

其中 $\qquad\qquad\qquad F = \begin{bmatrix} 1 & -0.2 \\ 0.4 & 0.4 \end{bmatrix}$

$$G = \begin{bmatrix} 1 \\ 1 \end{bmatrix}$$

此系统是否可控?

6.4 已知离散状态方程为 $\qquad X = FX + Gu$

$$Y = CX$$

其中　$F = \begin{bmatrix} 1 & T \\ 0 & 1 \end{bmatrix}, G = \begin{bmatrix} \dfrac{T^2}{2} \\ T \end{bmatrix}, C = \begin{bmatrix} 0 & 1 \end{bmatrix}$

采样周期 $T=1s$,求此系统是否可观测?

6.5 习题 6.1 所示系统,对于极点配置为 $z_1 = 0.6, z_2 = 0.8$,当采样周期 $T=0.1s$ 时,试按全部状态可测时,用极点配置法设计控制规律。

6.6 在习题 6.2 中,若极点配置在 $z = 0.5 \pm j0.2$ 处,试按全部状态可测时,用极点配置设计控制规律。

6.7 现仍以习题 6.5 的数据说明观测器的设计步骤,当将观测器特征方程的两个根设置在 $z = 0.9 \pm j0.1$ 时,设计其观测器。

6.8 现仍以习题 6.5 的习题对象,要求设计降阶观测器,假定 X_1 是能观测的状态,X_2 是需要估计的状态,假定将观测器的极点配置在原点,即 $\alpha_e(z) = z$,求预报观测器的增益矩阵 k。

6.9 以习题 6.2 的数据为例,其中 $X_1(k)$ 可测。利用估计的 $X_2(k)$ 的状态反馈来产生控制作用。用分离原理,计算反馈增益矩阵 L 与观测器增益矩阵 k(观测器的极点配置为 $z = 0.4 \pm j0.2$,控制器的极点配置为 $z = 0.5 \pm j0.2$)。

6.10 有一位置控制系统,其状态空间表达式为

$$\begin{bmatrix} \dot{X}_1(t) \\ \dot{X}_2(t) \end{bmatrix} = \begin{bmatrix} -1 & 0 \\ 1 & 0 \end{bmatrix} \begin{bmatrix} X_1(t) \\ X_2(t) \end{bmatrix} + \begin{bmatrix} 1 \\ 0 \end{bmatrix} u(t), Y(t) = \begin{bmatrix} 0 & 1 \end{bmatrix} \begin{bmatrix} X_1(t) \\ X_2(t) \end{bmatrix}$$

当采样周期 $T = 1s$ 时,求

1. 离散状态方程

2. 设计一个预报观测器,若将观测器特征方程的两个根设置在原点,即 $\alpha_e(z) = z^2$,求此观测器所需的增益 k_1 和 k_2。

7.1 为什么要采用递阶和分布式计算机控制系统结构,对其研究包括哪几个方面?

7.2 试述递阶和分布式计算机控制系统的层次结构的发展方向。

7.3 什么是现场总线?

7.4 简述现场总线的特点?

7.5 简述嵌入式测控系统选用实时操作系统的优点。

7.6 简述集散控制系统(DCS)与现场总线控制系统(FCS)的异同点。

7.7 为什么要采用差错控制技术,常用的差错控制编码有哪几种?

7.8 简述 CAN 总线的基本特点。CAN 总线的无损伤仲裁方法在实际应用中有何意义?

7.9 CAN 总线的物理位值表达及 CAN 总线的故障管理方法各有何实际意义?

7.10 除了独立的 CAN 控制器 SJA1000 外还有哪些 CAN 控制器可供选用,它们各有什么特点?

7.11 CAN 总线专用通信接口芯片有什么特点? 它们是否可以用不同 CAN 控制器相连而取代直接同单片机相连做通信物理接口用?

7.12 DeviceNet 现场总线则采用了生产者/消费者通信模式与地址选择通信模式相比有何意义?

7.13 用你所熟悉的单片机及 CAN 总线设计一个小型的分布式控制系统。

8.1 计算机系统设计有哪些基本要求?

8.2 计算机系统设计有哪些方式?

8.3 计算机系统设计步骤有哪些?

8.4 采用组态软件编程有什么特点?

8.5 采用哪些措施来提高系统的可靠性?

9.1 可靠性技术对工业计算机控制系统安全可靠工作有何意义?

9.2 干扰是怎么形成并如何分类好一些?

9.3 工业计算机控制系统中有哪些好的硬件抗干扰方法? 你如何因地制宜地加以处理?

9.4 工业计算机控制系统中采用硬件冗余有何意义? 有哪些具体的限定条件?

9.5 软件抗干扰技术有何意义? 通过"看门狗"定时器的工作过程来说明软硬件配合实现抗干扰的方法。

9.6 模拟信号和数字信号为什么采用不同的滤波方法? 它们可否相互替代使用?

9.7 选择任意一种模拟信号和数字信号滤波方法编制相应的软件并画出相应的程序流程图。

9.8 工业计算机控制系统中的实时自诊断有何意义? 试用 74HC165 等并-串转换接口芯片设计一个键盘接口电路并实现键盘连键及键盘是否接入的情况的诊断工作。

9.9 为什么有时要为嵌入式微机设计实时操作系统?

9.10 采用组态软件有何意义,它有哪些使用限定条件?

部分习题参考答案

3.1

证明:

(2) $Z\left[a^k f(t)\right] = F\left(\dfrac{z}{a}\right)$

$$Z[a^k f(t)] = a^0 f(0T)z^0 + a^1 f(1T)z^{-1} + a^2 f(2T)z^{-2} + \cdots\cdots$$
$$= f(0T)(a^{-1}z)^0 + f(1T)(a^{-1}z)^{-1} + f(2T)(a^{-1}z)^{-2}$$
$$= F(a^{-1}z) = F\left(\frac{z}{a}\right)$$

(3) $Z[tf(t)] = -Tz\dfrac{\mathrm{d}}{\mathrm{d}z}F(z)$

证明:

$$Z[tf(t)] = (1T)f(1T)z^{-1} + (2T)f(2T)z^{-2} + (3T)f(3T)z^{-3} + \cdots$$
$$= -Tz[-f(1T)z^{-2} - 2f(2T)z^{-3} - 2(3T)z^{-4} + \cdots]$$
$$\frac{\mathrm{d}}{\mathrm{d}z}[F(z)] = \frac{\mathrm{d}}{\mathrm{d}z}[f(0T)z^0 + f(1T)z^{-1} + f(2T)z^{-2} + f(3T)z^{-3} + \cdots]$$
$$= -f(1T)z^{-2} - 2f(2T)z^{-3} - 3f(3T)z^{-4} - \cdots$$

所以
$$Z[tf(t)] = -Tz\frac{\mathrm{d}}{\mathrm{d}z}F(z)$$

3.2

(3)
$$F(z) = \frac{2Te^{-3T}z^{-1}}{(1-e^{-3T}z^{-1})^2} + \frac{1}{1-e^{-3T}z^{-1}} - \frac{1}{1-e^{-2T}z^{-1}}$$

(4)
$$F(z) = \frac{-Te^{-2T}z^{-1}}{(1-e^{-2T}z^{-1})^2} - \frac{2}{1-e^{-2T}z^{-1}} + \frac{2}{1-e^{-T}z^{-1}}$$

(5)
$$F(z) = (1-z^{-1})z\left[\frac{1}{s(s+1)^2}\right]$$
$$= (1-z^{-1})\left\{\frac{1}{1-z^{-1}} - \frac{1}{1-e^{-T}z} - \frac{Te^{-T}z^{-1}}{(1-e^{-T}z)^2}\right\}$$

3.3

(4) $f(t) = t^2 e^{-5t}$
$$F(z) = T^2 e^{-5T}z^{-1} + (2T)^2 e^{-5\times2T}z^{-2} + (3T)^3 e^{-5\times3T}z^{-3} + \cdots \tag{1}$$

式(1)$\times e^{-5T}z^{-1}$:
$$e^{-5T}z^{-1}F(z) = T^2 e^{-5\times2T}z^{-2} + (2T)^2 e^{-5\times3T}z^{-3} + \cdots \tag{2}$$

式(1)$-$式(2),得:
$$(1-e^{-5T}z^{-1})F(z) = T^2 e^{-5T}z^{-1} + 3T^2 e^{-5\times2T}z^{-2} + 5T^2 e^{-5\times3T}z^{-3} + \cdots$$
$$= T^2 e^{-5T}z^{-1}(1 + 3e^{-5T}z^{-1} + 5e^{-5\times2T}z^{-2} + \cdots)$$
$$= T^2 e^{-5T}z^{-1}\left(\frac{1}{1-e^{-5T}z^{-1}} + 2e^{-5T}z^{-1} + 4e^{-5\times2T}z^{-2} + \cdots\right)$$
$$= T^2 e^{-5T}z^{-1}\left(\frac{1}{1-e^{-5T}z^{-1}} + \frac{2e^{-5T}z^{-1}}{1-e^{-5T}z^{-1}} + \cdots\right)$$
$$= T^2 e^{-5T}z^{-1}\left(\frac{1 + 2e^{-5T}z^{-1} + 2e^{-5\times2T}z^{-2} + \cdots}{1-e^{-5T}z^{-1}}\right)$$
$$= \frac{T^2 e^{-5T}z^{-1}}{1-e^{-5T}z^{-1}}\left(1 + \frac{2e^{-5T}z^{-1}}{1-e^{-5T}z^{-1}}\right)$$
$$= \frac{T^2 e^{-5T}z^{-1}(1 + e^{-5T}z^{-1})}{(1-e^{-5T}z^{-1})^2}$$
$$F(z) = \frac{T^2 e^{-5T}z^{-1}(1 + e^{-5T}z^{-1})}{(1-e^{-5T}z^{-1})^3}$$

(5)
$$Z[\sin\omega t] = Z\left[\frac{e^{j\omega kT} - e^{-j\omega kT}}{2j}\right] = \frac{1}{2j}\left[\frac{z}{z-e^{j\omega T}} - \frac{z}{z-e^{-j\omega T}}\right]$$
$$= \frac{z\sin\omega T}{z^2 - 2z\cos\omega T + 1}$$

3.4

(1) $f^*(t) = (1-e^{-akT})\delta_T(t)$

(2) $f^*(t) = (1 - e^{-akT})\delta_T(t)$

(3) $f_1^*(t) = \dfrac{1}{T}\big[-6(t+T)\big]\delta_T(t)$

$\qquad = \displaystyle\sum_{K=0}^{\infty} \dfrac{1}{T}\big[-6(kT+T)\big]\delta_T(t-kT)$

$\qquad = \displaystyle\sum_{k=0}^{\infty} (-6k-6)\delta(t-kT)$

$f_1^*(t) = \dfrac{1}{T}(2t)\delta_T(t) = \displaystyle\sum_{k=0}^{\infty} \dfrac{1}{T}(2kT)\delta_T(t-kT) = \sum_{k=0}^{\infty} 2k\delta(t-kT)$

$f^*(t) = f_1^*(t) + f_2^*(t) = \displaystyle\sum_{k=0}^{\infty}(-4k-6)\delta(t-kT)$

长除法：$f^*(t) = -6\delta(t) - 10\delta(t-T) - 14\delta(t-2T) + \cdots$

(4) $f(kT) = -0.5 \times 0.5^k + 1 = 1 - 0.5^{k+1}$

长除法：$F(z) = 0.5z^{-1} + 0.75z^{-2} + 0.875z^{-3} + \cdots$

$\qquad f^*(t) = 0.5\delta(t-T) + 0.75\delta(t-2T) + 0.875\delta(t-3T) + \cdots$

(5) $f^*(t) = -3 - 5\delta(t-T) - 7\delta(t-2T)$

(6) $f^*(t) = [2^n - n - 1]\delta_T(t)$

(7) $f^*(t) = (-2 + 2^{k+1})\delta_T(t)$

3.5

(1) $f(0)=1, f(1)=2, f(2)=-8, f(3)=20, f(4)=44\cdots$

(2) $f(2)=1, f(3)=3, f(4)=7, f(5)=15\cdots$

(3) $f(1)=-3, f(2)=6, f(3)=-11, f(4)=24\cdots$

(4) $f(0)=0, f(1)=3, f(2)=3, f(3)=18, f(4)=42\cdots$

(5) $f(0)=-12.75, f(1)=-22.7, f(2)=-32.41, f(3)=-87.51\cdots$

(6) $f(1)=1, f(2)=1, f(3)=2, f(4)=3, f(5)=5\cdots$

3.6

(1) $F(z) = \dfrac{0.3 - 0.8z^{-1}}{1 - 6z^{-1} + 10z^{-2}} = 0.3 + z^{-1} + 3z^{-2} + 8z^{-3} + 18z^{-4} + \cdots$

$\qquad f(0)=0.3, f(1)=1, f(2)=3, f(3)=8, f(4)=18$

(2) $F(z) = \dfrac{1}{(z^2 - 3z + 1)(1 - z^{-1})}$

$\qquad f(2)=1, f(3)=4, f(4)=12, f(5)=33$

(4) $F(z) = \dfrac{z^3 - z^2 + 2z}{(z-1)^2(z+2)}$

$\qquad f(0)=1, f(1)=-1, f(2)=5, f(3)=5$

(5) $f^*(t) = [(-1)^k - (-2)^k]\delta_T(t)$

(6) $F(z) = \dfrac{3z^{-1}}{(1+z^{-1})^2(1-3z^{-1})}$

$\qquad = \dfrac{3z^{-1}}{1 - z^{-1} - 5z^{-2} - 3z^{-3}}$

$\qquad f(0)=0, f(1)=3, f(2)=3, f(3)=18, \cdots$

3.7

(1) $F(z) = \dfrac{\dfrac{k}{a}z^{-1}\big[(1 - e^{-\frac{a}{T_1}T})\big]}{(1 - z^{-1})(1 - e^{-\frac{a}{T_1}T}z^{-1})}$

$$F(z) = (1 - z^{-1})[\frac{k}{a} \cdot \frac{Tz^{-1}}{(1 - z^{-1})^2} - \frac{k}{a^2} \cdot \frac{1}{1 - z^{-1}} + \frac{k}{a^2} \cdot \frac{1}{1 - e^{-aT}z^{-1}}]$$

3.8

(1) $$E(z) = \frac{X(z)}{1 + W_1 H(z)}, \quad Y(z) = \frac{W_1(z)}{1 + W_1 H(z)} X(z)$$

(2) $$E(z) = \frac{X(z)}{1 - W_1(z) H(z)}, \quad Y(z) = \frac{W_1(z)}{1 + W_1(z) H(z)} X(z)$$

(3) $$Y(z) = \frac{X W_1(z)}{1 = H W_1(z)}$$

(4) $$Y(z) = \frac{X W_1(z) W_2(z)}{1 + W_2 H W_1(z)}$$

(5) $$Y(z) = \frac{X W_1(z) W_2(z) W_3(z)}{1 + W_2(z) W_1 W_3 H(z)}$$

(6) $$Y(z) = \frac{X(z) W_1(z) W_2(z)}{1 + W_1(z) W_2(z) H(z)}$$

(7) $$W_B = \frac{Y(z)}{X(z)} = \frac{W_1(z)}{1 + W_1 H_1(z) + W_1 H_2(z)}$$

3.10

$$W_K(z) = (1 - z^{-1})(\frac{2}{1 - z^{-1}} - \frac{2}{1 - e^{-T}z^{-1}})$$

$$= \frac{1.264 z^{-1}}{1 - 0.368 z^{-1}}$$

$$W_B(z) = \frac{W_K(z)}{1 + W_K(z)} = \frac{1.264}{0.896 + z}$$

$$Y(z) = \frac{1.264}{0.896 + z} \cdot \frac{z}{z - 1} = \frac{1.26 z}{z^2 - 0.104 z - 0.896}$$

$$= 1.264 z^{-1} + 0.13 z^{-2} + 1.145 z^{-3}$$

$$Y^*(t) = 1.264\delta(t - T) + 0.13\delta(t - 2T) + 1.145\delta(t - 3T)$$

3.11 解：

$$W_K(z) = \frac{k}{1 - z^{-1}} - \frac{k}{1 - e^{-T}z^{-1}}$$

特征方程式为

$$1 + W_K(z) = 0, \quad T = 1$$

$$1 + \frac{k}{1 - z^{-1}} - \frac{k}{1 - e^{-T}z^{-1}} = 0$$

$$(1 - z^{-1})(1 - 0.368 z^{-1}) + k(1 - 0.368 z^{-1}) - k(1 - z^{-1}) = 0$$

$$1 + (0.632k - 1.368)z + z^2 = 0$$

$$z = \frac{-(0.632k - 1.368) \pm \sqrt{(0.632k - 1.368)^2 - 4}}{2}$$

$$= \frac{1.368 - 0.632k \pm \sqrt{0.4k^2 - 1.73k - 2.13}}{2}$$

由上式解得满足系统稳定$|z| < 1$条件的k值范围是：$k < 4.32$。

4.8 解：

$$D(s) = 2(20s^2 + 9s + 1)/5s = 8s + 3.6 + 0.4 \frac{1}{s}$$

$$\frac{U(s)}{E(s)} = 3.6 + 0.4 \frac{1}{s} + 8s$$

$$u(t) = 3.6e(t) + 0.4\int e(t)\mathrm{d}t + 8\frac{\mathrm{d}e(t)}{\mathrm{d}t}$$

位置式

$$u(k) = 3.6e(k) + 0.4T \sum_{j=0}^{k} e(j) + \frac{8}{T}[e(k) - e(k-1)]$$

增量式

$$\Delta u(k) = 3.6[e(k) - e(k-1)] + 0.4Te(k) + \frac{8}{T}[e(k) - 2e(k-1) + 2(k-2)]$$

4.9 解:PID: $T_i = 4T_3 = 1.88$, $T_d = T_2 = 1$, $K_p = \frac{T_1}{2K_0 T_3} = 3$

$$D(s) = \frac{3(1.88s + 1)(s + 1)}{1.88s}$$

$$= 3(s + 1.5 + 0.5 \frac{1}{s})$$

$$= 3s + 4.5 + 1.5 \frac{1}{s}$$

$$= (3s + 4.5 + 1.5 \frac{1}{s})E(s)$$

采样周期 T 的确定,取 $\omega_s = 10\omega_c$,因为 $\omega_c = \frac{1}{2T_3} = 1.06$,所以 $T = \frac{2\pi}{\omega_s} = 0.59s$

$$D(s) = \frac{U(s)}{E(s)}$$

$$u(t) = 3\frac{\mathrm{d}e(t)}{\mathrm{d}t} + 4.5e(t) + 1.5\int e(t)\mathrm{d}t$$

$$u(k) = 4.5e(k) + 1.5 \sum_{j=0}^{k} e(j)T + \frac{3}{T}[e(k) - e(k-1)]$$

$$\Delta u(k) = 4.5[e(k) - e(k-1)] + 0.885e(k) + 5.1[e(k) - 2e(k-1) + e(k-2)]$$

$$u(k) = u(k-1) + \Delta u(k)$$

$$= u(k-1) + 4.5[e(k) - e(k-1)] + 0.885e(k) + 5.1[e(k) - 2e(k-1) + e(k-2)]$$

PD:
$$u(k) = 4.5e(k) + \frac{3}{T}[e(k) - e(k-1)]$$

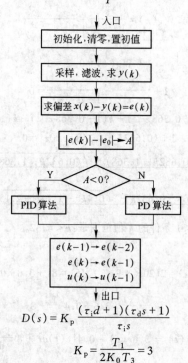

4.10 解:
$$D(s) = K_p \frac{(\tau_i d + 1)(\tau_d s + 1)}{\tau_i s}$$

其中
$$K_p = \frac{T_1}{2K_0 T_3} = 3$$

$$\tau_i = T_1 = 2.85 \quad \tau_d = T_2 = 1$$

采样周期 T 的确定,取 $\omega_s = 10\omega_c$。因为 $\omega_c = \dfrac{1}{2T_3} = 1.06$,所以 $T = \dfrac{2\pi}{\omega_s} = 0.59s$

$$D(s) = \frac{3(2.85s+1)(s+1)}{2.85s},\text{整理后得 } D(s) = 4.05 + 1.05\frac{1}{s} + 3s$$

因为 $\dfrac{U(s)}{E(s)} = D(s)$

所以 $u(t) = 4.05e(t) + 1.05\displaystyle\int e(t)\mathrm{d}t + 3\frac{de(t)}{dt}$

$$u(k) = 4.05e(k) + 1.62\sum_{j=0}^{k} e(j) + 5.05[e(k)-e(k-1)]$$

5.1 解:(1) $W_1(z) = z\left[\dfrac{1-e^{-sT}}{s} \cdot \dfrac{10(s+1)}{S(s+4)}\right] = \dfrac{4.34z^{-1}(1-0.435z^{-1})}{(1-z^{-1})(1-0.018z^{-1})}$

(2) $W_B(z) = 1.768z^{-1}(1-0.435z^{-1})$

(3) $U(z) = \dfrac{W_B(z)}{W_1(z)}X(z)$

$$U(z) = \frac{1.768z^{-1}(1-0.453z^{-1})}{\dfrac{4.34z^{-1}(1-0.453z^{-1})}{(1-z^{-1})(1-0.018z^{-1})}} \cdot \frac{1}{1-z^{-1}}$$

$$= 4.07(1-0.018z^{-1}) = 4.07 - 0.073z^{-1}$$

(4) $Y(z) = W_B(z)X(z)$

$$= \frac{1}{1-z^{-1}} \times 1.768z^{-1}(1-0.453z^{-1})$$

$$= 1.768z^{-1} + z^{-2} + z^{-3} + \cdots$$

5.2 解:被控制对象是最简单的情况 $W_B(z) = 2z^{-1} + z^{-2}$

$$D(z) = \frac{W_B(z)}{W_1(z)[1-W_B(z)]} = \frac{4(1-0.5z^{-1})}{(1-z^{-1})^2}$$

$$Y(z) = W_B(z)X(z) = \frac{z^{-1}(2z^{-1}-z^{-2})}{(1-z^{-1})^2} = 2z^{-2} + 3z^{-3} + 4z^{-4} + \cdots$$

在各个采样时刻的值为 $0,0,2,3,4,\cdots$,可见在两拍后输出就能准确跟随输入。

5.3 解:如果保持控制器不变,而输入单位解跃函数,则输出响应为

$$Y(z) = W_B(z)X(z) = \frac{2z^{-1}-z^{-2}}{1-z^{-1}} = 2z^{-1} + z^{-2} + z^{-3} + \cdots$$

在各个采样时刻的输出值为 $0,2,1,1,\cdots$,需要两拍后才到期望值,显然不是最小拍,而且在第一拍输出值超调量为 100%。

如果还保持控制器不变,而输入为加速度函数,则输出响应为

$$Y(z) = W_B(z)X(z) = (2z^{-1}-z^{-2})\frac{z^{-1}(1+z^{-1})}{2(1-z^{-1})^3}$$

$$= z^{-2} + 3.5z^{-3} + 7z^{-4} + 11.5z^{-5} + \cdots$$

在各个采样时刻的输出值 $0,0,1,3.5,7,11.5,\cdots$,与期望值 $x(t) = t^2/2$,在各个采样时刻 $t = 0,T,$ $2T,3T,\cdots$ 的值 $0,0.5,2,4.5,8,12.5,\cdots$ 相比,显然各拍都小 1,稳态误差为

$$e(\infty) = \lim_{z \to 1}[X(z)-Y(z)] = 1$$

5.4 解:$W_1(z) = \dfrac{0.265z^{-1}(1+2.78z^{-1})(1+0.2z^{-1})}{(1-z^{-1})^2(1-0.286z^{-1})}$

输入函数为单位阶跃函数,根据无纹波最小拍设计,解得:

$$W_B(z) = 0.265z^{-1}(1+2.78z^{-1})(1+0.2z^{-1})$$

从而得数字控制器得传递函数

$$D(z) = \frac{W_B(z)}{W_1(z)[1 - W_B(z)]}$$

$$= \frac{(1 - z^{-1})(1 - 0.286z^{-1})}{(1 + 0.2z^{-1})(1 + 0.735z^{-1})}$$

控制量的 Z 变换

$$U(z) = \frac{Y(z)}{W_1(z)} = \frac{W_B(z)X(z)}{W_1(z)}$$

$$= \frac{(1 - z^{-1})(1 - 0.286z^{-1})}{1 + 0.2z^{-1}}$$

$$= 1 - 1.486z^{-1} + 0.5832z^{-2} - 0.1166z^{-3} + \cdots$$

即控制量从零时刻起的值为 $1, -1.486, 0.5832, -0.1166, \cdots$，所以是收敛的。

输出量的变换为

$$Y(z) = \frac{0.265z^{-1}(1 + 2.78z^{-1})}{1 - z^{-1}}$$

$$= 0.265z^{-1} + z^{-2} + z^{-3} + \cdots$$

输出量各个采样时刻的值是 $0, 0.625, 1, 1, \cdots$，可见已得到稳定的控制。

5.5 解：$W_B(z) = -0.2z^{-1} + 1.2z^{-2}$

$$D(z) = \frac{W_B(z)}{W_1(z)[1 - W_B(z)]} = \frac{-0.091(1 - 6z^{-1})}{1 - z^{-1}}$$

$$U(z) = \frac{Y(z)}{W_1(z)} = \frac{W_B(z)X(z)}{W_1(z)}$$

$$= -\frac{0.091(1 - 6z^{-1})(1 + 1.2z^{-1})}{1 - z^{-1}}$$

$$= -0.091 + 0.345z^{-1} + z^{-2} + z^{-3} + \cdots$$

$$Y(z) = W_B(z)X(z) = \frac{(0.2 - 1.2z^{-1})z^{-1}}{1 - z^{-1}}$$

$$= -0.2z^{-1} + z^{-2} + z^{-3} + \cdots$$

可见得到了无纹波最小拍控制。

5.9 解：

(1)
$$W_1(z) = \frac{0.25z^{-1}(1 + 0.56z^{-1})}{(1 - z^{-1})(1 - 0.961z^{-1})}$$

(2)
$$W_B(z) = (1.512z^{-1} - 0.872z^{-2})(1 + 0.56z^{-1})$$

(3)
$$U(z) = \frac{W_B(z)X(z)}{W_1(z)}$$

$$= \frac{1.21z^{-1} - 1.86z^{-2} + 0.67z^{-3}}{1 - z^{-1}}$$

$$= 1.21z^{-1} - 0.65z^{-2} + 0.02z^{-3} + 0.02z^{-4} + \cdots$$

(4)
$$Y(z) = W_B(z)X(z)$$

$$= \frac{0.2z^{-1}}{(1 - z^{-1})^2} \times 1.512z^{-1}(1 - 0.577z^{-1})(1 + 0.56z^{-1})$$

$$= 0.3z^{-2} + 0.595z^{-3} + 0.793z^{-4} + 0.991z^{-5} + \cdots$$

6.1 解：

(1)它的等效微分方程是 $\ddot{y}(t) = u(t)$，定义两个状态变量分别为

$x_1 = y$ 和 $x_2 = \dot{y} = \dot{x}_1$

于是本系统的微分方程是

$$\dot{x}_1 = x_2$$
$$\dot{x}_2 = u(t)$$

或写成矩阵式

$$\begin{bmatrix} \dot{x}_1 \\ \dot{x}_2 \end{bmatrix} = \begin{bmatrix} 0 & 1 \\ 0 & 0 \end{bmatrix} \begin{bmatrix} x_1 \\ x_2 \end{bmatrix} + \begin{bmatrix} 0 \\ 1 \end{bmatrix} u(t)$$

而输出方程是 $y(t) = \begin{bmatrix} 1 & 0 \end{bmatrix} \begin{bmatrix} x_1 \\ x_2 \end{bmatrix}$，其中　$A = \begin{bmatrix} 0 & 1 \\ 0 & 0 \end{bmatrix}$　$B = \begin{bmatrix} 0 \\ 1 \end{bmatrix}$　$C = \begin{bmatrix} 1 & 0 \end{bmatrix}$

(2)离散状态方程式为

$$X(k+1) = FX(k) + Gu(k)$$
$$Y(k) = CX(k)$$
$$F = e^{AT} \quad G = \int_0^T e^{AT} dt B$$

$$F = e^{AT} = L^{-1}[sI - A]^{-1} = L^{-1}\left\{ \begin{bmatrix} s & 0 \\ 0 & s \end{bmatrix} - \begin{bmatrix} 0 & 1 \\ 0 & 0 \end{bmatrix} \right\}^{-1} = L^{-1} \begin{bmatrix} s & -1 \\ 0 & s \end{bmatrix}^{-1}$$

$$= L^{-1} \frac{\begin{bmatrix} s & 1 \\ 0 & s \end{bmatrix}}{s^2} = L^{-1} \begin{bmatrix} \frac{1}{s} & \frac{1}{s^2} \\ 0 & \frac{1}{s} \end{bmatrix} = \begin{bmatrix} 1 & t \\ 0 & 1 \end{bmatrix}_{t=T} = \begin{bmatrix} 1 & T \\ 0 & 1 \end{bmatrix}$$

$$G = \int_0^T e^{AT} dt B = \int_0^T \begin{bmatrix} 1 & t \\ 0 & 1 \end{bmatrix} dt B = \begin{bmatrix} t & \frac{1}{2}t^2 \\ 0 & t \end{bmatrix}\Bigg|_0^T B = \begin{bmatrix} T & \frac{1}{2}T^2 \\ 0 & T \end{bmatrix}\begin{bmatrix} 0 \\ 1 \end{bmatrix} = \begin{bmatrix} \frac{T^2}{2} \\ T \end{bmatrix}$$

最后可得该系统的离散状态表达式

$$\begin{bmatrix} X_1(k+1) \\ X_2(k+1) \end{bmatrix} = \begin{bmatrix} 1 & T \\ 0 & 1 \end{bmatrix} \begin{bmatrix} X_1(k) \\ X_2(k) \end{bmatrix} + \begin{bmatrix} \frac{T^2}{2} \\ T \end{bmatrix} u(k)$$

6.2 解：

现在由已知这个系统的状态转移矩阵 A 以及矩阵 B，来求矩阵 F：

$$F = e^{AT} = L^{-1}[sI - A]^{-1}$$

$$(sI - A) = \begin{bmatrix} s+2 & -2 \\ -0.5 & s+0.75 \end{bmatrix}$$

$$F = L^{-1} \begin{bmatrix} s+2 & -2 \\ -0.5 & s+0.75 \end{bmatrix} = L^{-1} \frac{\begin{bmatrix} S+0.75 & 2 \\ 0.5 & s+2 \end{bmatrix}}{s^2 + 2.75s + 0.5}$$

求得分母的根为 $s = -0.1957$ 和 $s = -2.554$。把逆阵各元素分解成部分分式，有

$$F = L^{-1} \begin{bmatrix} \dfrac{0.235}{s+0.1957} + \dfrac{0.765}{s+2.554} & \dfrac{0.85}{s+0.1957} - \dfrac{0.85}{s+2.554} \\ \dfrac{-0.2125}{s+0.1957} + \dfrac{0.2125}{s+0.2554} & \dfrac{0.765}{s+0.1957} + \dfrac{0.235}{s+2.554} \end{bmatrix}$$

将这个拉普拉斯变换表达式进行反变换，就可以得到状态转移矩阵

$$F = \begin{bmatrix} 0.325e^{-0.1957t} + 0.765e^{-2.554t} & 0.85e^{-0.1957t} - 0.85e^{-2.554t} \\ -0.2125e^{-0.1957t} + 0.2125e^{-0.2554t} & 0.765e^{-0.1957t} + 0.235e^{-2.554t} \end{bmatrix}$$

我们以 $t = T = 0.25s$ 来计算这个矩阵，则可得

$$F = \begin{bmatrix} 0.627 & 0.361 \\ 0.0901 & 0.853 \end{bmatrix}$$

再求 G：$G = \int_0^T e^{AT} dt B = \int_0^T e^{AT} B dt$

因为 $B = \begin{bmatrix} 0 \\ 0.5 \end{bmatrix}$　　　所以 $G = \int_0^T 0.5 \begin{bmatrix} 0.85(e^{-0.1957t} - e^{-2.554t}) \\ 0.765e^{-0.1957t} + 0.235e^{-2.554t} \end{bmatrix} dt$

$$G = \begin{bmatrix} 2.17(e^{-0.1957T} - 1) - 0.166(e^{-2.554T} - 1) \\ 1.95(e^{-0.1957T} - 1) + 0.046(e^{-2.554T} - 1) \end{bmatrix}$$

$T = 0.25s$ 代入时

$$G = \begin{bmatrix} 0.0251 \\ 0.1150 \end{bmatrix}$$

于是，这个系统的离散状态方程为：$X(k+1) = FX(k) + Gu(k)$

$$\begin{bmatrix} X_1(k+1) \\ X_2(k+1) \end{bmatrix} = \begin{bmatrix} 0.627 & 0.361 \\ 0.0901 & 0.853 \end{bmatrix} \begin{bmatrix} X_1(k) \\ X_2(k) \end{bmatrix} + \begin{bmatrix} 0.0251 \\ 0.1150 \end{bmatrix} u(k)$$

6.3 解：

研究这一系统的可控性，在这种情况下可控性矩阵为

$$[G \quad FG]$$

$$FG = \begin{bmatrix} 1 & -0.2 \\ 0.4 & 0.4 \end{bmatrix} \begin{bmatrix} 1 \\ 1 \end{bmatrix} = \begin{bmatrix} 0.8 \\ 0.8 \end{bmatrix}$$

而可控性矩阵

$$[G \quad FG] = \begin{bmatrix} 1 & 0.8 \\ 1 & 0.8 \end{bmatrix}$$

$$\text{rank} [G \quad FG]$$

这个阵的第二列与第一列不是线性独立的，可控阵的秩为 1。所以系统是不可控的。

6.4 解：　　　　　　　　　　　$\text{rank} \begin{bmatrix} C \\ CF \end{bmatrix}$

$$CF = \begin{bmatrix} 0 & 1 \end{bmatrix} \begin{bmatrix} 1 & T \\ 0 & 1 \end{bmatrix} = \begin{bmatrix} 0 & 1 \end{bmatrix}$$

其中 $\text{rank} \begin{bmatrix} C \\ CF \end{bmatrix} = \begin{bmatrix} 0 & 1 \\ 0 & 1 \end{bmatrix} = 1$

矩阵秩不是 2 而是 1。所以系统是不可测的。对此可作如下物理解释：$X_1(k)$ 的初始状态和 $X_2(k)$ 无关，因此对 $X_2(k)$ 的任何测量均不能对 $X_1(k)$ 作任何推断。

6.5 解：习题 6.1 所示系统的离散状态方程为

$$\begin{bmatrix} X_1(k+1) \\ X_2(k+1) \end{bmatrix} = \begin{bmatrix} 1 & T \\ 0 & 1 \end{bmatrix} \begin{bmatrix} X_1(k) \\ X_2(k) \end{bmatrix} + \begin{bmatrix} \dfrac{T^2}{2} \\ T \end{bmatrix} u(k)$$

$$F = \begin{bmatrix} 1 & T \\ 0 & 1 \end{bmatrix}_{T=0.1} = \begin{bmatrix} 1 & 0.1 \\ 0 & 1 \end{bmatrix}$$

其中　　　　　　　　　　$G = \begin{bmatrix} \dfrac{T^2}{2} \\ T \end{bmatrix} = \begin{bmatrix} 0.005 \\ 0.1 \end{bmatrix}$

假若用状态反馈，控制规律为

$L = \begin{bmatrix} L_1 & L_2 \end{bmatrix}$，得出特征行列式为：

$$\alpha_C(z) = |[zI - F = GL]| = \left| \begin{bmatrix} z & 0 \\ 0 & z \end{bmatrix} \begin{bmatrix} 1 & 0.1 \\ 0 & 1 \end{bmatrix} + \begin{bmatrix} 0.005 \\ 0.1 \end{bmatrix} \begin{bmatrix} l_1 & l_2 \end{bmatrix} \right|$$

$$= \left| \begin{bmatrix} z-1 & -0.1 \\ 0 & z-1 \end{bmatrix} = \begin{bmatrix} 0.05L_1 & 0.05L_2 \\ 0.1L_1 & 0.1L_2 \end{bmatrix} \right|$$

$$= \left| \begin{bmatrix} z-1+0.005L_1 & -0.1+0.005L_2 \\ -0.1L_1 & z-1+0.1L_2 \end{bmatrix} \right|$$

$$= (z-1+0.005L_1)(z-1+0.1L_2) - (-0.1+0.005L_2)(-0.1L_1)$$

$$= z^2 - (2-0.005L_1-0.1L_2)z + (1-0.005L_1)(1-0.1L_2) + 0.01L_1 - 0.005L_1L_2$$

$$= z^2 - (1-0.005L_1-0.1L_2)z + 0.005L_1 - 0.1L_2 \tag{a}$$

系统所要求的闭环系统动态方程为(题给出希望极点配置为 $z_1 = 0.6, z_2 = 0.8$):

$$\alpha_c(z) = (z-z_1)(z-z_2) = (z-0.6)(z-0.8)$$

$$= z^2 - 1.4z + 0.48 = 0 \tag{b}$$

将式(a)与(b)系数比较得出系数为:

比较 z 的系数相等,可得

$$2 - 0.005L_1 - 0.1L_2 = 1.4$$

比较常数项相等,可得

$$1 + 0.005L_1 - 0.1L_2 = 0.48$$

联立上面两个方程,就可得到

$$L_1 = 8.0 \quad L_2 = 5.6 \quad L = [L_1 \quad L_2]$$

对于要实现的实际装置来说,这是适宜的反馈增益值,$L = [8.0 \quad 5.6]$。

控制规律为 $u(k) = -[8.0 \quad 5.6]\begin{bmatrix} X_1(k) \\ X_2(k) \end{bmatrix}$

6.6 解:根据已知的特征根,闭环特征方程是

$$(z-0.5-j0.2)(z-0.5+j0.2) = z^2 - z + 0.29 = 0 \tag{a}$$

所研究的系统是

$$\begin{bmatrix} X_1(k+1) \\ X_2(k+1) \end{bmatrix} = \begin{bmatrix} 0.627 & 0.361 \\ -0.0901 & 0.853 \end{bmatrix} \begin{bmatrix} X_1(k) \\ X_2(k) \end{bmatrix} + \begin{bmatrix} 0.0251 \\ 0.1150 \end{bmatrix} u(k)$$

根据闭环系统特征方程 $\det[zI - F + GL] = 0$

即
$$\det \begin{bmatrix} z-0.627+0.0251L_1 & 0.0251L_2-0.361 \\ -0.0901+0.115L_1 & z-0.853+0.115L_2 \end{bmatrix} = 0$$

将此行列式展开,就得到了特征多项式:

$$z^2 - (1.48-0.025L_1-0.115L_2)z + 0.5025 + 0.02L_1 - 0.069L_2 = 0 \tag{b}$$

令表达式(a)与(b)相等,即令多项式系数对应相等,就可以得出线性联立方程组:

$$\begin{cases} 0.025L_1 + 0.115L_2 = 0.48 \\ 0.0201L_1 - 0.0698L_2 = -0.2125 \end{cases}$$

因此方程组即能解出反馈增益,求得的结果为

$$L = [L_1 \quad L_2] = [2.24 \quad 3.677]$$

控制规律为 $u(k) = -[2.24 \quad 3.677]\begin{bmatrix} X_1(k) \\ X_2(k) \end{bmatrix}$

6.7 解:习题 6.5 的离散状态方程为:

$$\begin{bmatrix} X_1(k+1) \\ X_2(k+1) \end{bmatrix} = \begin{bmatrix} 1 & 0.1 \\ 0 & 1 \end{bmatrix} \begin{bmatrix} X_1(k) \\ X_2(k) \end{bmatrix} + \begin{bmatrix} 0.005 \\ 0.1 \end{bmatrix} u(k)$$

$$F = \begin{bmatrix} 1 & 0.1 \\ 0 & 1 \end{bmatrix} \quad G = \begin{bmatrix} 0.005 \\ 0.1 \end{bmatrix} \quad C = \begin{bmatrix} 1 & 0 \end{bmatrix}$$

从而可以求出观测器方程为

$$x(k+1) = F\hat{x}(k) + Gu(k) + K[y(k) - C\hat{x}(k)]$$

已知观测器的特征方程的两个根设置在 $z = 0.9 \pm j0.1$ 处,

所以观测器的特征方程为 $\alpha_c(z-0.9+j0.1)(z-0.9-j0.1)$

$$\alpha_c = (z-0.9)^2 - (j0.1)^2 = z^2 - 1.8z = 0.81 + 0.1$$

$$\alpha_c = z^2 - 1.8z + 0.82 \tag{a}$$

由(6.59)可求出观测器的特征方程:

$$|zI - F + KC| = \left| \begin{bmatrix} z & 0 \\ 0 & z \end{bmatrix} - \begin{bmatrix} 1 & 0.1 \\ 0 & 1 \end{bmatrix} + \begin{bmatrix} K_1 \\ K_2 \end{bmatrix} [1 \quad 0] \right|$$

$$= \left| \begin{bmatrix} z-1 & -0.1 \\ 0 & z-1 \end{bmatrix} + \begin{bmatrix} K_1 & 0 \\ K_2 & 0 \end{bmatrix} \right| = \left| \begin{bmatrix} z-1+K_1 & -0.1 \\ K_2 & z-1 \end{bmatrix} \right|$$

$$= (z-1+K_1)(z-1) + 0.1K_2$$

$$= z^2 + (K_1-2)z + (1-K_1+0.1K_2) \tag{b}$$

通过式(a)与式(b)系数比较 $\begin{cases} K_1 - 2 = -1.8 \\ 1 - K_1 + 0.1K_2 = 0.82 \end{cases}$

解得 $K_1 = 0.2, K_2 = 0.2$,即状态观测器矩阵为 $K = \begin{bmatrix} 0.2 \\ 0.2 \end{bmatrix}$

6.8 解:前面已求得 $F = \begin{bmatrix} 1 & 0.1 \\ 0 & 1 \end{bmatrix} = \begin{bmatrix} F_{aa} & F_{ab} \\ F_{ba} & F_{bb} \end{bmatrix}$

根据式(6.79)得

$$|zI - F_{bb} + KF_{ab}| = z - 1 + 0.1K = \alpha_c(z) = z$$

从而得 $K = 10$

6.9 解:用分离定理,先求控制规律 L,然后再求观测器增益矩阵 K。

(1)求 L:

离散状态方程

$$\begin{bmatrix} X_1(k+1) \\ X_2(k+1) \end{bmatrix} = \begin{bmatrix} 0.627 & 0.361 \\ 0.0901 & 0.853 \end{bmatrix} \begin{bmatrix} X_1(k) \\ X_2(k) \end{bmatrix} = \begin{bmatrix} 0.0251 \\ 0.1150 \end{bmatrix} u(k)$$

$$F = \begin{bmatrix} 0.627 & 0.361 \\ 0.0901 & 0.853 \end{bmatrix} \quad G = \begin{bmatrix} 0.0251 \\ 0.1150 \end{bmatrix} \quad C = \begin{bmatrix} 1 & 0 \end{bmatrix}$$

根据闭环系统的特征方程有

$$\det[zI - F + GL] = 0$$

$$\det \begin{bmatrix} z - 0.627 + 0.0251L_1 & 0.0251L_2 - 0.361 \\ -0.0901 = 0.1151L_1 & z - 0.853 = 0.1151L_2 \end{bmatrix}$$

将此行列式展开,就得到了特征多项式:

$$z^2 - (1.48 - 0.0251L_1 - 0.1151L_2)z + 0.5025 + 0.02L_1 - 0.069L_2 = 0 \tag{a}$$

根据已给出的特征根,闭环特征方程是

$$(z - 0.5 - j0.2)(z - 0.5 + j0.2) = z^2 - z + 0.29 = 0 \tag{b}$$

令(a)与(b)相等,即令多项式系数对应相等,就可以得出线性联立方程组:

$$\begin{cases} 0.0251L_1 + 0.115L_2 = 0.48 \\ 0.0201L_1 - 0.0698L_2 = -0.2125 \end{cases}$$

由此方程组即能解出反馈增益 L_1 和 L_2,求得结果为

$$L = \begin{bmatrix} L_1 & L_2 \end{bmatrix} = \begin{bmatrix} 2.24 & 3.677 \end{bmatrix}$$

(2)求 K。根据公式

$$\left| zI - F + KC \right| = \alpha_e(z)$$

先求观测器特征方程:

$$\left| zI - F + KC \right| = \det \begin{bmatrix} z - 0.627 + K_1 & -0.361 \\ -0.0901 + K & z - 0.853 \end{bmatrix}$$

$$= z^2 + (K_2 - 1.48)z = 0.502 - 0.853K_1 + 0.361K_2 \quad \text{(c)}$$

再求根据已知观测器配置的极点 $0.4 \pm \mathrm{j}0.2$,

$$\alpha_e(z) = (z - 0.4 - \mathrm{j}0.2)(z + 0.4 + \mathrm{j}0.2)$$

$$= z^2 - 0.8z + 0.2 \quad \text{(d)}$$

使式(c)与式(d)相等,用比较系数法得方程组

$$\begin{cases} 1.48 - K_1 = 0.8 \\ 0.502 - 0.853K_1 + 0.361K_2 = 0.2 \end{cases}$$

解这个线性方程组,就可求得观测器增益

$$K_1 = 0.68, \quad K_2 = 0.77$$

公式为

$$\begin{bmatrix} \hat{X}_1(k+1) \\ \hat{X}_2(k+1) \end{bmatrix} = \begin{bmatrix} 0.627 & 0.361 \\ 0.0901 & 0.853 \end{bmatrix} \begin{bmatrix} \hat{X}_1(k) \\ \hat{X}_2(k) \end{bmatrix} + \begin{bmatrix} 0.0251 \\ 0.1150 \end{bmatrix} u(k) + K[y(k) - C\hat{X}(k)]$$

其中 $K[y(k) - C\hat{X}(k)] = K[CX(k) - C\hat{X}(k)] = KC[X(k) - \hat{X}(k)]$

$$= K\begin{bmatrix} 1 & 0 \end{bmatrix} \begin{bmatrix} X_1(k) - \hat{X}_1(k) \\ X_2(k) - \hat{X}_2(k) \end{bmatrix} = K[X_1(k) - \hat{X}_1(k)]$$

所以,观测器为

$$\begin{bmatrix} \hat{X}_1(k+1) \\ \hat{X}_2(k+1) \end{bmatrix} = \begin{bmatrix} 0.627 & 0.361 \\ 0.0901 & 0.853 \end{bmatrix} \begin{bmatrix} \hat{X}_1(k) \\ \hat{X}_2(k) \end{bmatrix} = \begin{bmatrix} 0.0251 \\ 0.1150 \end{bmatrix} u(k) = \begin{bmatrix} 0.68 \\ 0.77 \end{bmatrix} [X_1(k) - \hat{X}_1(k)]$$

$$u(k) = -\begin{bmatrix} 2.24 & 3.677 \end{bmatrix} \begin{bmatrix} \hat{X}_1(k) \\ \hat{X}_2(k) \end{bmatrix}$$

6.10 解:

(1)离散状态方程

$$F = \mathrm{e}^{AT} = L^{-1}[sI - A]^{-1} = L^{-1} \begin{bmatrix} s+1 & 0 \\ -1 & s \end{bmatrix}^{-1} = L^{-1} \frac{\begin{bmatrix} s & 0 \\ 1 & s+1 \end{bmatrix}}{s(s+1)}$$

$$= L^{-1} \begin{bmatrix} \dfrac{1}{s+1} & 0 \\ \dfrac{1}{s(s+1)} & \dfrac{1}{s} \end{bmatrix} = \begin{bmatrix} \mathrm{e}^{-t} & 0 \\ 1 - \mathrm{e}^{-t} & 1 \end{bmatrix}_{t=T=1} = \begin{bmatrix} 0.368 & 0 \\ 0.632 & 1 \end{bmatrix}$$

$$G = \int_0^T \mathrm{e}^{AT} \mathrm{d}t \cdot B = \int_0^T \begin{bmatrix} \mathrm{e}^{-t} & 0 \\ 1 - \mathrm{e}^{-t} & 1 \end{bmatrix} \mathrm{d}t \cdot B = \begin{bmatrix} -\mathrm{e}^{-t} & 0 \\ t + \mathrm{e}^{-t} & t \end{bmatrix}_0^T \cdot B$$

$$= \begin{bmatrix} -\mathrm{e}^{-1} + 1 & 0 \\ 1 + \mathrm{e}^{-1} - 1 & T \end{bmatrix} = \begin{bmatrix} 0.632 & 0 \\ 0.368 & 1 \end{bmatrix}$$

(2)设计一个预报观测器,若将观测器特征方程的两个根设置在原点,即 $\alpha_e(z) = z^2$,求此观测器所需

的增益 K_1 和 K_2。

$$|zI - F + KC| = \left| \begin{bmatrix} z & 0 \\ 0 & z \end{bmatrix} - \begin{bmatrix} 0.368 & 0 \\ 0.632 & 1 \end{bmatrix} + \begin{bmatrix} K_1 \\ K_2 \end{bmatrix} [0 \quad 1] \right|$$

$$= \left| \begin{bmatrix} z-0.368 & 0 \\ -0.632 & z-1 \end{bmatrix} + \begin{bmatrix} 0 & K_1 \\ 0 & K_2 \end{bmatrix} \right| = \left| \begin{bmatrix} z-0.368 & K_1 \\ -0.632 & z-1+K_2 \end{bmatrix} \right|$$

$$= z^2 - (0.368 + 1 - K_2)z + (0.632K_1 - 0.368K_2 + 0.368)$$

用 $|zI - F + KC| = \alpha_e(z)$ 系数对比法由 $\begin{cases} 0.368 + 1 - K_2 = 0 \\ 0.632K_1 - 0.368K_2 + 0.368 = 0 \end{cases}$

求得 $K_1 = 0.214, K_2 = 1.368$

(3)将极点配置在 $z_1 = 0.3, z_2 = 0.4$，用极点设计控制规律

用 $|zI - F + GL| = (z-0.3)(z-0.4)$ 系数对比法，求得

$$L_1 = 0.67, L_2 = 0.66$$

7.1 随着科学技术进步，工业生产更加社会化，生产过程向更大规模、更复杂的方向发展，自动化系统中信息处理和控制决策功能的分散化和多级递阶系统结构的形成已成为不可避免的趋势。

递阶和分布式计算机控制系统研究的内容包括系统功能分解和结构设计，技术实现手段和控制原理及方法这几方面。

7.2 递阶和分布式计算机控制系统的层次结构的发展方向已从金字塔模式向扁平化模式方向发展。

7.3 "安装在制造和过程区域的现场装置与控制室内的自动控制装置之间的数字式、串行、多点通信的数据总线称为现场总线。"一般认为"现场总线是一种全数字化、双向、多站的通信系统，是用于工业控制的计算机系统的工业总线。"它是用于生产自动化最底层的现场设备以及现场仪表的互联网络，是现场通信网络和控制系统的集成。

7.4 现场总线在实际应用中有如下特点：

(1) 现场总线使得智能变送器中安装的微处理器能够直接与数字控制系统通信，而不需要 I/O 转换，节约了费用；

(2) 现场总线可以取代每个传感器到控制器的单独布线，大大减少了连线费用；

(3) 现场总线可以将一些先进功能，如线性化、工程量转换以及报警处理等赋予现场仪表，提高了现场仪表的精度和可靠性；

(4) 现场总线提高了控制精度，这意味着应用数字信号所受到的限制将主要来自于传感器的精度；

(5) 现场总线可提高控制装置与传感器、执行器之间的双向通信，方便了操作员与被控设备之间的交互；

(6) 现场总线使得专门根据现场总线开发的现场仪表的使用成为可能，并将最终取代单变量模拟仪表，减少了仪表的购置、安装与维护费用；

(7) 现场总线的开放性将使用户有可能对各仪表厂商的产品任意进行选择并组成系统，而不必考虑接口是否匹配等问题。

7.5 嵌入式测控系统选用实时操作系统能够把系统软件和应用软件分开处理，还可以极大地简化系统的开发过程，提高可靠性，并缩短产品上市的时间。

7.7 通信系统必须具备发现(即检测)差错的能力，并采取措施加以纠正，使差错控制在系统所能允许的尽可能小的范围内。

常用的差错控制编码有：奇偶校验码、循环冗余校验码(CRC 码)和海明码。

7.9 CAN 总线的物理位以大于某一值的差分电压表示显性位(总线位输出)；在隐性状态下，高低两个电压被固定于接口芯片电源电压与电源地之间的平均电压附近，差分电压接近 0 值(总线位关闭)。CAN 总线的物理位的这种表示为 CAN 总线的抗干扰、抗恶劣工作环境提供了基础保证。

CAN 节点在错误严重的情况下具有自动关闭输出功能，以使总线上其他节点的操作不受影响，从而保证不会在网络中因个别节点出现问题，而使得总线处于"死锁"状态。

参 考 文 献

1　张国范,顾树生.微型计算机控制技术.沈阳:东北大学出版社,1997

2　何克忠,李伟.计算机控制系统.北京:清华大学出版社,1998

3　谢剑英.微型计算机控制技术.北京:国防工业出版社,1997

4　顾树生,王建辉.自动控制原理.北京:冶金工业出版社,2001

5　[美]R.G.杰奎沃特.现代数字控制系统.北京:科学出版社,1985

6　绪方胜彦,卢伯英等译.现代控制工程.北京:科学出版社,1976

7　何可忠,郝忠恕.计算机控制系统分析与设计.北京:清华大学出版社,1989

8　潘新民,王燕芳.微型计算机控制技术.北京:电子工业出版社,2003

9　范立南,温勇.单片机接口与控制技术.沈阳:辽宁大学出版社,1996

10　李锡雄,陈婉儿,鲍鸿等.微型计算机控制技术.北京:科学出版社,1999

11　李友善.自动控制原理.北京:国防工业出版社,1981

12　王永初.自动调节系统工程设计.北京:机械工业出版社,2001

13　刘植桢,郭木河,何克忠.计算机控制.北京:清华大学出版社,1981

14　孙增圻.计算机控制理论及应用.北京:清华大学出版社,2001

15　袁南儿,王万良,苏宏业.计算机新型控制策略及其应用.北京:清华大学出版社,1998

16　张殿华,张建成,张国范.材料成形自动控制基础.沈阳:东北大学出版社,2000

17　王树青,赵鹏程.集散性计算机控制系统(DCS).杭州:浙江大学出版社,1994

18　邱化元,郭殿杰.集散控制系统.北京:机械工业出版社,1991

19　朱家铿,王兴伟,刘恩.计算机网络.沈阳:东北大学出版社,1997

20　S. Majhi and D. P. Atherton. Modified Smith predictor and controller for processes with time delay. IEE Proc – Control Theory Apply. Vol. 146, No 5, September 1999

21　K. J. Astrom, C. C. Hang and B. C. Lim. A New Smith Predictor for Controlling a Process with an Integrator and Long Dead – Time. IEEE TRANSACTION ON AUTOMATION CONTROL, Vol. 39, No. 2, FEBRUARY 1994

22　H. P. Huang and C. C. Chen. Control – system synthesis for open – loop unstable process with time delay. IEE Proceedings online no. 1997

23　Prodeep B. Deshpande and Raymond H. Ash. Elements of Computer Process Control with Advanced Control Application. USA: Instrument Society of America 1982. p. 228 – 238

24　魏晓东.分散型控制系统.上海:上海科学技术文献出版社,1991

25　倪远平,罗毅平.计算机控制技术.重庆:重庆大学出版社,1997

26　张宇河,金钰.计算机控制系统.北京:北京理工大学出版社,1996

27　侯志林.过程控制与自动化仪表.北京:机械工业出版社,2000

28　赵志远.数字调节器.沈阳:辽宁大学出版社,1991.5

29　王义方.微型计算机原理及应用.北京:机械工业出版社,1992

30　涂植英.过程控制系统.北京:机械工业出版社,1983

31　苗秀敏,朱金钧.计算机控制系统及应用.北京:北京科学技术出版社,1995

32　阳宪惠.现场总线技术及其应用.北京:清华大学出版社,1996

33　熊静琪.计算机控制技术.北京:电子工业出版社,2003

34　顾兴源.计算机控制系统.北京:冶金工业出版社,1981

35　PCI Local Bus Specification Revision2.2, 1998

36　朱传乃主编. 386/486 微型计算机系统原理与维修. 北京:人民邮电出版社,1995

37　PCI 9052 Data Book Revision1.02, PLX Technology, 2000

38　国家自然科学基金委员会,自然科学学科发展战略调研报告——自动化科学与技术.北京:科学出版社,1995

39　柴天佑,金以慧,任德祥等.基于三层结构的流程工业现代集成制造系统.控制工程,2002(3)

40　阳宪惠主编.现场总线技术及其应用.北京:清华大学出版社,2000

41　邬宽明. CAN 总线原理和应用系统设计. 北京：北京航空航天大学出版社,1996

42　刘建昌,钱晓龙,冯立等. CAN 总线及 Device Net 现场总线. 控制工程,2001(6)

43　何立民主编. 单片机应用技术选编 7. 北京:北京航空航天大学出版社,1999

44　王明顺. 微机测控系统中应重视的两个问题. 电子与自动化, 1995(3)

45　王明顺. 微机测控系统实时自诊断. 微型机与应用,1993(2)

46　赖寿宏主编. 微型计算机控制技术. 北京：机械工业出版社,2000

冶金工业出版社相关书目